KB172089

인류의 인플루언서, 예수

생생한 이야기로 예수를 부활시키다

신담 지음

신 담

학부에서 경제학을 전공했고, 일하면서 대학원을 두 곳이나 졸업했다. 한곳에서는 사회복지학을, 다른 곳에서는 신학을 전공했다.

초등학교 5학년 때부터 책 읽기를 좋아하여 지금도 일주일에 서너 권을 읽고 있다, 소설 삼국지는 너무나 재밌어서 스무 번 이상 읽었다. 퇴폐적인 것이 아닌 한, '책은 모두 착하다.'라는 신념을 갖고 있다.

정년퇴직 즉시 귀촌했고, 농사를 지으며 강사로 활동하고 있다. 처음에는 바둑과 독서 강사로 시작했고, 지금은 '통기타 기초'와 '이야기 고전 한문'을 강의하고 있다. 청소년 시절에 놀면서 익힌 기술과 지식이 정년 후의 삶에 활력소가 된 셈이다.

2000년대 초반에 자기개발서를 출간했고, 얼마 전부터 〈선비와 한량〉이라는 블로그와 〈브런치스토리〉라는 사이트에 틈틈이 글을 올리고 있다. 그러면서 내년 이맘때 출간을 목표로 Bible이 인류에게 끼친 영향을 비판적으로 숙고하는 인문에세이를 집필하고 있다.

프리드리히 니체를 좋아하고, 장자처럼 유유자적하며 여생을 살아가려 애쓰고 있다.

이 책으로 나는
인류에게 이제까지 주어진 그 어떤 선물보다도
더 큰 선물을 주었다.
- 니체 -

목 차

• • •

0031년 봄에서 여름까지 ______ 6

0001년에서 0011년까지 유대 땅에서 ______ 40

0031년 가을에서 겨울까지 ______ 72

0011년에서 0014년까지 알렉산드리아에서 ______ 110

0032년 봄에서 여름까지 ______ 144

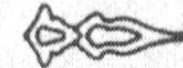

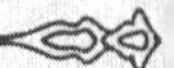

0015년에서 0022년까지 로마에서 ______ 182

0032년 가을에서 겨울까지 ______ 223

0023년에서 0030년까지 아프리카 그리고 카프리섬에서 ______ 256

0033년 봄 ______ 279

에필로그 ______ 325

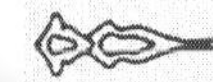

0031년 봄에서 여름까지

"어허, 은혜를 입고서 해를 당한 것만 생각하느냐?
네 마음속에는 복수와 적개심이 도사리고 있어.
그것들을 뛰어넘어야 진리에 이를 수 있다."

• • •

"각하, 저 사람은 어떻게 되겠습니까?"

"황제 폐하가 죽을 때까지 그가 살아 있든 말든, 자네에게 무슨 상관인가?"

그가 시리아 총독의 집무실을 나오자마자, 총독과 그의 부관이 주고받은 말이다. 그는 로마에서 안티오키아를 향하여 달려왔다. 시종 마티아와 그의 양아들 마르크가 뒤를 따랐다.

시리아 총독은 안티오키아에서 시리아 속주를 통치했고, 유대 땅은 그에 속했다. 그는 아침 일찍 시리아 총독을 찾아가 세야누스[1]의 편지를 전달했다. 편지에 코를 박고 꼼꼼하게 읽어 가는 그의 얼굴에 놀라움과 반신반의하는 표정이 번갈아 나타났다. 하지만 곧 얼굴을 펴고는, 부관에게 그를 전역시키고 퇴직금을 지급하라고 명령했다.

그는 안티오키아 은행에 들러 로마에서 부친 돈을 찾아 저금했다. 금리가 일 할에다 이자를 선지급했다. 그것은 로마 은행의 두

[1] 티베리우스 황제의 근위대장으로 승승장구했으나, 원로원 법정의 사형 선고에 이어 교살된 후, 시민들이 그의 시신을 끌고 다니다가, 머리와 뼈대만 남자, 티베르강에 던져 버렸다.

배를 웃도는 수준이었다.

예루살렘으로 가는 길에 나사렛에 들렀지만, 예수는 집에 없었다. 그는 세례자 요한을 만나고, 광야에서 40일 동안 기도하고 올 것이라고, 그의 어머니가 말했다.

그는 시종들을 먼저 베다니로 보내고, 독이라는 요새로 향했다. 그곳은 광야 한가운데에 솟아 있는 봉우리로, 수도사들은 대개 정상이나 기슭의 동굴에서 기도한다고 했다.

뜨거운 태양과 땅바닥에서 올라오는 열기에 숨이 콱콱 막혔다. 정상에는 아무것도 없었다. 나귀에서 보따리와 물주머니를 내리고, 쇠몽둥이로 나귀 궁둥이를 두들겼다. 나귀는 구슬피 울면서 산 아래로 내달았다.

간식 보따리와 물주머니 하나를 쥐엄나무 밑에 두고, 산을 내려가며 동굴을 찾았다. 어느 동굴에도 사람이라고는 없었다. 산 아래에 이르기까지 나흘이 걸렸다. 독 요새를 벗어나 광야에서 동굴이 있을 만한 봉우리를 뒤졌다.

음식과 물은 벌써 떨어져, 배가 고프고 목이 말랐다. 쥐엄나무 밑에 두고 온 보따리와 물주머니가 떠올랐다. 그는 다시 산 정상으로 올라갔다.

쥐엄나무 밑에서 사내 하나가 그에게 등을 돌린 채로 하늘을 쳐다보고 있었다. 그는 숨을 죽이고 살금살금 다가갔다. 그 사내가 몸을 돌리며 말했다.

"유다야, 네가 이곳에 오다니 웬일이냐?" 예수의 목소리였다.

"20년 만인데, 어떻게 나를 단박에 알아보지?"

그가 성큼성큼 다가와 유다를 안았다.

"너 말고는 여기까지 날 찾아올 사람이 없어. 네 몸은 여전히 억센 기운을 뿜어내고 있구나."

"형을 찾느라고 여러 날 동안 광야를 헤맸어. 물도 없는 광야에서 40일씩이나 기도할 생각을 하다니, 이런 곳에서 기도하는 이유가 뭐야?"

"조용한 가운데 그분의 음성을 들으려고 왔지."

"그분이라니 그게 누구야?"

"우리의 아버지, 곧 하느님이지."

"그래서 하느님이 뭐라고 해?"

"그는 사람의 언어로 말하지 않아. 오랜 침묵과 기도 속에서 그와 내가 하나라는 것을 깨달았다."

"그동안 뭘 먹고 있기는 한 거야?"

"물만 가져왔는데, 그것도 오래전에 떨어졌어. 이곳에 눕자. 그동안 살아온 이야기도 하고, 앞일도 의논해 보자."

유다는 보따리를 풀고 물주머니를 열었다.

"베다니에 들를 때마다 너의 소식을 들었어. 로마군에 입대했다고 하던데 제대하고 온 거냐?"

"20년을 지나도 제대하기가 어렵다는 걸 입대하고 나서야 알았어. 여러 번 공을 세운 덕에 제대한 거야."

"그것참, 무슨 생각으로 로마군에 들어갔었느냐?"

"이스라엘이 독립하려면 로마군을 잘 알아야 하잖아. 하지만 우리가 로마와 싸워서 이긴다는 건 불가능하단 걸 깨달았어."

"그나마 천만다행이구나. 폭력과 전쟁으로야 백성들을 구원할 수 없지."

"나사렛에 들렀다가 형이 세례자 요한이라는 사람을 만나러 갔다고 들었어. 그는 어떤 사람이야?"

"엘리야 같은 사람이야. 많은 백성이 그를 메시아로 여기고 있어."

"지금까지 메시아라고 으스대던 놈 중에서 멀쩡한 놈이 하나라도 있었나? 애먼 백성들만 칼과 창에 죽게 만들었지. 이곳에 얼마나 더 있을 거야?"

"먼저 베다니에 가 있어라. 나도 그곳에 일이 있으니까 그때 보자."

"20년 만에 겨우 만났는데, 벌써 떠나라고? 나도 같이 있을 거야."

그들은 산을 내려가 동굴로 들어갔다. 예수는 벽을 보고 앉아 기도하고, 유다는 바닥에 누웠다. 그는 잠들었다가 깨기를 반복했다. 동굴 안이 캄캄해서 때를 분간할 수 없었다.

"형, 이러다가 굶어 죽겠어. 사실은 배고픈 것보다 지루한 게 더 힘들어."

"알렉산드리아에서 무엇을 배웠느냐?"

"로마의 청소년들은 그리스 철학과 수사학을 기본으로 공부해."

"그리스 철학이라? 어떤 건지 설명해 봐라."

"그걸 설명하기는 어렵고, 대표적인 철학자가 소크라테스인데, 형도 이름을 들어봤을 거야. '너 자신을 알라'고 한 사람 말이야."

"자기 자신을 아는 것은 곧 하느님을 아는 것이다. 그는 언제 사람이냐?"

"400년 전쯤부터 청년들을 가르쳤는데, 청년들을 잘못된 길로 인도한다고 고소를 당했어. 배심원들이 유죄로 평결한 후에 한 달 가량 감옥에 있다가 독배를 마시고 죽었어."

"하느님을 알고 나서 죽었으니 그나마 다행이었구나. 그리스에는 신들이 많은데, 그는 어떤 신을 믿었느냐?"

"다이몬이라는 신을 믿었다고 해. 신들이 많은 나라와 신이 하나밖에 없는 나라 사이에는 엄청난 차이가 있어."

"흠, 어떤 차이가 있느냐?"

"신이 많으면 신전도 많고, 그러면 돈을 벌기가 어려워. 사람들이 내는 헌금을 여럿이 나눠 갖게 되잖아. 하지만 유대인들에게는 신이 야훼 한 분뿐이고, 신전도 예루살렘 성전 하나뿐이야. 그래서 예루살렘 성전에 돈이 많은 거고, 그래서 대제사장들이 부자가 된 거야."

"하하하, 농담 같지만 날카롭구나. 너의 신앙은 여전하냐?"

"지금은 야훼를 별로 신뢰하지 않아. 신이란 자비로워야 하는데, 야훼는 사람을 함부로 죽이거든."

"예를 들어 말해 봐라."

"선지자를 조롱했다고 암곰 두 마리를 시켜 어린아이 42명을 찢어 죽였잖아. 아무리 악한 사람이라도 그런 짓은 안 해. 어린아이가 뭘 안다고."

"엘리사 이야기구나. 신의 품성 중에 어떤 것이 가장 중요하다고 생각하느냐?"

"용서라고 생각해. 신뿐 아니라 사람에게도. 하지만 나는 용서하는 게 어려워."

"너 자신만 의롭다고 여기면서 남을 용서한다고 해서 그런 것 아니냐. 어라, 또 자냐?"

그들은 산에서 내려와 비에 젖은 광야를 걸어갔다. 태양이 구름을 비집고 나왔다. 돌들에서 김이 모락모락 나는 것이 빵을 굽는 것처럼 보였다. 유다가 빙그레 웃으며 말했다.

"이 돌들을 빵으로 만들어 봐. 형은 하느님과 하나잖아."

"사람이 빵으로만 살겠느냐? 하느님을 만나지 못하면 살아도 산 게 아니다."

그들은 낭떠러지를 만났다. 저 아래 까마득하게 보이는 바닥에 들풀들이 솟아나, 푹신한 이불처럼 땅을 덮고 있었다.

"형, 저 아래로 뛰어내려 봐. 하느님이 형을 안고 가만히 내려놓을 거야."

"하느님을 시험하지 마라. 나이 30이 돼도 장난끼는 여전하구나. 내가 다치지 않나 보고 나서, 너도 뛰어내리겠다는 거냐?"

하얀 구름이 서쪽 하늘에 예루살렘 성전을 그려 놓자, 태양이 그것을 황금빛으로 물들였다. 그는 황홀경에 취하여 예수를 바라보았다.

"내가 왕이 되면 형을 대제사장으로 임명할 거야. 그러면 형은 희년[2]을 선포하고, 성전 금고를 열어서 백성들에게 나눠주고, 토지를 도로 찾게 해 주는 거야."

"대제사장은 백성들을 착취하는 족속이야. 내가 하필 그런 자가 되겠느냐? 네가 알아둘 게 있어. 세상의 권세를 탐하는 자는 나와 함께할 수 없다."

"세상의 권세라니, 그게 뭐야?"

---

[2] 안식년이 일곱 번 지나서 50년마다 돌아오는 해. 땅이 원 주인에게 돌아가고 부채가 면제되었다. 유대인들이 바빌론 유수에서 70년 만에 예루살렘으로 돌아왔을 때, 그들이 옛날 땅을 되찾기 위해 만든 제도라는 설도 있다.

"백성들을 억압하는 왕이라면 될 생각을 하지 마라. 율법을 빌미로 착취하는 대제사장이라면 그의 말을 듣지 마라."

"흠, 세상의 권세라는 말보다는 지배 체제라고 하는 것이 알아듣기 쉽겠어."

"좋은 표현이구나. 네가 유학을 떠나던 해에 내가 한 말이 있는데, 잊지 않았느냐?"

"창세기의 노래가 맞더라. 이집트의 모든 땅은 왕과 제사장들의 소유였어. 그러다가 아우구스투스 황제가 이집트를 정복한 후에 제사장들의 땅까지 몰수하고, 그 대신 봉급을 지급했어. 아우구스투스가 요셉보다 한발 더 나아간 셈이야."

"그러면 이집트의 모든 땅이 로마 황제의 것이란 말이냐?"

"그렇지 않아. 황제가 귀족들에게 얼마간 팔았거든."

"세상을 봐라. 부자들이 농민들로부터 땅을 빼앗다시피 사들이고, 소작인이 된 농민들은 착취당하고 있다. 누구도 땅을 소유할 수 없어야 그런 일이 없어지지 않겠느냐? 그 옛날 요셉[3]은 훌륭한 일을 한 거야."

태양이 뜨거운 입김을 줄기차게 토해 내고 있었다. 그들은 땀을 줄줄 흘리며 베다니를 향해 걸어갔다. 갑자기 한 무리의 사람들이 나타나 길을 막았다. 험상궂은 모습으로 보아 강도들이 분명했다. 유다는 쇠몽둥이에서 외투를 걷어 버리고 그들을 노려봤다. 강도

---

3 창세기 47장 20절~26절. 이집트와 그 주변 지역에 7년 동안 풍년과 7년 동안 흉년이 계속될 때, 그걸 예측하고 있었던 요셉은 풍년 때 곡식을 창고에 쌓아두었다가, 흉년 때 곡식과 땅을 맞바꾸어 백성들의 모든 땅을 파라오의 소유로 했다. 그러나 봉급을 받는 사제들은 땅을 팔 필요가 없었다.

넷이 한꺼번에 그에게 덤벼들었다. 그는 쇠몽둥이를 땅바닥에 박고 손과 발로 그들을 물리쳤다.

예수가 그의 앞을 막아서며 참으라고 소리쳤다. 강도 하나가 몽둥이로 예수의 머리를 내리쳤다. 그는 땅바닥에 털썩 주저앉았다. 쇠몽둥이가 번쩍하면서 그 강도의 팔을 스치듯 지나갔다. 몽둥이를 놓친 팔이 잘려져 대롱거렸다. 예수가 벌떡 일어나 쇠몽둥이를 잡고 유다를 막아섰다. 강도들이 떼거리로 달려들었다.

오랫동안 굶다시피 한 데다가 예수까지 거치적거려 유다는 제대로 싸울 수가 없었다. 강도들은 그들을 인정사정없이 두들겨 팼다. 그들이 더 이상 저항을 못하고 쓰러지자, 강도들은 사타구니를 가린 것만 남겨 놓고 모든 것을 빼앗았다.

"야, 이 무참한 놈아, 이게 뭐로 만들었는데 이렇게 무거우냐?" 강도 하나가 그의 쇠몽둥이를 두 손으로 들고 말했다.

"니 에미한테 물어봐라."

그자가 씩씩거리며 다가와 굵직한 몽둥이로 유다의 머리를 내리쳤다. 그는 땅을 구르며 피했다. 그자는 계속해서 그의 머리를 내리쳤다. 그러다가 몽둥이가 그의 목덜미를 쳤다. 그는 정신을 잃었다. 그가 마지막으로 본 것은 예수가 팔을 다친 강도에게 붕대를 감아 주고 있는 모습이었다.

"더 누워 있어라. 우선 몸을 회복한 후에 길을 떠나자."

그는 강도들에게 몰매를 맞았던 일을 기억해 냈다. 그때 사람이 다가오는 소리가 들렸다. 예수가 우리 좀 보라고 소리를 질렀다. 하지만 그는 그들을 보지 못한 척하며 지나갔다.

한참 만에 또 한 사람이 다가왔다. 이번에는 유다가 도와 달라고 소리쳤다. 그는 마치 문둥이를 보고 피하듯이 빙 돌아서 갔다.

뜨거운 태양이 서쪽 하늘로 기울고 시원한 바람이 불어올 때, 나귀 울음소리가 들렸다. 중년의 사내가 수레에서 내려와 그들에게 물주머니를 내밀었다. 그들이 물을 마시고 나자, 그는 유다의 몸을 살펴 보고는, 목에 올리브기름을 바르고 붕대로 싸매 주었다.

"감사합니다. 나는 유다라고 하는데 당신은 누구입니까?"

"나는 장사하러 여기저기 돌아다니는 사람입니다. 당신은 목 주변이 심하게 부어서 며칠 요양을 해야 할 것 같습니다."

그는 예수의 상처를 살펴보고 말했다.

"당신도 많이 다쳤군요. 당신들은 어디로 가는 길입니까?"

"감사합니다. 나는 예수라고 하는데, 베다니로 가는 길에 강도를 만났습니다."

사내는 그들을 수레에 태우고 예리코를 향해 달려갔다. 수레가 덜컹거릴 때마다 유다는 목을 부여잡고 이를 악물었다. 목이 떨어져 나가는 것 같았고, 이마에서는 땀이 줄줄 흘렀다.

그들은 여관으로 들어갔다. 여관 주인이 유다를 부축하여 침상에 뉘었다. 하인이 음식을 가져오자, 중년의 사내는 평안을 빌어 주고 방을 나갔다.

"참 고마운 사람인데, 사마리아 사람인 것 같다."

"우리를 피해 지나쳐 버린 놈들은 제사장과 레위인 같았어. 두들겨 패 줘야겠는데 얼굴을 알아야지."

"어허, 은혜를 입고서 해를 당한 것만 생각하느냐? 네 마음속에는 복수와 적개심이 도사리고 있어. 그것들을 뛰어넘어야 진리에 이를 수 있다."

아침에 일어나 착한 사마리아 사람을 찾았지만, 그는 벌써 떠났다고 했다. 유다는 여관 주인에게 그가 들르면 이름과 주소를 알아 놓으라고 부탁했다.

그들은 여관을 나와 베다니를 향해 걸어갔다. 울퉁불퉁하고 구불구불한 길이 계속됐다. 유다의 쇠몽둥이가 길옆에 놓여 있었다.

"그놈들이 쇠몽둥이를 버리고 갔네."

"내가 들고 갈게. 아이코, 왜 이렇게 무거우냐?"

"15kg밖에 안 돼."

"로마군에서 무슨 일을 했었느냐?"

"최고사령관인 게르마니쿠스[4]의 호위병으로 들어갔는데, 4년쯤 됐을 때 그가 열병이 걸려서 죽어 버렸어. 그 다음에는 황제의 친아들인 드루수스[5]의 특별 경호원이 됐어."

"그렇게 막강한 권세자들을 어쩌다가 경호하게 됐느냐?"

"검투사로 일하다가 살해당할 뻔했었는데, 게르마니쿠스가 나를 구해 줬어."

"허, 검투사라니, 너 사람을 많이 죽였겠구나."

"유대 땅을 떠난 후에 나는 수없이 많은 전투를 겪었어. 내가 죽였나? 전투가 죽인 것이지."

---

[4] 로마 제국의 제2인자였고, 칼리굴라의 아버지였다. 고결한 성품과 겸손함으로 로마 시민들의 사랑을 받았으나 33세(서기 19)에 죽었다.

[5] 티베리우스 황제의 외아들. 반란을 진압한 공로가 있는 반면에, 근위대장인 세야누스의 따귀를 때렸다는 말이 있을 정도로 괴팍한 인물이다. 36세(서기 23)에 죽었다.

유다는 비틀거리며 아버지 집으로 들어섰다. 안마당과 바깥마당을 들락거리던 그의 아버지가 그를 끌어안았다. 그는 아버지의 목을 껴안았고, 아버지는 그의 등을 토닥여 주었다. 부자는 떨어져 있던 시간을 원망하며 실컷 울었다.

마티아와 마르크가 그를 부축하여 별채로 데려갔다. 어머니와 여동생들이 나타나 걱정하는 눈으로 그를 바라보았다. 그는 따뜻한 물로 몸을 씻은 후 죽을 먹었다. 푹신한 침상에 누웠으나, 목의 통증은 여전했다.

다음날 수레 두 대가 성전을 향해 출발했다. 화목제[6]를 드리고 고기를 나눠 먹자고 온 가족이 출동한 것이다. 그는 수레가 덜커덩거릴 때마다 목이 아파 정신까지 깜빡깜빡했다. 그는 다시는 굶지 않겠다고 다짐했다.

그의 형이 이방인의 뜰에서 토실토실한 암양을 사서 끌고 갔다. 여자들은 여인의 뜰에 머물고, 세 남자만이 이스라엘의 뜰로 들어갔다. 그는 제사장의 뜰 앞에서 암양의 머리 위에 손을 얹고 안수했다.

제사장들이 계단 위에 서서 축복 기도를 하고, 레위인들이 노래를 불렀다. 제사장들은 암양의 내장을 제단 위로 들어 올려 불 속에 던졌다. 그는 자기에게 죽음을 당한 사람들을 떠올렸다. 이집트 사람들, 검투사들, 게르만 전사들, 갈리아[7] 사람들, 아프리카 사람들.

---

6 동물을 제물로 바쳐 야훼와 사람과의 관계를 화목하게 하려고 행하던 제사. 예수의 속죄로 동물들의 희생이 필요 없게 됐다고 하나, 실상은 예루살렘 성전이 파괴된 후에 제사를 드릴 장소가 없었다.

7 지금의 프랑스와 벨기에 지역에 살던 사람들.

다음날 유다는 서재로 아버지를 보러 갔다.

"저는 스무 살에 아버지 얼굴을 처음 봤고, 그때부터 아버지 사업을 도왔습니다. 그런데 한 번이라도 제게 잔치를 베풀어 준 적이 있습니까? 하지만 유다가 돌아왔다고 송아지를 잡았습니다. 재산을 미리 상속받아 떠나더니, 무일푼에 거지꼴로 돌아왔는데 말입니다." 그의 형인 니고데모의 목소리였다.

"20년 만에 돌아온 네 동생이다. 다쳐서 몸을 가누지도 못하는 동생이 가엽지도 않으냐? 더군다나 마을 사람들이 유다에 대해 별별 억측을 하고 있다. 잔치를 열어서 마을 어른들을 달래 줘야 하지 않겠느냐?"

"저는 할아버지한테 회초리로 맞으면서 자랐습니다. 그러나 유다가 맞는 걸 한 번도 본 적이 없습니다."

"유다가 태어났을 때, 네가 얼마나 기뻐했었는지 생각해 봐라. 할아버지도 늘그막에 둘째 손자를 얻어 여생을 행복하게 보내지 않았느냐?"

유다는 서재로 들어갔다. 니고데모의 눈에 눈물이 그렁그렁했다.

"형님, 내 잘못이 큽니다."

"너는 잘못한 거 없다. 세상 사는 게 마음대로 되는 것이더냐?"

형제가 나란히 서서 손님들을 맞이했다. 베다니 마을의 어른들과 유다의 옛 친구들과 예수까지 왔다. 그의 아버지가 평화의 인사를 했다.

"여러 어르신과 손님 여러분, 시간을 내주셔서 감사드립니다. 나는 잃었던 아들을 다시 찾았기에 잔치를 열었습니다. 작은아들이 재산을 갖고 먼 타국으로 갔다고 걱정들을 많이 하셨는데, 이제 돌아왔으니 용서하시기 바랍니다. 마음껏 드시고, 우리와 함께 기쁨을 나누시기 바랍니다."

손님들이 유다를 바라보며 박수를 보냈다. 그는 자리에서 일어나 고개를 숙여 인사했다. 그의 여동생들이 킨노르를 연주하고, 하인들이 음악에 맞춰 춤을 추었다. 딱딱했던 손님들의 얼굴이 부드러워졌다.

니고데모가 밤중에 의사를 데리고 왔다. 그는 유다의 목을 뜨거운 물로 찜질하고, 부목을 대 주었다. 하지만 목의 통증은 갈수록 심해졌다. 잠이 들었다가 금세 깨더니 다시 잠들지 못했다. 그는 먼동이 틀 무렵에 방문을 열고 밖으로 나갔다. 다른 방에서 마티아 부자가 코를 골고 있었다.

그는 쇠몽둥이를 들고 마당으로 나가서 마카비12형[8]에 따라 몸을 움직였다. 힘줄인지 뭔지가 끊어진 것 같았고, 손이 부들부들 떨렸다. 땀이 흘러 눈으로 들어가고 옷을 적셨다. 태양이 모습을 드러내더니 온 마당을 비추었다.

갑자기 배 아래에서 뜨거운 기운이 솟아나 척추를 타고 위로 올라갔다. 등뼈가 부러지는 것 같아, 쇠몽둥이를 부여잡고 이를 악물었다. 뜨거운 기운이 목을 둘러싸자 목의 혈관이 터지는 것 같았다. 그는 숨을 깊이 들여마셨다가 길게 내쉬었다. 뜨거운 기운이 정수리를 통해 몸 밖으로 나가는 것 같더니 목이 시원해졌다.

사물이 점점 더 또렷하게 보이고, 나뭇잎이 떨어지는 소리가 귀

---

[8] 검술의 일종

에 잡혔다. 둔탁했던 쇠몽둥이의 움직임이 점점 날렵해지고, 속도가 점점 빨라졌다. 갑자기 하늘을 찢는 듯한 소리가 귀청을 때렸다. 그는 쇠몽둥이를 땅바닥에 박아 놓고, 움푹 파인 웅덩이로 들어가 섰다. 아버지와 형이 그를 쳐다보고 있었다.

"그게 뭔데 그렇게 위력이 강하냐? 평평한 마당에 웅덩이가 생겼다."

"모세는 지팡이를 가지고 다녔지만, 저는 쇠몽둥이를 사용합니다."

"할아버지 소원대로 유다는 강한 용사가 됐네요. 창날이 보기에 흉하다. 덮개를 만들어 창날을 가리고 다녀라."

유다는 예리코로 달려가서 전에 묵었던 여관으로 들어갔다.

"얼마 전에 나를 도와준 사람이 이곳에 들르지 않았습니까?"

"사마리아 사람 말이군요. 그 후에는 보지 못했습니다."

"그때 나는 강도를 당해서 돈도 빼앗기고 몸도 다쳤었는데, 그 강도들을 아시오?"

"거참, 강도 따위를 내가 어찌 알겠소? 난 아무것도 모르오."

"할 말이 있으니까 뒤뜰로 나오시오."

뒤뜰에서 그는 여관 주인을 노려봤다.

"아무것도 모른다는데 왜 그러시오?"

그는 쇠몽둥이에서 덮개를 벗기고 휘둘렀다. 푸른 잎을 자랑하던 야자수가 허리 높이에서 잘려 쓰러졌다.

"네놈 눈빛이 강도들을 안다고 말하고 있다. 그놈들이 어디에 있는지 말해라. 엉뚱한 곳을 일러주면, 돌아와서 네놈 몸뚱이를 이것처럼 잘라 주겠다."

"아이고 주님. 그들은 예루살렘 쪽으로 가다가 길 오른편으로 올라가서 동굴에 있습니다."

"그렇게 엉성한 말을 듣고 누가 찾을 수 있겠느냐? 네가 안내해라."

"아이고 주님. 살려 주십시오. 나는 처자식이 있는 몸입니다."

"강도들이 몇 명이나 되는데 그러느냐?"

"스무 명쯤 되는데 아주 무서운 놈들입니다. 주님 혼자서는 어림도 없습니다."

"네가 뭘 알아, 시벌놈아. 죽고 싶지 않으면 나귀를 타."

유다는 동굴에 이르러 말에서 내렸다. 강도들이 몰려와 그를 에워쌌다. 그들은 젊었고, 모두 힘깨나 쓸 것 같았다.

"스무 명쯤 된다더니 이게 다냐?"

"팔뚝을 자른 놈이구나. 사람을 함부로 해치면 벌 받아, 이놈아." 눈이 개구리처럼 튀어나온 자가 말했다.

"네놈이 두목이구나. 살려 줄 테니까, 내 물건을 가져와라."

"하하하. 누가 누구를 살려 준다는 거냐? 이놈이 미쳐서 죽으러 왔구나. 얘들아, 이놈의 정신을 제대로 돌려놔라."

그는 하나씩 처리했다. 얼마 안 되어 대개는 기절하고, 일부는 땅바닥에 널브러져 앓는 소리를 했다. 두목은 그의 주먹 한 방에 턱을 맞고 대자로 뻗었다. 그는 동굴로 들어갔다. 여관 주인이 무릎을 꿇고 손을 비벼 댔다.

"아이고 주님. 목숨만 살려 주십시오."

"내 물건들을 찾아라."

"예! 알겠습니다."

침상처럼 생긴 바위에 눈에 익은 물건들이 놓여 있었다. 하지만 허리띠가 보이지 않았다. 여관 주인이 그를 멀뚱멀뚱 쳐다보고 있었다.

"야 인마, 두목 놈을 깨워 봐."

그가 항아리를 들어다 두목의 얼굴에 물을 쏟았다. 콜록콜록하며 그가 땅을 짚고 일어났다. 그는 비틀거리며 주변을 둘러보다가 털퍼덕 엎어졌다.

"영웅님을 몰라봤습니다. 용서해 주십시오."

"내 허리띠는 어디에 두었느냐?"

그는 겉옷을 헤치고 허리띠를 풀어 공손히 바쳤다. 퇴직금으로 받은 수표와 은전은 그대로 있는데 동전은 하나도 없었다.

"저놈들을 깨워라."

"네? 네!"

그는 여관 주인과 함께 강도들을 깨워 무릎을 꿇렸다.

"네가 두목 같은데 이름이 뭐고, 어쩌다가 강도가 되었느냐?"

"요나단이라고 하는데 포도원에서 품꾼으로 일하다 쫓겨났습니다."

"무슨 잘못으로 쫓겨났느냐?"

"잘못인지 아닌지는 주인이 판단하는 거지요. 저는 아침 일찍부터 일했으니까, 점심때 일하러 온 일꾼보다 품삯을 더 달라고 했을 뿐입니다. 그런데 주인은 내 것 가지고 내 마음대로 한다며 나를 내쫓았습니다."

"좀 더 자세히 말해 봐라."

"저는 한 데나리온을 받기로 하고, 아침 일찍 포도원에 들어가 종일토록 일했습니다. 그런데 점심때에 포도원에 들어온 일꾼이 한 데나리온을 받는 겁니다. 그래서 저는 더 받을 줄 알았지요. 그런데 제게도 한 데나리온을 주는 겁니다. 그래서 따져 물었지요. 아침부터 일했으면, 점심때부터 일한 일꾼보다 더 받아야 하는 것 아니냐고요. 그랬더니 주인은 너는 나와 한 데나리온으로 계약하지 않았느냐, 내 것을 내 마음대로 쓰는데 네가 무슨 상관이냐? 네 것이나 가져가고, 다시는 포도원에 들어오지 말라고 했습니다."

"네가 주인이 놓은 올무에 걸렸었구나. 흐음, 네 나이가 몇이냐?

"며칠 전에 스물이 됐습니다."

"좋은 나이다. 난 그 나이 때 뭘 했더라?" 그는 그 나이에 드루수스의 명령으로 아르미니우스[9]를 암살하는 임무를 맡았었다. "어린 나이에 도적 떼를 이끄느라 어려움이 많겠구나. 아무튼 모두 덩치가 좋고 힘도 장사인 것 같은데, 뭐라, 사람을 함부로 해치면 벌 받는다고? 그렇게 마음이 여려서야 강도질이나 제대로 하겠느냐."

"영웅님, 우리에게 이름을 알려주십시오."

"차차 알게 될 거다. 머지않아 다시 찾아올 테니, 그동안 열심히 무술을 연마해 놓아라."

예수가 나사로의 집 마루에 앉아서 다섯 사람을 향하여 말하고 있었다. 나사로와 그의 누이들 그리고 야고보와 처음 보는 사람이 하나 있었다.

"어서 와라. 그렇지 않아도 스승님과 네 얘기를 하던 참이야." 야고보가 말했다.

---

[9] 당시 게르만족의 영웅으로, 로마군 보조부대에서 군무를 익혀 출세한 후, 로마군을 무찌를 기회를 호시탐탐 노리다가, 숲속으로 행군하는 로마군 3개 군단을 기습하여 전멸시켰다. 그후에도 게르마니쿠스가 지휘하는 로마군에 대항하여 분전했으나, 게르마니쿠스 사후 동족에게 살해당했다.

"잔치 때에는 얼굴이 좋지 않아 보이더니, 오늘은 네 얼굴에 기쁜 빛이 도는구나." 예수가 말했다.

"빼앗긴 물건을 찾아왔어."

유다는 사마리아 사람과 여관 주인과 강도들에 대해 간략히 말하고, 강도 두목인 요나단이 포도원에서 쫓겨난 이야기를 했다.

"허허, 내 것을 가지고 내 마음대로 한다고? 포도원 주인이 품삯마저 깎으려고 불평하는 종을 내쫓았구나." 예수가 말했다.

"스승님, 그건 강도 두목이 잘못한 거 아닙니까? 자기보다 적게 일한 사람이 같은 품삯을 받는다고 시기한 거잖아요." 처음 보는 사람이 말했다.

"소개하는 걸 잊었구나. 이 사람은 시몬이다. 베드로, 이 사람이 바로 유다입니다." 그들은 서로 인사를 했다. "두 사람이 또 있는데, 바로 요 앞에서 로마군들을 만나 예루살렘으로 갔다. 안드레와 필립이라는 사람이다."

"병사의 배낭을 대신 짊어지고 갔겠지. 로마법으로 오 리는 가야 잖아? 힘이 없으니까 백성들이 굴욕을 당하는 거야."

"난 그들에게 십 리를 동행하라고 했다. 그러면 병사들이 어찌 생각하겠느냐? 적어도 미안한 마음은 들 거다. 힘이 없어도 대항할 방법을 찾아야 한다."

유다는 아버지와 함께 전직 대제사장인 안나스의 저택을 방문했다. 안나스는 딴사람이 되어 있었다. 20년 전에 그는 자상하고 활기차 보였으나, 지금은 치석투성이의 누런 이빨을 드러내며 더듬더듬 말을 했다.

점심때가 되자 현직 대제사장이 두 사람과 함께 들어왔다. 하나는 나이가 많아 보였고, 다른 하나는 유다보다 어려 보였다. 안나스가 그들을 소개했다. 대제사장은 카이아파스라 불리는 자였고, 두 사람 중 하나는 성전 경비대장 솔로몬이고, 다른 하나는 서기관 사울이라고 했다.

식당이 으리으리했다. 모자이크로 수놓은 바닥 위에 옥을 다듬어 만든 식탁들이 놓여 있고, 의자들은 전부 원목이고, 식기들 또한 값비싼 것들이었다. 음식은 빵과 염소젖에 볶은 채소 등으로 그나마 조촐했다. 안나스가 유다에게 성전 금고를 맡아 일해 보지 않겠느냐고 물었다. 그는 따로 할 일이 있다며 사양했다.

그의 옆에 앉은 사울이 알렉산드리아에 대해 이것저것 물어 보았다. 그는 마치 형처럼 자상하게 대답해 주었다. 지금까지 그에게는 자기보다 나이가 어린 친구가 없었다. 그는 성안에 살 생각이니까 집을 소개해 달라고 했다. 엣세네 문을 들어서자마자 저택이 하나 있는데, 값이 비쌀 것 같다고 사울이 말했다.

그 저택은 안마당이 넓고, 단층에 방이 열두 개나 됐다. 집 주변을 올리브나무들이 둘러싸고, 울창한 숲이 집에서 엣세네 문까지 이어졌다. 그의 아버지가 집값을 치르고, 그는 마르크에게 퇴직금으로 받은 수표를 주며 집수리를 하라고 지시했다.

유다는 마티아와 함께 강도들을 찾아갔다. 두목인 요나단이 쩔쩔매며 그들을 맞았다.

"무술을 연마하라고 했는데 다들 어디 갔느냐?"

"시작은 했는데 방법을 몰라서 흐지부지되고 말았습니다. 부하들은 두 패로 나눠서 일을 나갔습니다."

"훈련 교관을 데리고 왔다. 이 사람인데 이름을 마티아라고 한다."

"우리는 강도인데 무술을 연마해서 뭘 하게 되는 겁니까?"

"좋은 일을 하게 될 거다. 너희들은 이곳을 뭐라 부르느냐?"

"산굴이라고 합니다."

"이제부터는 마하보[10]라고 부르자. 이 이름은 우리끼리만 알아야 한다. 우리의 본거지가 알려지면 안 된다는 뜻이다."

"예, 알겠습니다. 그런데 우리가 영웅님을 뭐라고 부를까요?"

"대장이라고 불러라. 내일부터 훈련한다."

"예, 대장님. 우리도 먹어야 훈련을 하니까, 두 패로 나누어서 훈련과 일을 번갈아 하도록 하면 어떻겠습니까?"

"좋은 생각이다. 일주일 동안 훈련하고, 일주일 동안 일하는 게 좋겠다. 그래야 하나라도 제대로 할 거 아니냐? 돈을 줄 테니 석 달 치 먹을 것을 사 놓아라. 우선 한 달 동안 마티아에게 무기 사용법을 배워라. 특히 단검술을 몸에 배도록 익혀라. 그 후에 내가 와서 직접 너희의 실력을 점검할 것이다. 알겠느냐?"

"알겠습니다, 대장님."

유다는 말을 타고 카이사레아로 달려갔다. 더 이상 지체하면 필라투스[11]가 오해할 수도 있다. 필라투스가 누구인가? 유대 총독으로 세야누스의 심복이다. 그들은 유다에게 감시를 붙여 놓았을 것이다.

---

10 히브리어로 피난처라는 뜻.

11 복음서의 빌라도를 말한다. 요즘 말로는 마치 '빌라로 이루어진 섬' 같이 들려 번역이 너무 오래 되었음을 보여 준다.

유대 총독은 카이사레아에서 유대와 사마리아와 이두매를 통치했다. 다윗 왕 때부터 줄곧 수도였던 예루살렘의 권세가 아르켈라오스[12]의 실정 때문에 카이사레아로 넘어갔다.

"오랜만의 귀향이라 찾아다닐 곳이 많았나 보구나. 그동안 뭘 한 거냐?"

"인사를 드리러 다녔어. 세야누스가 나를 잘 감시하라고 했나?"

"그가 특별히 너만 감시하겠느냐? 요즘 로마에서는 고발과 재판이 끊이지 않고 있다. 그가 교묘하게 자기의 적들을 제거하고 있는 거야."

"총독 일은 할 만해?"

"여기서는 신경 쓸 일이 많아. 대제사장을 잘 다루어야 하고, 유대 종파의 동향도 파악하고 있어야 해. 참, 엊그제 성전에서 몇몇 유대인이 난동을 부렸다. 상인을 쫓아내고 가판대를 엎어 버린 거야."

"난 다른 곳에 있었어. 형은 지금 예루살렘에 있어야 하는 거 아냐?"

"골치 아픈 곳에 일찍 들어갈 필요가 있겠느냐? 명절 전날에 출발하면, 저녁때쯤 예루살렘에 입성할 수 있어. 아무튼 예수라는 자가 성전에서 상인들에게 한 말이 대제사장들을 화나게 했다."

그는 속으로 놀랐지만 태연하게 물었다.

"뭐라고 했는데?"

"'하느님 나라가 가까이 왔다.' 하고 '이제부터는 백성들을 속이고 착취하는 걸 돕지 말라.'고 했다는구나."

"그래서 어떻게 됐는데?"

---

12 헤롯왕이 죽은 후 그의 왕국은 셋으로 분할되어 세 아들이 물려받았다. 아르켈라오스는 유대와 사마리아와 이두메를 물려받았으나 실정으로 추방되고, 로마는 총독을 파견하여 그 지역을 통치했다.

"성전 관리들이 달려와 따졌는데, 그는 야단치듯 훈계하고 떠났다고 한다."

그는 예수가 그런 일을 할 거라고는 꿈속에서조차 생각해 본 적이 없었다.

"사실 그는 내 친구야. 형이 그를 보호해 줘."

"그가 한 일은 로마법을 위반한 거고, 대제사장들의 권위에 도전한 거야. 그런 사람이 너의 친구라니 황당하구나. 어쨌든 네 친구는 내 친구다. 그런데 넌 무얼 할 거냐?"

"가난한 사람들을 구제해 주는 일을 하려고 해." 구제 사업을 생각해 본 적이 없었는데 필라투스가 묻자, 그에게 불현듯 그런 생각이 떠올랐다. "로마에서도 빈민들에게 빵을 무상으로 나눠주고 있잖아."

"허허, 금의환향해서 기껏 거지들을 구제하겠다고?"

"가난한 사람들을 구제하는 건 대장부가 할 만한 일이야. 먹고살 길이 없어 강도가 된 농민들이 많아. 가난한 사람들을 내버려두면, 온 땅이 강도들로 뒤덮일 거야."

"농민들이 강도가 된다고 한들, 뭘 할 수 있겠느냐?"

"그들은 비루하고 굽실거리며 살지만, 실제로는 무서운 사람들이야. 스파르타쿠스의 반란 때를 생각해 봐. 농장주들이 살해당하고, 농지와 과수원은 폐허가 돼 버렸어."

"듣고 보니 그렇구나. 얼마 전부터 세례자 요한이라는 사람이 나타나 사람들을 물에 빠뜨리며 훈계하고 있다. 그 사람도 네 친구냐?"

"난 모르는 사람이야. 말만 들었어."

"다행이군. 골치 아픈 사람을 친구로 두는 건 예수 하나로 충분하다."

유다는 막달라로 신붓감을 만나러 갔다. 아버지가 십여 년 전에 갈릴리호수 근방에 농장을 하나 구입했는데, 거기에서 소문으로 그녀를 알게 됐고, 직접 대면해 보기도 했다는 여자였다. 그녀의 이름은 마리아고, 스물셋인데, 부모도 친척도 없고, 망해 가던 생선 공장을 일으키느라 결혼하지 못했다고 했다. 그는 티베리아스 시장에서 990데나리온을 주고 나드 향유 세 병을 샀다.

그러나 그녀는 막달라 공장에 없었다. 그녀는 카나의 벽돌집에 살면서 일주일에 서너 번 공장에 나온다고 했다. 카나에는 온통 돌집들이라, 언덕 위에 있는 벽돌집을 금세 찾을 수 있었다.

두 사람은 안뜰에서 돌로 만든 식탁을 마주하고 앉았다. 하녀 둘이 부엌에서 그들을 감시하듯 지켜보고 있었다.

"너의 단아한 모습을 보니, 굳이 찾아볼 필요도 없이 결혼할 걸 그랬다."

"저는 유다 님을 직접 보고 싶었어요. 어떤 사람인지 눈으로 봐야 결정할 것 아닙니까."

"그래 내가 어찌 보이느냐, 결정했느냐?"

"생각할 시간이 필요해요."

"허허허, 아참! 결혼 기탁금을 누구에게 줘야 하나? 그러고 보니 결혼하기 전에 해결할 일들이 있구나. 너는 그동안에 마음을 결정해라. 나의 시종이 예루살렘에서 이곳까지 오가도록 할 거다. 혹여나 내가 싫으면 그에게 말하면 된다. 어떠냐?"

"그렇게 하겠습니다."

"네가 마음에 들면 선물로 주려고 향유를 사 왔다. 좋은 소식이 오기를 기다리마."

혼돈의 땅에서 마리아의 아름다움은 한 줄기 빛을 비추는 듯했다. 그것은 그가 살아온 험악한 세월을 어루만져 줄 것 같은 아름다움이었다. 그는 어머니를 제외하면 사랑한 여자가 없었다. 어렸을 적 클로우디아? 그땐 여자가 뭔지도 몰랐다. 이집트 사막의 여신? 그년은 그의 정기를 빨아먹었을 뿐이다. 이제 그의 앞에 비로소 사랑할 만한 여자가 나타났다.

나사렛에 들렀지만 예수는 집에 없었다. 그의 어머니는 아들이 성전에서 일으킨 소동을 모르는 것 같았다. 그가 신붓감을 보러 온 이야기를 하자, 그녀는 마리아를 잘 안다고 하며 양녀로 삼겠다고 했다.

마리아는 예수의 어머니를 찾아와 예물을 드리고, 예수의 어머니는 그녀에게 음식을 대접하여, 두 여자는 모녀 사이가 됐다. 그리하여 마리아는 고아 신세를 면하고, 예수는 그녀의 오빠가 됐다. 그는 마리아에게 생선 공장을 처분하라 이르고, 그녀에게서 카나의 집을 샀다. 태어나서 처음으로 하는 결혼 예식을 제대로 하고 싶어서다.

마르크가 집수리와 증축을 마쳤다. 열두 개이던 방을 여섯 개로 줄여 그 공간에 아트리움과 식당을 만들고, 2층을 새로 건축하여 침실과 서재와 테라스를 만들었다. 2층 위에는 통으로 된 다락방을 만들었다. 유다는 자신의 집을 다락집이라고 불렀다.

니고데모가 다락집으로 찾아왔다. 아버지가 동생에게 저택을 사준 게 못마땅해서 찾아온 줄 알았는데, 그게 아니었다.

"예수가 큰일을 저질렀다. 혹시 들은 얘기가 있느냐?"

"자세한 건 모르고, 성전에서 소동을 일으켰다는 건 압니다. 무슨 일이 있습니까?"
"대제사장들이 예수를 잡아 죽이려고 작정했다."
"뭐라고요! 그게 죽음을 당할 만한 일입니까?"
"성전 당국을 도적이라고 했으니 그들이 앙심을 품은 거다. 사실 예수는 너무 심한 말을 했다."
"어떻게 하면 좋겠습니까?"
"한동안 유대 땅에 오지 말라고 해라. 그들이 갈릴리까지 잡으러 가지는 않을 거다. 그곳은 안티파스가 통치하는 곳이 아니냐?"
"조심하라고 전하겠습니다. 일부러 찾아와 알려 주시니 고맙습니다, 형님."
"안티파스가 세례자 요한을 체포한 걸 알고 있느냐?"
"모릅니다. 무슨 이유로 체포했답니까?"
"안티파스가 동생의 아내와 결혼한 걸 공개적으로 비난했기 때문이다. 너도 헤롯 가문의 사람들을 조심해라."

유다는 아침 일찍 말을 타고 갈릴리를 향하여 달려갔다. 저녁때가 되기 전에 나사렛에 도착했다. 모처럼 예수가 집에 있었다.
"예루살렘 귀족인 네가 갈릴리 여자와 결혼하겠다니 어떻게 된 거냐?"
"아버지가 아까운 여자라고 해서 만나 봤는데 과연 그렇더라고."
저녁 식사가 끝난 후에 그들은 지붕으로 올라갔다. 서편 하늘이 노을로 물들고, 동편 하늘에는 초승달이 떠올랐다.
"하느님 나라를 전파한다고 들었어. 그게 어떤 나라야?"

"간단히 말해서 왕이 없고 전쟁이 없는 나라야. 세상의 권세가 없고 율법과 교리도 없는 나라지."

"세상의 권세를 지배 체제로 부르기로 했잖아. 형은 결국 지배 체제가 없는 나라를 만들려는 것 같은데, 그런 나라가 가능할까?"

"방법을 찾아야지."

"율법과 교리가 없으면 대체 뭐가 있는 거야?"

"활기가 넘치는 삶이 있지. 백성들은 새처럼 자유롭고, 서로 사랑하고 서로 돕는다. 죽은 뒤의 세상은 생각하지 않고, 오직 오늘을 살아가는 거야."

"가난에 찌들고 굶주림에 지친 백성들이 그런 나라가 뭔지 이해할 수 있을까? 형은 지금 불가능한 일을 하고 있어."

"사람이 하느님과 하나가 되면, 할 수 없는 일이란 없다."

"그게 무슨 말인지 모르겠어."

"너를 담고 있는 육신으로부터 너를 떼어놓고, 네 마음속을 깊이 들여다봐. 네가 무엇을 하고 있는지, 네가 진실로 원하는 게 무엇인지 생각해 봐. 그러면 네가 허상에 빠져 살아왔다는 걸 깨닫게 될 거야. 세상이 너에게 가르쳐 준 모든 것이 곧 허상이고, 그것이 실상을 뒤틀어 보여 주는 거야."

"어떻게 하면 하느님과 하나가 되냐고?"

"실상을 보게 되면, 다시 말해서 네가 진정 어떤 존재인지를 알게 되면, 네 마음속에 거주하는 하느님을 만나게 돼. 그것이 곧 하느님과 하나가 되는 것이고, 그것이 진정한 구원이야. 소크라테스가 '너 자신을 알라.'고 한 말이 바로 그런 뜻일 거다."

"결국 메시아가 아니라, 나 자신이 나를 구원해야 한다는 말인가? 형은 백성들 각자가 메시아가 되어 자기 자신을 구원해야 한다고 말하는 거야."

"바로 말했다."

"당분간 예루살렘 근처에는 얼씬도 마. 성전에서 일으킨 소동 때문에 대제사장들이 형을 죽이려고 해."

"나도 당장 죽을 마음은 없어. 제자들을 더 가르쳐야 해."

"성전에서 일을 벌일 때 왜 나를 부르지 않았어?"

"야고보와 나사로가 반대했어. 너의 아버지는 대제사장들과 가깝고, 너의 형은 대공회 의원이라, 네가 곤란한 처지에 놓일 거라고."

"그놈들한테 눈물겹도록 고맙다고 해야겠군. 나는 도성 안에서 구제 사업을 할 거야. 결혼 후에는 이곳에 올 일이 없어."

"구제 사업이 근본적인 문제를 해결할 수 있겠느냐? 백성들을 억압과 착취로부터 구해 내면, 가난과 굶주림은 자연적으로 해결돼. 나는 너와 함께 일하고 싶어."

"구제 사업을 하면서 형이 하는 일을 돕겠어. 저번처럼 큰일을 벌일 때는 나에게 알려줘. 마티아가 갈릴리와 예루살렘을 오가며 소식을 전하게 할게."

결혼식 날짜를 칠칠절[13] 하루 전으로 잡았다. 그때까지는 여유가 있어서, 유다는 구제 사업을 시작했다. 일주일에 한 번, 걸인과 노숙자들을 배불리 먹이기로 했다.

그는 태어나서 처음으로 생고기를 썰고 채소를 다듬어 보았다. 음식을 만드느라 한창 바쁠 때 사울이 찾아왔다. 그는 옷을 갈아

[13] 유월절 축제와 무교절로부터 50일째 되는 날로 오순절이라고도 한다.

입고 아트리움으로 갔다.

"가말리엘[14] 문하의 현자가 누추한 곳에 찾아오다니 영광일세."

"누추하다니요? 넓고 쾌적하고 웅장한 것이 꼭 유다 님을 닮았군요. 많은 자선은 많은 평화를 가져온답니다. 하지만 구제 사업보다는 메시아의 때를 준비해야 하지 않습니까?"

"자네는 그때가 언제인지 아는가? 내가 살아있을 동안에는 메시아가 오지 않을 것 같은데."

"하하하. 농담이 심하네요. 메시아는 곧 옵니다. 바리사이파라면 모두가 믿고 바라는 일입니다."

"그러면 구제 사업 말고 무얼 해야 한다는 말인가?"

"귀한 돈을 무기를 장만하는 데 쓰는 게 옳지 않을까 생각합니다."

"메시아가 오더라도 무기를 들고 싸우려면 힘이 있어야 하지 않겠는가, 우선은 굶주린 사람들을 배불리 먹여야 한다. 세례자 요한을 만나 봤는가?"

"만나 보지는 않았지만, 들은 대로라면 그는 의로운 사람입니다."

"무엇을 들었나?"

"키를 들고 타작마당을 깨끗하게 하는 것처럼, 메시아는 알곡은 곳간에 들이고 쭉정이는 불에 태우는 분이라고 했습니다. 또 가난한 자들에게 옷과 먹을 것을 나눠주라고 했습니다. 그런데 유다 님이 그분의 말씀을 따르고 있군요."

"어릴 적에 나의 할아버지가 가난한 사람들을 도와주라고 가르쳤다. 그런데 알곡은 뭐고 쭉정이는 뭔가?"

"알곡은 의인이고 쭉정이는 죄인이 아니겠습니까? 다시 말해서

---

14 최초로 라반(최고의 랍비)이라고 불린 인물로 힐렐의 손자로 알려져 있다.

율법을 어긴 사람들은 죄인이지요."

그때 마르크가 와서 음식이 다 준비됐다고 알렸다.

그는 사울과 함께 아트리움을 나와 사람들을 지켜보았다. 그들은 접시를 하나씩 들고, 음식을 배급받아 마당에 앉아 먹었다.

"사울, 저들과 함께 음식을 먹어 보지 않겠는가?"

"죄인들과 함께 식사하다니요? 그건 안 되죠. 죄인들이 생각보다 많습니다. 율법을 어긴 결과가 생각보다 비참하군요."

"허허, 말끝마다 율법과 죄인이로군. 로마에 심원한 이야기가 있다. 로물루스란 자가 동생인 레무스를 죽이고 왕이 됐다. 그 이후 수백 년 동안 로마는 외적의 침략을 받았는데, 그 이유가 형제를 살해한 원죄 때문이라고 한다. 거룩한 책[15]도 원죄에 대하여 말하고 있는가?"

"보지도 듣지도 못했습니다. 형제 살해의 원죄 때문에 로마에 전쟁이 끊이지 않았다니 비약이 지나치군요. 도대체 누가 그런 말을 했습니까?"

"로마에 대단한 시인이 몇 있는데 그 중 하나일 것이다. 그는 카이사르가 살해당함으로써 원죄를 피로 갚고, 신이 되었다고 읊었다. 카인이 아벨을 죽인 이야기가 이스라엘 민족의 원죄로 거론된 적이 없단 말인가?"

"전혀 없는 거로 알고 있습니다."

"이건 또 어떤가? 신은 자기 아들인 아우구스투스를 크리스토

15 히브리성서를 말한다, 기독교에서는 구약성경이라고 부른다.

스[16]로 세상에 보냈다. 그는 전쟁을 종식했고 평화를 가져왔다. 이것은 놀라운 복음이며, 아우구스투스가 세상에 태어난 날로부터 시작됐다. 그는 세상에 구원을 가져왔고, 죽은 후에는 신이 되었다. 우리가 평화롭게 사는 것도 아우구스투스 덕택이라는 말인데 동의할 수 있겠는가?"

"그 이야기는 저도 알고 있습니다. 아우구스투스는 남자를 모르는 처녀에게서 태어났다고 합니다. 그가 팍스 로마나[17]를 물려주었으니 그럴 만도 하지요."

"모세 율법과 유대 전통만 연구하는 줄 알았더니 그게 아니군. 자네는 아우구스투스가 동정녀에게서 태어났다는 말을 어떻게 생각하나?"

"위대한 인물들은 그런 탄생설화를 갖고 있는 경우가 많지요. 소크라테스가 동정녀에게서 테어났다는 주장을 어느 책에선가 읽은 적이 있습니다."

"독서의 범위가 방대하구나. 그렇다면, 그들이 동정녀 탄생을 주장하는 이유가 뭐라고 생각하나?"

"성행위를 부정하게 보기 때문이 아니겠습니까? 사람은 누구나 성행위를 통해 태어나기 때문에 깨끗하지 못한데, 동정녀에게서 태어난 사람은 거룩하다는 거겠지요. 그런데 죄인들이 어떻게 알고 이곳을 찾아옵니까?"

---

16 메시아를 헬라어(당시의 그리스어)로 크리스토스(그리스도)라고 한다. 복음서들보다 최소한 100년 전에, 로마 제국에서는 크리스토스와 복음이란 단어를 아우구스투스에게 바쳤다.

17 '로마에 의한 평화'란 뜻으로, 아우구스투스의 통치 이래 약 200년 동안 평화가 지속되었다.

"일꾼들이 여기저기 찾아다니며 불러온다. 더 좋은 방법이 있는가?"

"음식을 무료로 준다는 소문이 도성 안에 퍼졌습니다. 음식을 주는 날에 커다란 깃발을 걸어놓으면 어떨까요?"

"좋은 생각이다. 그런데 여기에 온 목적이 뭔가?"

"구제 사업에 도울 일이 있는지 성전 경비대장이 살펴보고 오라 했습니다."

"도성 안에서 일어나는 일들이 모두 솔로몬의 감시망에 들어있겠군. 그는 어떤 사람인가?"

"안나스의 조카인데 머리가 좋고, 오십이 넘었는데도 힘이 장사입니다."

마르크가 빵과 올리브 열매를 그려 넣은 깃발을 만들었다. 유다는 깃발 상단에 큰 글자로 체다카[18]라 써 넣었다. 다락집 대문 위로 깃발이 높이 걸렸다. 다락집을 찾아오는 걸인들이 점점 늘어나, 어떤 때는 오백 명이 넘은 적도 있었다. 그들 중에는 몸이 아픈 자들이 많아서 의사를 채용하고, 수레와 가마를 장만했다.

하인들이 일손이 부족하다고 탄원했다. 그는 말을 타고 마하보를 향해 달려가다가 세야누스를 떠올리고는 아버지 집으로 갔다. 그곳에서 옷을 갈아입고, 뒷문으로 나와 마하보로 갔다. 요나단이 스무 명에 가까운 전사들과 함께 그의 앞에 엎드렸다.

"정도껏 해라. 나는 너희를 형제로 여기고 있다. 그런데 어째 인원이 준 것 같다."

"대장님, 오히려 열댓 명 늘었습니다. 반은 훈련하고 반은 일하

---

18 '해야 할 당연한 행위'란 말로 정의란 뜻이다. 정의란 공동체 안의 약자를 보살피는 것이다.

러 갔습니다."

전사들은 대부분 무기들을 잘 다뤘고, 단검술도 칭찬할 만했다. 그는 그들에게 마카비12형을 가르쳤다. 그곳에서 하루를 더 머물며 다른 조에게도 무술을 가르쳤다. 다리가 튼튼한 자 셋을 전령으로 임명하고, 하나는 다락집에 둘은 각 조에 하나씩 두었다. 그리고 유순해 보이는 자 셋을 골라 구제 사업을 돕도록 했다.

태양이 서쪽 하늘에 간신히 걸려있을 때, 유다는 왕처럼 차려입고 나귀를 탔다. 나사로와 야고보 형제들이 앞서서 걸어갔다. 예수의 집에서는 마리아가 왕비처럼 치장하고 신랑이 될 사람을 기다리고 있었다.

그가 예수의 집을 나서자, 마리아가 가마를 타고 뒤를 따랐다. 사람들이 밀알을 뿌리면서 축복의 말을 외쳤다. '생육하고 번성하라.'

태양은 갈 곳으로 가고, 대지에는 어둠이 내렸다. 마티아가 등불을 들고, 신랑과 신부의 행진을 앞에서 인도했다. 사람들은 저마다 등불을 들고 따라왔다. 악기 연주와 노래가 끊이지 않았다.

나사렛을 떠난 행렬이 카나의 집에 도착했다. 신랑과 신부는 회당장 앞으로 나아와 혼인 서약을 암송했다. 회당장이 혼인 서약서를 낭독하고, 그것을 신부에게 주었다.

잔치가 일주일 동안 계속되었다. 마지막 날 저녁때 포도주가 떨어졌다. 그는 예수에게 다가가 귀엣말로 여차여차 하라고 했다.

예수는 항아리가 놓인 곳으로 가 하인들을 불렀다. 항아리에 물을 붓고 여러 번 흔들어 주라고 했다.

"유다가 포도주를 아껴뒀었구나. 달지도 않고 쓰지도 않으면서

연한 것이 그윽하다." 나사로가 말했다.

"유다 님이 신부와 마시려고 감춰두었던 것 아닙니까?" 베드로가 말했다.

"그럴 리가 있습니까? 포도주가 떨어질 줄은 몰랐는데, 선생님이 기적을 행하여 우리들이 포도주를 마실 수 있게 됐습니다."

0001년에서 0011년까지 유대 땅에서

"아빠 아버지,
지금 유다와 예수는 우정의 언약을 맺습니다.
오늘을 복되게 하고,
우리 형제의 우정이 영원하도록 지켜 주소서."

• • •

아르켈라오스의 학정에 유대인들이 폭동을 끊임없이 일으키던 때에, 4년마다 열리는 올림피아 제전이 195회째 되던 해 원단[19]에, 유다는 베들레헴에서 태어났다.

그는 여섯 살 때 회당장의 손자와 싸우다가 그의 코뼈를 부러뜨리는 사고를 냈다. 회당장이 찾아와 한바탕 훈계를 하고 돌아갔다. 그의 아버지가 길게 한숨을 쉬며 말했다.

"이게 도대체 몇 번째냐? 오늘 네가 무슨 일을 저질렀는지 말해 보아라."

"그놈들이 나더러 문둥이 자식이라고 세리 아들놈이라고 했어."

"그럼 내 손자가 잘못할 리가 없지. 난 유다가 잘못하는 것을 본 적이 없다. 가문의 명예를 위해 싸운 자가 내 손자 말고 또 있었는가!" 그의 할아버지가 말했다.

"잘못이 너에게만 있는 것은 아니구나. 하지만 사고를 냈으면 책임을 져야 한다. 내일부터 학교에 가지 마라."

그날 저녁, 잠자리에서 할아버지가 말했다.

"사람이 강건하면 80을 사는데, 그것도 금세 지나간다. 그러니까

[19] 서기 0001년 1월 1일을 말한다.

튼튼이 가난한 사람들을 도와 주어야 한다."

"가난한 사람들이 어디 있는데요?"

"주로 농촌에 있지. 농민들은 세금을 많이 내기 때문에 가난하단다."

"왜 세금을 많이 내요?"

"로마 놈들이 뺏어 가고, 왕이 거둬 가고, 성전에도 십일조와 봉헌물을 바쳐야 한단다."

"우리는 배가 부르도록 먹잖아요."

"필경사는 세금을 내지 않아서 좋은 점이 많단다."

"유다는 필경사 안 해요."

"허허허. 그래 넌 뭘 하고 싶으냐?"

"삼손처럼 장군이 될 거예요."

"내 손자가 그 정도는 돼야지. 이제 조무래기들과는 그만 싸워라. 삼손처럼 되려면 큰 인물과 싸워야지."

유다는 진짜 큰 사람을 만났다. 그는 쇠사슬을 어깨에 두르고, 도끼를 손에 들고 있었다. 그의 이름은 예수 바라빠라 했다. 그는 무덤 안에서 살았는데, 그곳은 덥지도 춥지도 않았다. 그는 검술을 가르쳐 줄 테니, 먹을 것과 마실 것을 가져오라고 했다.

바라빠는 그에게 야자수 몽둥이를 만들어 주고는, 석 달 동안 그걸 휘둘러서 힘을 기르면, 그때 진짜 칼로 검술을 가르쳐 준다고 했다. 그는 넘어지고 자빠지면서도, 야자수 몽둥이를 열심히 휘둘렀다. 바라빠는 가끔 그의 자세를 바로잡아 주기도 하고, 시범을 보여 주기도 했다.

"야훼 말고 다른 신에게 절하는 놈들은 모두 죽여야 해. 엘리야가 그랬어. 오늘날에도 그런 사람이 있는데, 너 가말라의 유다라고 아느냐?"

"가말라의 유다가 어떤 사람이냐?"

"작년에 로마 놈들을 공격했어. 처음에는 이겼는데 나중에 로마 놈들에게 사로잡혔지 뭐냐."

"그래서 어떻게 됐느냐?"

"로마 놈들이 얼마나 잔인한데 반란자를 살려 두겠느냐? 처형당했다." 그의 눈에 이슬이 맺히고, 방울이 되어 흘러내렸다. "그 쇠사슬로 나를 묶어라."

술만 취하면 쇠사슬로 묶으라는 것이 벌써 몇 번째인지, 그것을 세다가 귀찮아서 그만두었다.

"니기미 씨팔 개 잡놈의 새끼들이 나를 이렇게 묶고, 채찍으로 내 등을 후려갈겼어. 살이 찢어지고 살점이 뜯겨 나갔어."

"어서 쇠사슬을 끊어 버리고 잠을 자."

"난 쇠사슬을 우두둑 끊어 버리고, 로마 놈들의 대가리를 도끼로 부숴 버렸다."

그렇게 바라빠와 어울리며 지내던 어느 날, 할아버지가 병이 났다. 의사들이 문이 닳도록 드나들었지만, 할아버지는 침상에서 일어날 줄을 몰랐고, 머리에는 띠까지 둘렀다. 그날도 음식과 포도주를 싸 들고 나가려는데, 하녀가 와서 할아버지가 부른다고 했다. 유다는 할아버지에게 다가가 그의 뺨에 얼굴을 비벼 댔다.

"이 녀석아. 할아비가 아프다고 발걸음을 뚝 끊더니, 울긴 왜 우느냐? 그동안에 팔이 굵어지고 힘도 세졌구나. 삼손만큼 돼야 한다."

"아버님, 인제 그만 말씀하시고 쉬세요."
"내 아들아, 인생은 겨우 80이다. 나귀를 타고 다니고, 손에 칼을 들지 마라. 시몬아, 유다를 잘 키워라."
할아버지의 호흡이 끊어졌다. 임종을 지키던 사람들의 호흡도 멈췄다. 이 세상에 숨 쉬는 것이라곤 하나도 없는 듯했다. 아버지가 자기의 머리를 쥐어박으며 통곡했다. 세상이 다시 숨을 쉬기 시작했다.

열두 항아리나 되는 포도주가 모두 바닥에 깔려 있었다. 할아버지는 죽었고, 아버지는 포도주를 거의 마시지 않기 때문에, 포도주 항아리가 비면 안 되었다. 바라빠가 펄쩍 뛰며 말했다.
"내가 그걸 다 마신 건 아니다. 네 할아버지가 대부분 마셨을 거라고. 아무튼 항아리에 물을 반쯤 채워 넣고 휘저어라."
"그러면 그게 물이지 포도주야?"
"항아리 밑에는 찌꺼기가 가라앉아 있는데, 너희 집 포도주는 워낙 독해서, 물을 타도 포도주 맛이 그렁저렁 남아 있을 거다."
항아리에 물을 퍼 담고 휘젓는 일이 이틀이나 걸렸다. 사흘 치 음식을 싸 갖고 동굴로 갔다. 그런데 동굴 앞에서 사람들이 소리를 지르고 있었다. 회당장이 손을 들고 좌우로 흔들자, 왁자지껄하던 소리가 멈췄다.
"바라빠는 들어라. 너는 취한 몸으로 쇠사슬과 도끼를 들고 쏘다니면서 욕을 해댔다. 네가 나타나면서부터 우리 마을에 변고가 끊이지 않았다. 어서 나와라. 나오지 않으면 불을 지르겠다."
사람들이 마른풀을 동굴 입구에 쌓기 시작했다. 바라빠가 동굴에서 뛰쳐나와 그들을 뚫고 도망쳤다. 회당장이 소리쳤다.

"돌을 던져라."

바라빠를 향해 돌들이 날아갔다. 어디에서 나타났는지 아이들도 그를 쫓아가면서 돌을 던졌다. 유다는 그를 쫓아 언덕을 넘었다. 그는 바위에 기대어 헐떡이고 있었다.

"난 회당장 집에 물도 길어다 주고 땔나무도 해 줬어. 그런데 그 씨팔 놈이 나를 죽이려고 해."

"이제 어떻게 하지?"

"어차피 난 이곳에 더 이상 머물 수 없어. 경찰들의 눈을 피해 따뜻한 남쪽으로 갈 거야."

"이 보따리를 갖고 가."

가말라의 유다가 참수당한 후 2년이 지났다. 유월절[20]을 기념하기 위하여 예루살렘에 모여든 유대인들은 축제를 차분하게 보냈다.

무교절[21] 다음날이었다. 태양이 올리브산 위로 솟아오르면서 불볕을 쏘아대기 시작했고, 성전 지붕은 쇠가 달구어지듯 점차 황금빛으로 물들어 갔다.

로마군 병사들 30여 명이 이방인의 뜰을 동쪽에서부터 서쪽으로 행진하고 있었다. 그들은 머리에 투구를 쓰고 손에는 창을 들었다. 소년 하나가 그들을 바라보며 솔로몬 행각으로 걸어왔다. 유다는 그 소년이 다가오는 것을 쳐다보았다.

---

20 (재앙이) 넘어간다는 뜻이다. 야훼는 이집트에 재앙을 내려 사람이든 짐승이든 장자를 죽였다. 이스라엘 백성은 그때 어린양의 피를 문설주와 인방에 발랐고, 죽음의 천사는 그 피를 바른 집에는 재앙을 내리지 않았다.

21 이집트를 탈출할 때 누룩을 넣지 않고 만든 떡을 먹었는데, 그것을 기념하는 절기다.

"유다야, 너 또 정신을 딴 데 팔고 있구나. 그렇게 정신이 산만해서야 공부가 제대로 되겠느냐, 자네는 누군가?" 선생이 말했다.

"갈릴리에서 온 예수라고 합니다, 제가 수업에 방해가 되었군요."

"그럼, 수업을 방해하면 안 되지. 이리 와 앉아라. 함께 공부하자."

그가 자리를 잡고 앉자, 선생이 강의를 계속했다.

"다윗은 은혜를 모르는 나발[22]을 죽이려 하였으나, 그 전에 주님이 나발을 죽였다. 그래서 다윗은 악한 일을 하지 않게 되었고, 나발의 아내였던 아비가일을 얻게 되었다."

"선생님."

"또 유다구나. 말해 보아라."

"나발을 죽인 것은 주님이 아니라 사람입니다."

"그건 또 무슨 말이냐?"

"토라[23]에 살인하지 말라고 했는데, 주님이 살인할 리가 없죠. 다윗이 나발을 죽이고, 그의 아내를 빼앗은 겁니다."

"그것참, 쯧쯧쯧. 너희들은 어떻게 생각하느냐?"

아이들은 아무도 나서지 않고, 자기들끼리만 수군거렸다.

"예수라고 했지, 너는 어떻게 생각하느냐?"

"오늘날에는 왜 주님이 악한 사람을 죽이지 않는가 하는 의문이 드는군요."

"허, 그것참, 요즘에는 아이들조차 시비를 거니 선생을 하는 게 점점 어렵다."

수업이 끝나고 아이들은 공놀이를 했다. 유다가 던진 공이 한 아

---

22 사무엘 상 25장에 등장하는 인물. 다윗이 도움을 요청했으나, 그는 큰부자이면서도 거절했다.

23 창세기부터 신명기까지 히브리성서 다섯 권을 말한다.

이의 얼굴에 맞았다. 그 아이는 비명을 지르며 눈을 가렸다.

"너 다윗 왕이 강도라고 했지?" 한 아이가 말했다.

"나는 다윗이 강도라고 말하지 않았다."

"다윗 왕이 강도라고? 이 세리 아들놈아, 거짓말하지 마."

"자꾸만 이러면 내가 따끔한 벌을 줄 것이다."

아이들은 와 하고 웃으며, 그를 밀치기도 하고 때리기도 했다.

"얘들아. 여러 명이 한 아이를 괴롭히면 안 된다." 예수가 말했다.

"네가 솔로몬 왕이라도 되느냐? 우리 일에 참견하지 마라." 한 아이가 말했다.

"내 말을 들어라. 서로 사이좋게 지내라."

"나이도 얼마 안 먹은 게 선생 노릇을 하고 있어. 얘들아, 이놈을 혼내 주자."

그 아이가 인상을 험악하게 일그러뜨리며 주먹을 내질렀다. 그러자 다른 아이들도 예수를 때리기 시작했다. 유다가 아이들을 밀치고는 그를 가로막고 소리쳤다.

"야, 이 바보, 천치, 멍텅구리, 미쳐서 날뛰는 개 같은 놈들아."

그는 아이들을 향해 주먹을 마구 휘둘렀다. 뒤에서 예수가 그를 끌어안았다. 아이들의 주먹과 막대기가 예수의 몸에 쏟아졌다. 둔중한 몽둥이가 땅 소리를 냈다. 예수가 쓰러지자, 아이들이 모두 도망쳤다.

의사가 치료하고 돌아갔지만, 예수는 여전히 눈을 뜨지 못하고 있었다.

"유다야, 도대체 어떻게 된 일이냐?" 아버지가 말했다.

"나는 참고 또 참았어. 그 나쁜 놈들이 예수를 마구 때렸어."

"예수라는 아이가 깨어나면 자초지종을 알게 될 거예요." 어머니가 말했다.

"저 녀석이 가는 곳에는 항상 사고가 난다. 니고데모, 이를 어찌하면 좋겠느냐?"

"경호무사를 붙여 줘야겠습니다."

"아이들 싸움에 경호무사까지 둬야 한다는 말이냐?"

"토라에 밝은 사람을 구하면, 공부를 가르칠 수도 있잖아요."

유다는 예수의 얼굴에서 눈을 뗄 수가 없었다. 머리는 흑갈색이고, 이마가 시원스레 넓고, 머리카락보다 더 짙은 눈썹이 양옆으로 길게 뻗어 있었다. 훌쭉한 두 뺨 사이로 기다란 코가 곧게 내리뻗었고, 적당히 커다란 입은 미소를 띠고 있었다.

다음날, 유다는 어머니와 함께 예수가 누워 있는 침상을 지켰다. 점심때가 지나서야 그는 눈을 비비며 일어났다.

"당신은 아이들에게 봉변을 당했었는데, 나의 주인님이 당신을 이곳으로 데려왔어요. 나는 유다의 엄마이고, 이곳은 올리브산 밑에 있는 베다니예요."

"아, 이제 생각납니다. 나는 갈릴리에서 온 예수라고 합니다. 유다도 많이 다쳤을 텐데 괜찮습니까?"

"당신이 도와 주지 않았더라면, 유다가 죽었을지도 몰라요."

"아이들에게 홀로 괴롭힘을 당하고 있어서 가만있을 수가 없었습니다."

"유다야, 너도 감사를 드려야지. 형이라고 불러라."

"형, 고마워. 유다는 결코 은혜를 잊지 않아."

"은혜는 무슨? 유다 어머님, 나는 이제 가야겠습니다."
"몸이 나을 때까지 쉬어야지요."
"이 정도면 움직일 수 있습니다. 가족들에게 돌아가야 합니다."
"그럼 오늘 하루만 지내고 가요. 저녁에 주인님도 만나 보고요. 그렇지 않으면 내가 야단을 맞을 것 같아요."
"형, 그렇게 하자. 오늘은 나와 놀자."
"그렇게 다치고 또 놀아? 형은 몸이 아파서 안 돼요."
"형은 다 나았다고 했어. 나는 형과 놀 거야."

겟세마네로 가는 길은 꼬불꼬불하고 험했다. 길 양옆으로 바위가 끊임없이 이어지고, 바위가 없는 곳에는 올리브나무와 쥐엄나무가 늘어섰다.
"형은 몇 살이야?"
"열두 살이다. 너는 일고여덟 살쯤 됐겠구나. 본래부터 억세고 사나웠느냐?"
"나는 삼손처럼 힘센 장군이 될 거야. 삼손은 사자를 두 손으로 찢고, 나귀 턱뼈 하나로 천 명을 죽였잖아."
"왜 하필이면 장군이 되려고 하니? 폭력을 사용하면 악한 사람이 된다."
"그러면 적군을 어떻게 이겨?"
"폭력을 사용하지 않고 이기는 방법을 찾아야지."
"그게 어떡하는 거야, 간질이는 거야?"
"하하하, 그건 아니고, 말로 설득해서 상대가 알아듣도록 해야지."
"형은 벌써 훌륭한 사람인데 커서는 뭐가 될 거야?"

"내가 벌써 훌륭하다니, 왜?"

"나 같은 어린애가 아이들한테 맞고 있는 것을 구해 줬잖아."

유다는 입가에 미소를 띠고 예수의 눈을 바라보았다.

"너는 네 모습이 얼마나 곱고 예쁜지 모를 거야. 그게 바로 너라는 걸 잊지 마라"

유다는 말을 하려다가 입을 다물었다.

"왜 그러니? 무슨 말이라도 좋으니까 해 봐."

"요나단은 자기 생명보다 다윗을 더 사랑했어. 다윗도 그랬고."

"그래서 그게 어떻다는 말이냐?"

"다윗과 요나단처럼 나와 형도 그랬으면 좋겠어. 그러려면 맹세를 해야 해."

"맹세는 좋은 게 아니야. 그러지 말고 우정의 언약을 맺자."

예수는 그의 손을 잡고 기도했다.

"아빠 아버지, 지금 유다와 예수는 우정의 언약을 맺습니다. 오늘을 복되게 하고, 우리 형제의 우정이 영원하도록 지켜 주소서."

예수는 두 손으로 유다의 양 볼을 잡고 입을 맞추었다. 예수의 입술은 부드러웠고, 코에서 나오는 숨결은 따스했다. 그것은 처음 느껴보는 신비하고 놀라운 경험이었다. 태양이 머리 위를 지나 성전 너머로 기울었다.

"형, 배고프지? 올 때 간식을 가져올 걸 그랬어."

"집으로 가자."

"여기서 만들어 먹으면 돼."

그는 손으로 땅바닥을 파고, 흙을 모아 동그란 모양과 길쭉한 모양을 만들었다.

"이게 빵이고, 이건 물고기야. 우선 이걸 먹고 나중에 포도주를 만들어 줄게."

"어떻게 먹는 건데?"

"눈을 감고 먹는 상상을 해. 그러면 배가 불러 올 거야."

그들은 하늘을 향해 기도하고 눈을 감았다.

"와, 진짜 배가 부르다."

"나도 배가 부르다. 넌 요리도 잘하는구나. 그런데 포도주는 어디서 구해 올 거니?"

"잠깐만 기다려."

그는 쥐엄나무 잎을 동그랗게 말아 접고, 거기에 오줌을 누었다. 그들은 다시 기도하고 눈을 감았다.

그들은 저녁 무렵에 집에 도착했다. 유다의 아버지가 바깥마당에서 서성이고 있었다.

"나는 시몬이라고 한다. 머리를 심하게 다친 줄 알았는데, 돌아다닐 수 있으니 얼마나 다행인지 모르겠구나. 어서 들어가 식사하자."

"예, 시몬 님. 감사합니다."

식탁에는 갖가지 음식들이 차려져 있었다. 향을 낸 양고기구이와 야생 꿀은 부유층에서도 귀한 음식이었다.

"예수야, 우리를 위해 기도를 부탁한다."

"아빠 아버지, 오늘도 귀한 음식에 감사를 드립니다. 음식을 대접하는 시몬 님에게 복을 주고, 가난한 자들도 좋은 음식을 먹을 수 있게 자비를 베푸소서."

시몬이 두 손으로 빵을 뜯자 만찬이 시작되었다. 하녀가 예수의 식사 시중을 들었다. 그는 주로 빵과 구운 생선에 포도주를 곁들여 먹었다.

"어쩌다가 싸움에 휘말렸느냐?"

"솔로몬 행각에서 아이들이 공부하는 모습을 지켜보았습니다. 다른 아이들은 보이지 않고, 유다만 눈에 들더군요. 질문할 때는 날카로웠으나, 말투는 책을 읽는 것 같았고, 음성은 노랫소리 같았지요. 그런 아이를 또래 친구들이 괴롭히는데 가만있을 수가 없었습니다."

"너처럼 근사한 말로 유다를 칭찬한 사람은 지금까지 없었다."

만찬 후에 그들은 유다의 방으로 갔다. 침상에 앉으면서 예수가 말했다.

"한 가지 궁금한 게 있는데, 너는 어디서 그렇게 험악한 욕을 배웠느냐, 너의 아버지는 얼마나 점잖으냐? 욕을 해도 난 너처럼 길게 하는 아이는 처음 봤다."

"바라빠는 욕을 길게 했어. 나도 화가 날 땐 욕을 길게 해."

"그가 어떤 친구냐? 그 아이 얘기 좀 해 봐라."

"예수 바라빠는 형보다 나이가 많고, 덩치도 엄청 커."

다음날 아침 그들은 집을 나섰다. 예수는 예리코 방향으로 가야 했지만, 유다가 학교에 같이 가자고 떼를 썼다. 그들은 올리브산을 넘고, 겟세마네를 위로 바라보며 지나쳐 갔다. 앞에서 두 아이가 뒤를 돌아보더니, 그들을 기다렸다.

"경호무사를 벌써 구한 거냐?" 한 아이가 말했다.

"아냐, 예수 형이야. 형, 얘는 나사로고, 쟤는 야고보야."

"유다의 친구들이구나. 어서 가자."

그들은 기드론 골짜기를 건너 성전으로 들어갔다. 아이들은 보이지 않고, 선생들 셋이 접의자를 놓고 앉아 있었다.

"한 아이가 크게 다쳤다고 하더니 바로 너였구나. 몸은 어떠냐?" 유다의 선생이 말했다.

"다 나았습니다. 어서 수업하지요." 예수가 말했다.

"훌륭한 학생이구나. 선생님들 우리 함께 공부합시다."

선생 셋과 학생 넷이 수업을 시작했다. 유다의 선생이 토라에서 한 곳을 골라 읽고 말했다.

"요셉은 꿈을 통해 미래를 내다보고, 닥쳐올 재앙에 대비하도록 부름을 받았다. 그는 은전 20에 팔렸지만, 이집트의 총리 대신이 되어 가족들을 이집트로 불렀다. 그러나 주님은 요셉이 이루어낸 일보다 훨씬 멀리 갔다. 야곱의 가족은 이집트에서 번성하여 한 민족을 이루었다."

한 선생이 유다의 선생에게 질문했다. 열두 아들 중에 왜 요셉이 선택되었는가? 열한 번째 아들이기 때문이다. 나중 된 자는 꿈을 꿀 수밖에 없다. 먼저 된 자들이 좋은 것들을 이미 차지하고 있기 때문이다.

"야곱은 요셉이 죽었다는 말을 듣고 몇 날 며칠을 통곡했으나, 그 후로 한 시도 요셉을 잊은 적이 없었다. 예수야, 왜 그랬다고 생각하느냐?" 유다의 선생이 말했다.

"야곱은 오직 요셉에게만 자신의 꿈을 심었고, 그것이 이루어질 것을 믿었기 때문입니다. 그의 믿음으로 요셉의 꿈이 이루어진 것이라고 할 수 있습니다. 하지만 요셉은 야곱의 믿음보다 더 많은 것을 이루었습니다."

"훌륭하구나, 그런데 저분들이 줄곧 너만 쳐다보고 있구나."

젊은 여자와 중년의 남자가 수업을 지켜보고 있었다.

"수업 중에 죄송합니다. 얘야, 예리코에서 네가 보이지 않아 여기까지 찾아 왔다." 중년의 남자가 말했다.

예수는 내년 무교절에 다시 올 거라고 말하며 유다의 머리를 쓰다듬어 주었다.

유다는 베냐민이라는 경호무사에게 무술을 배우면서 성정이 부드러워졌다. 하지만 그의 눈은 매섭게 빛났고, 그 서슬로 또래 아이들을 부하로 만들었다. 그는 아이들과 겟세마네에서 놀다가 동굴을 발견하고, 그곳에 독립군 사령부를 설치했다.

어느 날, 그는 독립군 사령부에 누워 천정을 바라보고 있었다. 기운이 넘치고 마음이 뿌듯했다. 하지만 이내 조바심이 났다. '언제쯤에야 삼손 같은 장군이 되지?' 그때 갑자기 동굴 안이 서늘해졌다. 팔뚝에 소름이 돋고 머리가 쭈뼛해졌다.

"누구야, 귀신이냐?" 그는 소리를 지르며 일어났다.

창을 든 소년이 나타나 상냥하게 말했다.

"나의 이름은 미카엘이야. 너에게 할 얘기가 있어서 왔어."

"미카엘이라면 대천사가 아니냐? 거짓말하지 말고 너의 진짜 이름을 말해라."

"하하하. 내가 누구든 나는 너에게 강력한 힘을 줄 수가 있어. 나에게 세 가지를 약속해 줘야 하지만."

"네가 누군지 모르면서 어찌 너와 약속을 하겠느냐?"

"너는 누구보다 강한 자가 될 수 있다. 잘 생각해 보아라."

"세 가지 약속이 무엇인지 말해 보아라."
"나중에 필요할 때마다 너에게 한 가지씩 지시할 거다."
"그걸 말이라고 하느냐? 내 앞에서 꺼져라."
"네가 외로울 때 다시 오마."

유다의 어머니가 병이 났다. 그는 아버지의 얼굴이 어두운 것을 보고 겁이 났다. 할아버지 생각이 나고, 뺨 위로 눈물이 흘렀다. 그는 금식하며 엄마의 병을 낫게 해 달라고 기도했다. 경호무사인 베냐민이 와서 어머니에게 가 보라고 했다. 아버지가 어머니 곁에 앉아 있었다.
"아들아, 내가 하는 말을 잘 들어야 해. 알았니?"
그는 울음이 나올 것 같아 고개만 끄덕였다.
"나는 너를 낳게 해 달라고 10년도 넘게 기도했다. 너는 기도해서 얻은 아들이야. 네가 주님을 떠나면, 아무 일도 성공하지 못한다. 평생 내 말 잊지 마라."
어머니가 숨을 거두었다. 발병한 지 두 달 만에 죽은 것이다. 할아버지가 죽었을 때는 아무것도 몰랐다. 무섭기만 했지 죽는다는 게 무엇인지 몰랐다. 하지만 이제는 그것이 뭔지 안다. 죽음이란 더는 볼 수도 없고, 만질 수도 없는 것이다.
"불쌍한 유다야. 이제 엄마 없이 어떻게 사니?" 형이 통곡하면서 그를 끌어안았다.
사람들이 줄을 이어 문상을 왔다. 하인들이 시신을 아마포로 싸서 널빤지 위에 눕히고, 향료를 뿌렸다. 청년들이 상여를 메고, 가수들이 장송곡을 부르고, 연주자들이 피리를 불었다. 터벅터벅 걸어가고 있는 그를 아버지가 들어 올려 안았다. 아주머니들이 눈물을 훔치면서 뒤를 따라왔다.

어머니가 죽고 난 후, 유다는 밤이 무서웠다. 경호무사인 베냐민을 불러 함께 잠을 잤다.

"도련님, 옛날이야기 좋아하죠?"

"옛날이야기는 할아버지한테 싫증나도록 들었다."

"설마하니 제가 이솝 이야기 같은 걸 하겠습니까? 전통 무술 이야기를 할까 하는데요."

"해 봐라."

"이스라엘 전통 무술은 아브라함으로부터 시작되었습니다. 그는 어려서부터 용병대장이었던 아버지를 따라 전투에 참여했는데, 늘 이기다가 한 전투에서 적군에게 참패를 당했어요. 그의 아버지는 처벌이 두려워 하란으로 피신했고, 그곳에는 노아가 살고 있었지요. 그는 죽기 전에 아브라함에게 하란을 떠나라는 유언을 남겼어요."

"하란을 떠나라고 한 게 주님이 아니라, 노아였단 말이냐?"

"주님이 직접 말을 할 리가 있습니까? 노아를 통해서 한 것이지요."

"아브라함이 하란에 갔을 때 노아가 살아 있었단 말이구나."

"노아가 950세까지 살았지 않습니까? 계산해 보면 맞을 거예요. 아무튼 동족을 떠난 후, 아브라함은 어디로 가나 적들로부터 공격을 받았어요. 그러다 보니 어떤 상황에서도 살아남는 재주를 터득하게 됐고, 그것이 그의 독창적인 무술이 됐지요."

"하!"

"그가 창안한 무술은 이삭과 야곱을 거쳐 후손들에게 전해졌어요. 특히 야곱은 주님과 겨루어 이겼을 정도로 고수였지요. 도련님이 좋아하는 삼손은 무술도 뛰어났지만, 힘이 장사였고요. 다윗은 이스라엘 역사상 가장 훌륭한 무사였습니다. 그는 10대 중반에 아버지 집을 떠나 용병 군대에 들어갔고, 거인 골리앗과 싸워 이겼지요. 그는 가나안 지역을 차례차례 정복했고, 약소국들로부터 조공을 받았어요."

"10대 중반에 다윗이 아버지를 떠났다는 말이냐?"

"다윗은 형들에게 홀대를 받았고, 아버지에게조차 인정을 받지 못했어요. 그래서 양을 치던 소년이 집을 떠난 겁니다. 그는 강한 자들과 싸워 이기고, 자신의 힘으로 왕이 됐지요."

"주님이 다윗을 왕으로 세운 것이 아니란 말이냐?"

"그 말도 맞고, 다윗 스스로 왕이 되었다는 말도 맞지요. 도련님, 유다 마카비[24]를 알지요?"

"계속해라."

"마카비는 안티오쿠스[25]의 군대에 대항하면서 마카비12형을 창안했어요. 그것은 전통 무술과 마카비 자신의 상상력을 종합하여 하나의 검술 투로로 만든 것인데, 그것을 연마하면 고수의 경지에 이를 수 있지요."

"그걸 얼마 동안 연마해야 고수가 되느냐?"

"보통 사람은 10년쯤 걸리는데, 도련님은 소질이 있으니까 그보다는 덜 걸릴 거예요. 도련님은 자제력이 부족한데, 그것만 보완하

---

24 셀레우코스 제국의 압제에 맞서 싸운 영웅으로 수많은 전투에서 승리했다. 기원전 164년 경에 예루살렘을 탈환하고, 성전을 정화하여 봉헌했다.

25 유다 마카비가 활동하던 당시 셀레우코스 제국의 왕이었다.

면 누구보다 강한 용사가 될 수 있어요."

"자제력이 있어야 강한 용사가 된다는 말인가?"

"이기고 지는 것이 자제력에 달려 있습니다."

무교절 내내 유다는 성전 주위를 맴돌았다. 예수가 베다니로 온다고 약속했지만, 갑갑하여 집에서 기다릴 수가 없었다. 하지만 그는 오지 않았다.

그날도 유다는 수련 후에 동굴에서 땀을 식히고 있었다. 갑자기 어두컴컴한 동굴이 환해지면서, 자칭 미카엘이라는 자가 나타났다. 훈훈한 바람이 유다의 머리카락과 얼굴을 어루만져 주었다.

"유다야, 그동안 잘 있었느냐?"

"……."

"내가 누군지 알지? 너를 도우러 온 거야."

"미카엘은 페르시아의 천사장과 전쟁을 하느라 바쁠 텐데, 그 틈에 나를 도우러 왔다는 말을 믿으라는 것이냐?"

"하하하. 네 말대로 대천사는 바빠서 쓸데없는 일을 하지 않는다. 너를 도와 주려는 것도 전쟁에 이기기 위해서다."

"나에게 무슨 도움을 줄 거냐?"

"저번에 말하지 않았느냐? 다시 한 번 말해 주마. 너에게 무시무시한 힘을 주겠다. 대신 넌 내게 약속을 하면 된다."

"너 같으면 뭘 해야 하는지도 모르는 약속을 하겠느냐?"

"잘 생각해 봐라. 이 세상에서 아무도 너를 이길 자가 없게 만들어 줄 거다."

"나는 지금도 힘이 세고 빨리 달리고, 이젠 검술까지 배우고 있다. 그렇게 아리송한 약속을 할 이유가 없다."

"어려움을 겪어 봐야만 말을 듣겠구나. 세상이 얼마나 험악한지, 사기꾼은 얼마나 많은지, 네가 깨달을 때 다시 오마."

아버지가 대제사장인 안나스의 조카딸과 재혼했다. 그 여자는 유다보다 불과 여덟 살 위였다. 새어머니가 된 후에는 그에게 잔소리를 해댔다. 지금까지 그에게 율법을 들먹이며 이래라저래라하는 사람이 없었기에, 그는 하루하루가 지긋지긋했다.

무교절이 시작되었다. 올해에도 이방인의 뜰은 순례자들과 장사꾼들로 넘쳤다. 가끔 병사들이 뽐을 내면서 지나가는 모습도 여전했다. 하지만 이번에도 예수는 오지 않았다. 유다는 심통이 나서 행동이 거칠어졌다. 그러다가 사고가 났다.

겟세마네에서 검술 연습을 할 때, 유다의 목검이 베냐민의 목검을 부러뜨리고, 칼끝이 그의 오른쪽 눈을 후볐다. 피가 솟아나 그의 손과 팔이 피범벅이 되었다. 유다는 옷을 찢어서 그의 눈을 싸매고, 그를 등에 업었다. 하지만 몇 걸음도 가지 못하고 주저앉았다. 벌떡 일어나 그의 팔을 잡고, 집을 향해 뛰었다.

새어머니가 급히 하인에게 의사를 불러 오라 하고, 베냐민을 유다의 침상에 눕게 했다. 의사가 베냐민의 눈을 치료하고 돌아갔다.

저녁때가 되어 집에 돌아온 아버지가 베냐민의 손을 잡고 말했다.

"이를 어쩌나?"

"괜찮습니다. 저는 주인님의 은혜로 목숨을 건진 사람입니다."

"완쾌될 때까지 푹 쉬도록 하게."

그는 아버지의 서재로 가서 어떻게 된 일인지 말했다.

"네가 다칠까 봐 경호무사를 두었는데, 오히려 네가 경호무사를 다치게 했다. 가말라의 유다가 반란을 일으켰을 때, 베냐민은 그의 동지였다. 반란이 실패한 후에, 베냐민은 로마군의 추적을 피해 네 할아버지 집에 숨어서 필경사 일을 도왔다. 그런데 이제 애꾸눈이 되게 생겼다. 네가 위로해 주고, 정성을 다해 보살펴 줘라."

유다가 방에서 나가면 얼마 안 있어 앓는 소리가 났고, 그가 방으로 들어가면 코 고는 소리가 났다. 아버지를 마주 볼 수 없고, 새어머니의 눈총이 고까웠다. 예수의 얼굴이 희미하게 떠올랐다. 목수 일도 하고, 양과 염소도 기른다고 했으니, 거기에 가서 목동이 돼 봐? 다윗도 어렸을 때는 목동이었어. 그런데 나사렛이 어딘지 한 번도 가본 적이 없다.

그는 종일 방 안에서 자기의 무릎 사이에 얼굴을 파묻고 있었다. 고개를 들어보니 벌써 밖이 어두워져 있었다. 베냐민은 진짜로 자고 있었다. 간단하게 짐을 꾸려 어깨에 둘러메고, 단검을 허리띠에 넣고 장검을 들었다.

바깥마당으로 나가려는데 하녀가 와서 식사가 준비됐다고 했다. 그는 야고보와 만나기로 했으니까, 보자기에 음식을 싸 달라고 했다. 서재에 있는 돈이 떠올랐다. 언젠가 아버지가 두루마리들 사이에서 돈을 꺼내는 것을 본 적이 있었다.

유다는 한참을 걸었다. 달빛에 아가리를 벌리고 있는 동굴이 보였다. 마치 귀신이 쫓아오는 듯 뒤에서 발소리가 났다.

"귀신은 집에만 있다. 귀신은 사람들이 모여 사는 곳에만 있는 거다."

아무리 소리를 질러도 무서움은 가시지 않았다. 그는 감히 동굴

속으로 들어가지 못하고, 커다란 나무 밑에 앉았다. 보따리를 풀고 빵을 먹었다. 옷을 덧입고 누웠지만, 잠이 안 왔다. 큼직한 돌에 옷을 둘둘 말아 베고 누웠다. 형의 앙갚음를 피하여 하란으로 도망치던 야곱이 돌베개를 베고 잔 일이 생각났다.

"예수를 만나게 해 주신다면, 야훼가 나의 하나님이 되실 것이며, 모든 것에서 10분의 1을 드리겠습니다.[26]"

잠에서 깼을 때는 해가 높이 떠올라 있었다. 그는 자신이 왜 산속에 있는지 몰라 잠시 어리둥절했다. 그러다가 서둘러 보따리를 쌌다.

예리코로 가는 방향을 확인하고 길에 들어섰는데, 야고보가 저만치 앞에서 걸어오고 있었다. 그렇게 반가울 수가 없었다.

"어디 가느냐?"

"나사로 집에 연장을 빌리러 가. 대장은 어디 가는 거야?"

"돈 벌러 간다. 갈릴리 호수 근방에 가게를 얻고, 어부들이 잡은 물고기를 사서 팔 거야. 나와 같이 가자. 너도 돈을 벌게 해 줄게."

"나는 집에서 할 일이 많아."

"네 동생이 일하면 될 거 아냐. 젊었을 때 돈을 벌어야지."

"나는 가게 얻을 돈도 없어."

"야 인마. 내 가게에서 일하면 되잖아. 이익금에서 3분의 1은 너한테 줄게."

야고보는 잠시 그를 쳐다보다가 길바닥에 털퍼덕 주저앉았다. 유다는 진짜로 갈릴리에서 물고기 장사를 하자고 마음먹었다.

"무슨 돈으로 물고기를 사서 팔 거야?"

---

26 야곱도 이와 비슷한 서원을 했다. 창세기 28장 22절 참조.

그는 돈주머니를 열어서 보여 주었다. 은화와 동전이 가득했다.

"어차피 장사는 혼자 못해. 내가 물고기를 사 오면, 너는 가게 안에서 파는 거야."

야고보는 고개를 흔들면서 일어났다.

"내가 말도 없이 떠나면, 우리 엄마가 날마다 울 거야. 난 못 가."

"너는 엄마가 있어서 좋겠다. 우리 엄만 죽었어. 나 혼자 갈릴리에 가서 돈을 왕창 벌어 올 테니까, 나중에 부러워하지 마라."

그는 괜히 시간만 날렸다고 투덜대면서 길을 걸었다. 태양은 높이 솟아올랐고, 몸에서는 땀이 났다. 그는 무화과나무 그늘로 들어가서 보따리를 풀었다. 장사 궁리를 하면서 과자를 먹고 있는데, 야고보가 뛰어오는 것이 보였다.

"대장, 돈주머니 좀 다시 보여 줘."

야고보는 손을 돈주머니에 넣고 은화와 동전을 만지작거렸다.

"이건 모두 네 돈이야. 하지만 이익의 3분의 1은 내 몫이다."

"인마. 내가 돈 갖고 쩨쩨하게 구는 거 봤어?"

"확실히 해 두어야 해. 갈릴리 어부들은 억세고, 사기꾼들도 많다고 하더라."

"너처럼 약은 애가 있는데 속을 리가 있겠느냐? 난 검술을 배웠기 때문에 억센 어부들도 겁나지 않아."

"넌 어른이 아냐. 싸우지 말고 말로 해야 해."

그는 야고보의 손을 잡고 예리코를 향해 걸어갔다. 야고보는 짐보따리를 자기 어깨에 멨다.

꼬부랑길이 끝없이 이어졌다. 목이 말랐다. 보따리를 짊어진 야고보의 어깨가 자꾸만 늘어졌다. 그도 장검을 질질 끌면서 갔다.
"배가 고파 죽겠어. 집으로 돌아가서 음식을 먹고 다시 떠나자."
"집에 갔다가 어른들에게 잡히면 어떻게 하냐? 조금 있으면 여관이 나타날 거야."
"난 집으로 돌아갈래. 우리 엄마가 지금 울고불고 난리가 났을 거야."
"모세의 백성들이 왜 죽었느냐? 이집트로 돌아가자고 하다가 죽은 거잖아. 우리는 앞을 보고 나아가야 해."
땀을 뻘뻘 흘리면서 걸어가는데, 앞에서 한 무리의 사람들이 나타났다.
"야, 너 큰 칼 든 애. 그거 이리 줘 봐." 뺨에 칼자국이 있는 자가 말했다.
유다는 장검을 들고 기본자세를 취했다. 칼자국이 낄낄대면서 다가왔다. 유다는 거침없이 그의 머리를 내리쳤다. 그는 어깨를 맞고도 움찔했을 뿐, 유다를 밀쳐 길바닥에 쓰러뜨렸다.
"칼집에서 칼을 뽑지 않았기에 망정이지, 하마터면 피를 볼 뻔했다. 둘째, 칼 좀 뺏어라." 칼자국이 말했다.
둘째라는 자가 큰 덩치를 흔들대며 천천히 다가왔다. 유다가 재빨리 장검을 뽑고 그자를 겨눴다. 그자는 별안간 몽둥이로 유다의 장검을 내리쳤다. 동시에 강도들이 우르르 달려들었다. 유다와 야고보는 졸지에 붙잡혀서 꼼짝 못 했다.
"이 미친 개 같은 잡놈들아. 이거 놔, 너희들 다 죽여 버린다."
"거참, 어린 녀석이 무슨 욕을 그렇게 심하게 하느냐? 얘들아, 때리지는 마라."
뺨에 칼자국이 있는 자가 돈주머니를 열어 봤다.

"이놈들! 돈을 훔쳐서 어디로 도망가는 거냐?"

그들은 동굴 속에 갇혔다. 날이 어두워지자 강도 하나가 그들을 밖으로 데리고 나갔다. 쇠꼬챙이에 꿰인 양 한 마리가 모닥불 위에서 지글지글 타고 있었다.

"불 가까이 앉아라. 너희 이름이 뭐냐?" 얼굴이 바위만큼 큰 강도가 말했다.

그들은 대답하지 않았다.

"말을 하지 않기로 작정했구나. 너희에게는 두 가지 길이 있다. 너희 집을 알려 주면, 우리가 너희 부모들을 찾아가겠다. 그것이 싫으면, 너희들은 우리와 함께 살아야 한다. 어떻게 할래?"

"집에 갈 거니?" 유다가 야고보를 쳐다보며 말했다.

"아버지한테 맞아 죽어."

"집을 알려 줄 수 없다."

"그렇다면 여기에서 함께 살자. 우리도 과히 나쁜 사람들은 아니니까, 마음 편히 지내도록 해라. 기도한다. 주님, 오늘 귀한 아이들이 찾아왔으니, 이들로 인해서 우리의 사업이 더욱 번창할 수 있도록 복을 내려 주시고, 굶주린 백성들도 배불리 먹게 하소서."

강도들이 일제히 아멘 하고 소리쳤다.

유다는 신경을 긁는 소리에 잠을 깼다. 야고보가 이빨로 그의 등 뒤에서 끈을 잘근잘근 씹고 있었다. 그는 어둠 속에서 엉덩이를 들었다 놨다 하며 벽까지 갔다. 거기에다 끈을 문지르자, 얼마 안 되어 끈이 툭 하고 끊어졌다. 아프고 저린 팔다리를 이리저리 움직였다.

야고보가 나도 풀어 달라고 속삭였다. 유다는 그를 풀어 주고, 팔다리를 주물러 주었다. 강도가 동굴 입구에 앉아 장검을 세워 잡은 채, 꾸벅꾸벅 졸고 있었다. 유다는 큰 돌을 하나 집어 들고, 살그머니 다가가 그자의 머리를 내리쳤다. 그자가 꽥 소리를 내며 쓰러졌다.

그는 장검을 집어 들고 밖으로 나갔다. 강도들이 땅바닥에서 잠든 채 외투를 덮고 있고, 두목은 사그라진 모닥불 곁에서 코를 골고 있었다. 단검은 칼자국 옆에서 뒹굴고, 돈주머니는 두목의 허리춤에 있었다.

야고보는 돈주머니를 살며시 빼내 허리에 잡아매고 단검을 들었다. 유다는 야고보를 앞세우고 슬금슬금 걸어갔다. 서쪽 산에 걸린 달이 길을 희미하게 비추고, 벌레들도 잠들었는지 조용했다. 강도의 소굴에서 웬만큼 벗어나자, 그들은 정신없이 달렸다. 야고보가 미끄러지면서 자빠졌다.

"나 이제 집에 갈래." 야고보가 길바닥에 누운 채 말했다.

"야, 이 정도 고난을 이겨내지도 못하면서 어떻게 부자가 되니? 우린 지금 잘하고 있는 거야. 강도들에게 잡혔다가 탈출했잖아."

"너는 무슨 대장이 칼집에서 칼도 안 뽑고 공격을 했냐?"

"사람을 죽이려고 칼을 휘둘러 본 게 처음이거든. 하지만 이제부터는 안 그럴 거야."

"어쨌든 지금부터 넌 대장이 아니야. 대장이면 칼을 제대로 쓸 줄 알아야지."

"부하가 하나밖에 없는 대장은 나도 싫어. 이제 우린 동업자야."

먼 산 위로 붉은빛이 감돌았다. 조금 있으면 날이 뜨거워진다. 그들은 뛰기도 하고 걷기도 하면서 동쪽으로 계속 달려갔다. 해가 높이 솟아올랐을 때, 큰길로 들어설 수 있었다. 야고보가 다시 툴툴대기 시작했다.

"난 못 가겠어. 목도 마르고 배가 고파 죽겠어."

"집으로 돌아가다가 강도들을 또 만나면 어떻게 할 거야? 예리코에 가서 배불리 먹고, 나귀를 사서 타고 가자."

야자수 숲이 길게 이어진 곳이 눈앞에 보였다. 예리코가 분명했다. 도시 어귀에 이르자 여관들이 즐비했다. 유다는 넓고 큰 여관을 골라 들어갔다.

"주인 어른, 먹을 것을 주시오. 그리고 이곳에 나귀가 있으면 두 마리만 파시오."

여관 주인이 그들을 번갈아 쳐다보며 말했다.

"어디에서 왔느냐?"

"예루살렘에서 왔습니다."

그들은 양손에 빵과 우유를 들고 허겁지겁 먹었다. 유다는 여관 주인에게 나귀 값을 주고, 내일 아침 일찍 떠날 수 있게 해 달라고 했다. 그는 그들을 정원에 있는 야자수 그늘로 데려갔다. 유다는 눕자 마자 꿈 속으로 들어갔다.

어부들이 배에서 그물을 내리고 있었다. 그는 좋은 물고기를 가려내 그릇에 담고, 시장으로 갔다. 상인 하나가 물고기 주둥이로 그의 뺨을 쿡쿡 찔렀다. 이리저리 피하자, 갑자기 물고기 주둥이가 그의 콧구멍을 막았다. 그는 크게 재채기를 하면서 눈을 떴다. 누군가 그의 귀를 잡아당기면서 고함을 질렀다.

"야, 이놈아. 이 괘씸한 놈아. 네가 나를 바보 천치로 만들었어."

그는 천천히 잠에서 깨어났다. 사물이 점점 또렷이 보였다. 머리를 헝겊으로 친친 동여맨 강도가 그를 노려보고 있었고, 야고보는 무릎을 꿇고 있었다.

동굴 속에 동굴이 또 있었다. 강도들은 그들을 그곳에 가두고 문을 잠갔다. 용변을 보려면, 강도에게 몇 대씩 얻어맞아야 했다. 캄캄해서 바로 앞이 안 보였다. 몇 날 며칠을 야고보는 쉬지 않고 울어 댔다.

갑자기 문이 부서지면서 빛이 들어왔다. 문 밖에서 덩치 큰 사나이가 안을 들여다보고 있었다. 유다의 아버지였다.

그들은 동굴 밖으로 나갔다. 강도들이 땅바닥에 쓰러져 있었다. 아버지가 장검을 두어 번 휘둘러 보고 말했다.

"이건 너무 무겁다. 이것을 허리에 차라."

그것은 로마군 기병대가 사용하는 스파타였다. 날씬한 것이 장검보다는 훨씬 가벼웠다. 아버지는 야고보와 함께 말을 타고, 유다는 홀로 나귀를 탔다. 산에서 길로 내려서려는데 강도들이 나타났다. 나귀를 타고 있는 강도를 보고 야고보가 소리쳤다.

"저놈들! 저놈들이 우리를 잡아가고 나귀까지 빼앗았어요."

"이 녀석들이 도망치는 재주를 타고났구나. 허참, 얘들아, 쳐라." 강도 두목이 말했다.

그의 말과 동시에 아버지가 말에서 뛰어내리며 장검을 휘둘렀다. 그가 머리를 맞고 길바닥에 나자빠졌다. 그러고는 마치 패대기쳐진 개구리처럼 두 다리를 부르르 떨었다. 강도들이 일제히 아버지에게 칼을 겨누었다. 전부 아홉 명이었다.

"너희들은 내 적수가 안 된다. 이놈을 데리고 가라."

하지만 그들은 아버지를 포위하려고 양옆으로 움직였다.

"어리석은 놈들."

아버지는 장검을 휘두르며, 코끼리 귀처럼 큰 왼손으로 그들의 목이며 얼굴을 툭툭 쳤다. 그들은 변변히 칼 한 번 제대로 휘둘러 보지 못하고, 하나씩 거꾸러졌다. 아홉 명의 강도가 다 쓰러질 때까지 아버지는 칼을 뽑지 않았다.

"원래 고수는 칼을 뽑지 않아."

"넌 고수가 아니라 어린애야."

"이놈들! 무릎을 꿇어라."

아버지의 고함이 산을 흔들었다. 강도들은 일제히 무릎을 꿇고 살려 달라면서 손을 비벼댔다.

"저놈을 데리고 가서 치료해 줘라. 앞으로 다시 나와 싸우게 된다면, 그땐 죽인다. 알겠느냐?"

"예, 알겠습니다. 장군님."

가을이 깊어가면서 유다의 생각도 깊어졌다. 독립 전쟁을 지휘하는 장군이 되려면, 고난과 역경을 헤쳐 나가며, 큰 인물과 싸워 이겨야 한다. 그는 서재에서 아버지 앞에 섰다.

"저는 로마에 가서 돈을 벌고 싶은데, 밑천이 없습니다. 장남이 아니지만, 제게도 물려받을 게 있을 겁니다. 제가 받을 것을 미리 주시기 바랍니다."

"로마에 가서 돈을 벌겠다고?"

"예, 아버지처럼 부자가 되고 싶습니다."

"사람은 누구나 일을 해야 하고 돈을 벌어야 한다. 그러나 넌 우선 공부를 해야 한다."

"돈을 벌면서도 공부할 수 있습니다. 베냐민을 보십시오. 그 나이에 할아버지보다 못하지 않습니다."

"결국은 아비 품을 떠나고 싶다는 말이구나. 생각해 보겠다."

다음날 아버지가 그를 서재로 불렀다.

"어제 네가 한 말을 곰곰이 생각해 봤다. 네가 언젠가는 내 품을 떠날 테지만, 지금은 너무 어리다. 그래도 떠나야겠다면, 토라를 히브리어로 암기해라."

"필사된 책을 보면 되지 무엇 때문에 암기합니까?"

"유익한 점이 많다. 창세기와 탈출기 두 권만 외워라."

"언제까지 외워야 합니까?"

"기한은 없고 암기만 하면 된다. 한 군데라도 틀리면 안 된다."

유다는 독한 마음을 먹고 두 권을 한 달 만에 외웠다. 베냐민이 두루마리에서 아무 데나 펼쳐 한 줄을 읽으면, 그다음부터 그가 암송했다. 인명이나 지명에서 틀리는 경우가 많았고, 이것저것을 바로잡는 데 열흘이 걸렸다. 그는 흡족한 마음으로 아버지를 만났다.

"장사로 성공하려면 속임수를 써야 하는데, 네겐 그런 소질이 없다. 여름에 알렉산드리아로 유학을 보내줄 테니 지금부터 준비해라."

"그렇게 먼 곳까지 가서 공부할 필요가 있습니까?"

"예루살렘에서 활약한 지도자들은 대개가 이집트에 갔다 왔다. 알렉산드리아는 춥지도 않고 덥지도 않아서 공부하기가 좋고, 세상에서 가장 학문이 발달한 곳이다."

"제대로 암기했는지 확인해 보지 않을 겁니까?"
"한 글자도 틀리지 않았다고 베냐민에게 들었다. 네가 내 아들인 것이 자랑스럽구나. 애써 외운 것을 잊어 버리지 않도록 틈틈이 암송해라."

유다는 궁술을 익히며 겨울을 났다. 무교절이 시작되었으나, 예수는 성전 어느 곳에도 없었다. 그런데 그가 무교절 마지막 날에 집으로 찾아왔다. 유다는 가출했던 일이 생각났으나, 쑥스러워서 그 일을 말하지 않았다.
"어머니가 죽은 후 아버지가 새장가를 갔어."
"저런! 슬픈 일을 당했구나."
"하도 안 오기에 형이 나를 잊어버린 줄 알았어."
"세포리스에서 왕궁공사를 하느라 올 수가 없었어. 아버지가 사고로 죽었기 때문에, 내가 대신 일을 해야 했거든."
"형도 가슴 아픈 일을 겪었구나. 난 여름에 알렉산드리아로 유학을 떠나. 아버지에게 재산을 미리 상속해 달라고 했다가 그렇게 된 거야."
"재산을 미리 상속받아서 무엇을 하려고 했느냐?"
"로마에 가서 장사를 하려고 했지."
"아무리 봐도 너는 장사할 사람이 아닌데, 허참, 아버지가 죽어야 아들이 상속을 받는 게 아니냐? 시몬 님이 네 말을 듣고 마음이 아팠겠구나."
"언젠가는 아버지도 죽을 텐데 미리 달라는 게 잘못인가? 그랬다가 창세기와 탈출기를 히브리어로 외우라고 해서 골이 빠지는 줄 알았어."

"그렇게 긴 걸 히브리어로 외웠다고? 시몬 님도 대단하구나. 네가 해낼 줄 안 거야."

"내가 알렉산드리아로 가면 어떻게 만나지?"

"우리는 함께 있든 떨어져 있든 형제야. 어린 나이에 이집트로 유학을 갈 수 있는 사람이 얼마나 되겠느냐? 감사하게 생각해라. 그리고 그곳에 가면 백성들이 땅을 소유하고 있는지 확인해 봐라. 요셉이 이집트 백성들의 땅을 모두 사들여 파라오의 소유로 만들었다고 했잖아."

"이집트 백성들은 땅이 한 뙈기도 없어야 한다는 거지? 그러나 요셉이 사제들의 땅은 사지 못했다고 했어."

"그것까지 확인해 봐라. 창세기의 기록이 얼마나 정확한지 알아보자는 거다."

"창세기에 잘못 기록된 것이 있을지도 모른다는 말이야? 가서 확인해 볼게."

"우리가 오랫동안 서로 만나지 못할 것 같으니 약속하자. 네가 30세가 되는 해 유월절에 여기에서 만나자."

"좋아. 내가 30세가 되는 해 유월절에 여기서 만나는 거야."

0031년 가을에서 겨울까지

"나는 하느님을 만난 후 새 옷을 입었습니다.
여러분도 새 옷을 입어야 합니다."

• • •

카프리섬은 정적에 휩싸여 있었다. 유다와 세네카[27]는 황제가 우산처럼 생긴 소나무 아래에서 먼 곳을 응시하며 서 있는 것을 자주 목격했다. 노예들도 병사들마저도 발꿈치를 들고 다녔다. 마침내 10월 15일 오후에 황제가 그들을 집무실로 불렀다.

"특급 기밀이란 세야누스를 처형하는 것이다. 자네들은 명석한 사람들이니 짐작하고 있었을 것이다. 세르토리우스 마크로를 근위대장[28]에 임명했다. 세네카는 내일 그와 함께 배를 타고 로마로 가라. 마크로가 근위대를 접수하고, 집정관에게 나의 편지를 전달할 것이다. 10월 18일에는 원로원이 세야누스에게 사형을 선고한다. 자네는 마크로와 동행하다가, 세야누스가 처형되는 즉시 봉화를 올려라. 10월 19일까지 봉화가 미세눔에 전달되지 않으면, 실패한 것으로 알겠다."

"저는 봉화만 올리면 되는 겁니까?"

"그렇다, 네가 직접 해야 한다. 내일 마크로와 세네카가 배를 타고 떠나면, 그때부터 유다는 나를 경호한다. 봉화가 보이지 않으면,

---

27 로마 제국의 철학자(기원전 4 ~ 서기 65)로 출생연도가 예수와 비슷하다.

28 세야누스 처형 후, 황제의 근위대는 세야누스의 측근들을 제거하는 역할을 했다. 후대의 역사가들은 서기 34년까지의 3년 동안을 '공포시대'라고 불렀다.

10월 20일에 나와 함께 시리아 속주로 간다."

"제가 세야누스를 암살하면 어떻겠습니까?"

"그건 황제가 할 수 있는 일이 아니다. 원로원과 시민들이 나를 어떻게 보겠는가?"

다음다음 날 오후, 황제는 전망대로 올라가 미세눔 항구 쪽을 바라보고 섰다. 경호원들이 두세 명씩 곳곳에 포진했고, 유다는 쇠몽둥이를 비껴들고 전망대를 오락가락했다. 해가 지고 달이 떠올랐다. 황제는 꼼짝도 하지 않았다. 전망대도 달빛 아래에서 숨을 죽였다.

다음날도 황제는 전망대에서 미세놈 항구 쪽을 노려보며 움직이지 않았다. 식사도 전망대에서 했다. 마침내 미세눔 쪽에서 하얀 연기가 솟아오르더니, 둥글게 뭉쳐져 구름이 되었다. 그것은 새털구름 아래에서 바람을 따라 이리저리 흐르며, 마치 '세야누스가 처형되었습니다'라고 속삭이는 듯했다.

"성공했다. 나와 함께 축배를 들자."

"폐하, 축하드립니다."

황제의 방은 꽤 넓었지만, 가구들은 소박했다. 시종들이 방 한편에 있는 소파로 탁자를 굴려서 가져왔다.

"자네가 세야누스에게 핍박당한 걸 알고 있다. 게르마니쿠스의 도움을 받은 것도. 그때 말고는 순전히 자네 자신의 실력으로 살아남았다."

"운이 좋았습니다."

"실력이 있어야 운도 따르는 법이야. 자네는 세야누스가 파놓은 함정들을 다 피해 갔어. 아르미니우스를 암살하고 도주할 때는 죽을 뻔했지만."

"아르미니우스는 제가 죽인 게 아니라, 동족들에게 살해당한 것입니다. 그런데도 그들은 저를 공격했습니다."

"허허, 너무 솔직하면 주변의 미움을 산다. 필요하면 거짓말도 하고, 때로는 허풍도 칠 줄 알아야지. 게르만 전사들에게는 화풀이할 대상이 필요했을 뿐이야. 자네는 홀로 게르만 전사 수천 명을 물리쳤고, 그래서 이번 작전에 자네를 부른 거야."

"이번의 성공은 순전히 폐하 홀로 이룬 겁니다. 저는 한 일이 없습니다."

"자네가 있었기에 마음 놓고 작전을 감행한 거야. 아무튼 그건 그렇고, 유독 그리스인이 유대인을 혐오하는데, 그 이유가 무엇이라고 생각하는가?"

"그리스인들은 대제국을 건설한 경험이 있고, 눈부신 문화를 이룩한 민족입니다. 반면에 유대인들은 신께 선택받은 민족이라는 자부심으로 살아가며, 거룩한 책들을 갖고 있습니다. 두 민족은 호랑이와 사자처럼 서로 다르고, 그 때문에 서로 다투는 것 같습니다."

"유대인들은 팔레스타인뿐만 아니라 제국 곳곳에서 번영하고 있다. 내가 그들을 어떻게 해 주면 도움이 될지 말해 보라."

"카이사르 때부터 우리는 황제 폐하의 보호 아래 잘살고 있습니다. 다만, 속주 총독들이 종종 디아스포라[29]를 차별합니다. 예루살렘 성전의 힘이 미치지 않기 때문에 더 그런 것 같습니다."

"속주 총독들에게 유대인들을 보호해 주라고 명령서를 보내겠다. 다른 것은 없는가?"

---

[29] 팔레스타인을 떠나 세계 각지에 흩어져 사는 유대인을 가리키는 말이다.

"유대인 보호령만으로도 감지덕지입니다."

"내일 마크로가 올 것이다. 자네는 모레 아침에 그 배를 타고 떠나라."

고작 사흘 동안 황제를 경호하기 위해서 머나먼 길을 왔다. 한바탕 쇠몽둥이를 휘두른 것도 아니고, 그저 황제의 곁에만 있었다. 이틀 뒤면 초막절[30]이 시작된다. 지금쯤 유다는 15년 전에 헤어진 친구들을 기다리며, 베다니에 머물고 있어야 했다. 전망대에 오르자, 어둠 속에서 한 사내가 그에게 다가왔다. 칼리굴라[31]였다.

"며칠 전에도 스승님을 봤는데 처음에는 누군지 몰랐습니다. 여기서 만나게 되리라고는 생각하지 못했으니까요."

"나는 네가 여기 있는 줄 알고도, 작전 때문에 찾지 않았다. 세야누스가 처형됐으니, 너의 앞날에 드리운 먹구름이 걷힌 셈이다."

"어머니와 큰형이 유배된 상태고, 작은형은 감옥에 있습니다. 티베리우스는 무서운 사람입니다. 어찌해야 할지 모르겠습니다."

"허허! 우선 호칭부터 조심해라. 그를 언급할 때는 마음속으로도 폐하라고 불러라. 혼자 있을 때도 입 밖으로는 그를 욕하거나 비방하지 마라. 노예들이 듣고 일러바칠 수 있다."

"어떻게 조심만 할 수 있습니까? 내 아버지를 죽였을지도 모르는 사람입니다."

---

30 이집트를 탈출한 이스라엘 민족이 40년 동안 초막에서 생활한 것을 기념하는 절기다. 이때는 추수철이라 추수 감사절 성격도 있었다. 유월절, 칠칠절과 함께 이스라엘의 3대 절기다.

31 게르마니쿠스의 아들이자 티베리우스 황제의 조카로, 티베리우스 사후 제위를 이어받았다.

"그가 아무 관련이 없다는 것을 누구보다 네가 잘 알고 있잖느냐?"

"……."

"그는 너를 보살펴 줄 수도 있고 죽일 수도 있다."

"여기에 온 지 한 달밖에 안 됐는데, 갑갑하고 두려워서 견딜 수가 없습니다. 이런 상황이 계속되면 미쳐 버릴 것 같습니다. 저는 어떻게 해야 합니까?"

"무슨 일이 일어나든 신경 쓰지 말고, 무술을 연마하고 책을 읽어라."

마크로가 황제 전용선에서 내리더니 빌라를 향하여 올라갔다. 병사들 수십여 명이 그를 뒤따랐다. 유다는 식당으로 가다가 울부짖는 소리를 들었다. 식당에는 노예들만 있었다. 그는 음식과 포도주를 방으로 갖다 달라고 했다. 음식을 가져온 노예가 울부짖는 소리의 정체를 알려 주었다. 세야누스를 가까이 섬겼던 병사들과 노예들이 처형된 것이다.

그는 근위대장의 집무실에서 마크로를 만났다.

"황제 폐하가 자네에게 이 봉투를 가지고 로마 은행으로 가라고 했다."

"감사합니다, 근위대장님."

"내일 배를 타고 이곳을 떠나라. 유대에 가거든 필라투스에게 근신하라고 전해라"

로마 은행 직원이 봉투를 열고, 유다에게 보여 주었다. 그것은 '이 봉투를 소지한 자에게 200만 세스테르스를 지급하라.'는 황제의 명령서였다. 그는 그 돈을 모두 로마 은행에 저금했다. 세네카를 만나고 싶은 마음이 간절했지만, 날씨가 나빠지면 발이 묶일 것 같아 바로 카이사레아행 배를 탔다.

필라투스는 카이사레아에 없었다. 유다는 도성에 들어가는 길로 헤롯 궁전에 들렀다. 그는 세야누스가 처형당한 일을 간략히 말하고, 근위대장의 말을 전해 주었다.

"내가 로마에 있었으면 영락없이 죽었겠구나."

"황제는 세야누스 하나를 제거하는데 별의별 조치를 다 했어. 티베리우스가 아우구스투스보다 더 신중한 것 같아."

"글쎄다. 위험은 정작 네게 있었는데, 거기까지는 생각하지 못한 것 같다. 네가 마음만 먹었으면, 황제를 죽일 수도 있었잖아."

"뭔 소리를 하는 거야, 그 다음에는 어쩌려고?"

"어쨌든 이번에도 내가 네 덕을 본 것 같아."

유다의 친구들이 초막절에 아버지 집에 왔다가 편지를 두고 갔다. 키레네의 시몬은 예루살렘에 있었다. 그는 무역업을 하고 있는데, 파르티아에서 물건을 사들여 예루살렘과 알렉산드리아에 판다고 했다. 도마는 5년 전에 아버지를 장사 지내고, 바라빠와 함께 골란으로 가서 말을 사육한다고 했다. 레위는 가버나움에서 세관원으로 일하고 있다며, 언제든지 찾아오라고 했다.

키레네 시몬의 사무실은 안토니 요새[32] 근처에 있었다. 마침 그가 사무실에 있었다. 그들은 서로 부둥켜안았다.

"네가 베다니에서 만나자고 해 놓고, 네가 약속을 어겼어."

"미안하다. 다른 친구들은 만나 봤느냐?"

---

[32] 예루살렘 성전 옆에 세워진 요새로, 로마군 병사들이 망대에서 성전을 감시했다.

"네가 집에 없어서 그냥 돌아왔어. 모두 약속을 잊어버렸는데, 멍청한 나만 15년 전 약속을 지켰다고 생각했지. 그동안 어떻게 살아왔니?"

"로마에 가서 드루수스가 나를 부른 게 아니라는 것을 알았어. 얼마나 황당하던지 지금 생각해도 내가 너무 순진했어. 아무튼 로마에 갔을 때는 돈이 넉넉했었는데, 알렉산드리아에서처럼 사니까 금세 빈털터리가 되더라. 마음을 독하게 먹고 검투사가 됐지. 한창 잘 나가고 있는데 세야누스가 나를 죽이려고 했어. 그때 최고사령관인 게르마니쿠스가 나를 구해 주고, 자신의 호위대에 입대시켰어. 그때부터 특수한 임무를 수행했고, 몇 번의 성공 후에 근위대 대대장 대우를 받았지. 아프리카에 가서 돈을 벌었고, 카프리섬에 가서도 괜찮게 벌었어. 지금은 구제 사업을 하고 있어."

"와! 검투사라니! 죽지 않고 살아서 돌아온 게 다행이구나. 그런데 구제 사업은 뭐냐?"

"가난한 사람들을 구제하면서 힘을 키우려고. 너는 어떻게 지냈느냐?"

"나도 학교를 그만두고, 아버지의 상선을 타고 여러 나라를 돌아다녔어. 칠 년 동안을 배에서 살다가 아버지로부터 독립했지. 본점을 페트라에 두고, 지점을 이곳과 알렉산드리아 두고 있어. 나도 독립에 힘을 보태고 싶은데, 내가 도울 일이 없겠느냐?"

"대장간을 운영하면 어떻겠느냐? 농기구를 만들면서 한 편에서는 무기를 만드는 거야. 그러면 우리의 정체가 탄로날 위험도 없다."

베데스다 연못 가까이에 팔려고 내놓은 대장간이 있었다. 시몬은 대장간 주인이 부르는 대로 값을 주고 그것을 샀다. 그들은 바라빠에게 대장간을 경영하게 하고, 마하보 전사 몇몇에게 대장장이 일을 맡기기로 했다.

시몬이 바라빠를 찾아 골란을 향해 길을 떠나자, 유다는 마하보로 갔다. 요나단이 그의 앞에 와 고개를 숙였다.

"전사들을 더 모집해라. 강골이든 약골이든 가리지 마라. 사람은 다 쓸 데가 있다."

"입이 많으면 돈도 많이 듭니다."

"일을 하면 먹을 것이 생기게 마련 아니냐? 마카비12형을 완전히 숙달해라. 전사에게 필요한 것은 무술과 무거운 입이다. 무술이 약한 자는 적군에게 죽고, 입이 가벼운 자는 내게 죽는다. 전사들에게 내가 한 말을 제대로 전해라. 알아들었느냐?"

"옛, 대장님. 그런데 그렇게 거창하게 훈련해서 무엇을 하려는 겁니까, 성전 금고라도 털자는 겁니까?"

"우리는 이스라엘의 독립을 위해 싸울 것이다. 하지만 우리의 정체가 알려지면 안 된다. 다시 말해서 당분간 우리는 마하보 전사들이야. 어떻게 생각하느냐?"

"와! 이제야 대장님의 뜻을 알았습니다. 이젠 우리도 당당하게 살게 됐습니다."

"그렇다. 하지만 군대는 힘이 있어야 당당할 수 있다. 그러려면 어떻게 해야 할까?"

"독한 훈련, 그것밖에 없을 것 같습니다."

"잘 말했다. 몸이 적군보다 빨라야 한다. 속도가 승패를 가른다는 말이다. 적보다 빨리 달리고, 높이 뛰고, 오래 견뎌야 한다. 이제부터는 달리기 훈련을 해라. 이 산 정상에서 저 산 정상으로 달려갔다가 돌아오는 훈련을 해라. 알겠느냐?"

"옛! 대장님. 전사들이 기뻐하며 훈련할 것입니다."

유다는 튼실한 전사 셋을 선발하여 다락집으로 데려갔다. 시몬에게서 전갈이 와 대장간으로 갔다. 대장간 화덕에 앉아 있던 바라빠가 벌떡 일어나 그를 부둥켜안았다. 넓은 가슴, 가운데가 깊이 파인 등, 쇠처럼 단단한 어깨, 꿈틀거리는 팔뚝, 독립투사라면 이 정도는 돼야 한다. 덥수룩한 수염이 유다의 얼굴을 찔러 댔다.

"바라빠! 인제 그만 놔줘. 수염이 얼굴에 박히겠어."

"하하하, 이게 얼마 만이냐? 네가 돌아올 날을 기다렸다."

바라빠는 본래 대장장이였다고 한다. 대장장이가 가말라의 유다를 만나 독립투사가 됐던 것이다.

"농기구를 만들면서 무기를 연구해라. 특히 단검을 잘 만들어야 한다. 도마가 쓰는 단검은 무거워서 휴대가 불편하다. 가볍게 만들어서 전사 하나가 30개 정도를 지니고 다닐 수 있도록 해라. 활과 화살은 눈에 잘 띄니까 단검을 만들라는 거다. 알아들었느냐?"

"옛 대장님, 50개를 지니고 다닐 수 있게 만들겠습니다."

"허허, 그게 아니다. 너무 가벼우면 치명상을 입힐 수 있겠느냐? 적당한 무게로 최소한 작게 만들어라."

구체적인 계획 없이 구제 사업을 시작했기 때문에, 생각하지도 못한 일들이 자주 일어났다. 오늘은 성전에서 고기 부스러기를 사오는 날이었는데, 양이 지나치게 부족했다. 유다는 정육점들을 돌아다니며 체다카에서 쓸 고기를 사들여야 했다. 배급 시간이 늦어졌고, 마지막 사람이 식사를 마쳤을 때는 이미 저녁이 얼마 남지 않았다. 그는 테라스에서 이른 저녁을 먹으며 포도주를 마셨다. 마리아가 포도주를 따르며 말했다.

"성전에서 파는 고기 부스러기가 값이 헐하긴 하지만, 오늘처럼 갑자기 고기가 모자란 적이 벌써 몇 번째예요. 더구나 아무리 부스러기라도 제사에 바쳤던 것을 아무나 먹는 건 율법을 어기는 거잖아요. 그런 거래를 계속해야 하나요?"

"그렇지 않으면, 도성 주변이 돼지 똥으로 오염될 거야."

"도성 주변이 오염되다니요, 그게 왜 그렇죠?"

"성전은 고기 부스러기를 돼지 치는 자들에게 팔았었어. 그들은 성전에서 돼지 먹이를 값싸게 구입해서 돼지를 쳤고, 그래서 도성 주변에 돼지 목장이 넘쳐나게 된 거야."

"우리는 돼지고기를 먹지 않는데, 도대체 누가 그 많은 돼지를 먹는답니까?"

"생각보다 예루살렘에 이방인이 많아. 로마 사람만 해도 천 명은 넘을 거야."

"저는 지금까지 율법을 어길까봐 조심하며 살아왔어요. 그런데 왜 돼지고기를 먹지 말라고 한 거죠?"

"그건 나도 몰라. 나중에 사울에게 물어봐야겠다."

그때 하녀가 테라스로 들어와, 응접실에서 필라투스의 전령이 기다린다고 했다. 그는 포도주로 입을 행구고 응접실로 갔다. 전령은 필라투스의 편지를 전해 줬다.

안티파스가 자신의 생일 잔치에 유대 총독을 초대했고, 필라투스는 유다에게 같이 가자고 했다. 그는 당일에 그곳에서 만나자는 편지를 써서 전령에게 주었다.

다음날 유다는 말을 타고 마케루스 궁전으로 달려갔다. 헤롯왕은 마케루스를 피신용 궁전으로 재건했고, 그것을 안티파스가 물려받았다. 그는 나바티안 왕국의 공주와 결혼했지만, 이혼하고 동생의 아내와 재혼했다. 그 일을 요한이 공개적으로 비난하다가 마케루스 감옥에 갇혔다.

남루한 옷을 입은 사내가 독방에서 밖을 내다봤다. 그가 덥수룩한 수염을 쓸어 올리며 몸을 일으키자, 간수가 콜록거리며 밖으로 나갔다.

"처음 보는 분 같은데 어쩐 일로 왔는지요?"

"나는 유다라고 합니다. 사람들이 당신을 선지자라고 하기에, 가르침을 받으러 왔습니다."

"감옥에 갇힌 사람이 누굴 가르치겠습니까, 당신은 무엇을 구하고 있습니까?"

"공평과 정의를 구하고 있습니다."

"역대 선지자들이 그것들을 구했지요. 하지만 그것들을 본 선지자는 없습니다."

"그러면 어떻게 해야 합니까?"

"주님이 메시아를 보내 줄 겁니다."

"지금까지 '내가 메시아다'라고 소리친 사람이 한둘이 아닙니다. 진짜 메시아는 언제쯤 온다고 생각합니까?"

"나는 한 사람을 오랫동안 눈여겨봤습니다. 그는 마음이 온유하고 겸손한 분이지요. 그런데 오늘 나는 전혀 다른 사람을 봤습니다."

"알아듣기 쉽게 말해 주시지요."

"얼마 전에 예수라는 사람을 알게 됐습니다. 나는 그가 메시아인 줄 알았지요. 하지만 지금은 잘 모르겠습니다. 그렇게 온유한 분이 로마군을 물리칠 수 있을까, 그렇게 겸손한 분이 대제사장들을 몰아낼 수 있을까? 생각하기 어려운 일이지요."

그는 잠시 헐떡이며 호흡을 가다듬었다.

"그런데 오늘 당신을 보게 됐습니다. 당신은 강하고 담대한 분입니다. 당신의 온몸에서 힘이 발산되고 있습니다. 당신이 광야에 나타나면, 사자가 당신을 피해 도망치고, 하이에나가 당신 앞에서 꼬리를 흔들 겁니다."

"하하하, 태어나서 이런 찬사는 처음 들어 봅니다. 하지만 나는 메시아와는 거리가 먼 사람입니다."

"다윗 왕도 소년 때에는 자기 자신이 메시아인 줄 몰랐습니다. 그는 위대한 일들을 하나씩 해 나가면서 결국 메시아가 됐습니다."

"다윗 왕은 나발을 죽이고, 그의 아내인 아비가일을 취했고, 밧세바를 건드렸다가 애를 배니까 우리야를 교묘하게 죽였습니다. 그런 자를 메시아라고 할 수 있습니까?"

"메시아는 신이 아니라 사람입니다. 사람으로서는 있을 수 있는 일이지요."

"진짜 메시아가 오면 어떤 일을 하리라 생각합니까?"

"로마군을 몰아내고 다윗 왕처럼 다스리겠지요."

"다윗은 병사들의 피로 나라를 세웠고, 솔로몬은 백성들의 땀으로 예루살렘 성전을 지었습니다. 그 당시의 백성들이 지금의 백성들보다 잘 먹고 잘 입었습니까?"

"천 년이 지났는데, 그때 백성들이 어떻게 살았는지 누가 알 수 있습니까? 그러나 그때는 백성들이 이방인에게 세금을 바치지는 않았지요. 그건 분명합니다."

"휴! 그러면 지금 우리는 어떻게 해야 합니까?"

"우리 모두가 회개해야지요. 주님 앞에 죄를 고백하고, 용서를 빌어야지요. 우리가 언제까지나 회개하지 않는다면, 세상은 멸망하고 맙니다."

"세상이 멸망하면 안 됩니까? 어차피 사람은 죽는데, 죽는 거나 세상이 멸망하는 거나 차이가 없잖습니까? 더구나 세상이 멸망하고 나면, 메시아가 필요 없고, 주님도 필요 없습니다."

"세상이 멸망한 뒤에 우리에게는 지옥이 기다리고 있지요."

"그렇군요. 지옥에 가야 한다니 생각만 해도 끔찍하군요."

"메시아가 와서 이방인들을 몰아내고 공평과 정의를 행한다면, 주님이 세상을 멸망시키지 않겠지요. 하지만 백성들이 회개하지 않는다면, 세상을 멸망시킬 겁니다. 도끼는 이미 나무뿌리에 놓였습니다."

"백성들이야 회개할 수도 있겠지만, 설마 왕들과 제사장들도 회개하겠습니까?"

"온 백성들이 회개한다면, 그들도 뒤늦게나마 회개할 겁니다. 문제는 에돔 족속이지요."

"에돔 족속이라니요, 무슨 말씀입니까?"

"헤롯 가문은 본래 에돔 족속이었는데, 할례를 받고 유대인이 됐습니다. 반쪽만 유대인이요, 가짜 유대인이지요. 헤롯 가문이 백성들을 얼마나 많이 죽였습니까? 아르켈라오스는 추방됐지만, 안티파스와 필립이 권세를 휘두르고 있습니다. 게다가 안티파스는 동생의 아내이면서 조카인 여자를 취하여 주님의 율법을 범했습니다."

안티파스의 생일까지 닷새 정도 여유가 있었다. 유다는 도마를 만나기 위해 말을 타고 골란으로 향했다. 여관에서 마티아가 물었다.

"예수 님이 요한 님의 제자입니까?"

"아닐 것이다. 형이 요한을 스승이라고 부른 적이 없다. 왜 그러느냐?"

"예루살렘에서 요한 님의 명성은 대단하지요. 그런데 주인님은 요한 님을 대수롭지 않게 여기는 것 같아서 말입니다."

"생각해 봐라. 사람들이 오면 지독하게 욕하고, 심판을 받아 죽을 거라고 한다. 들을 때야 가슴이 뜨끔하겠지만, 집으로 돌아가면 모두 잊어 버린다. 헐벗은 사람에게 옷을 주고, 굶주린 사람에게 양식을 나누어주는 사람이 얼마나 되겠느냐? 말로만 떠드는 자들은 오래 가지 못한다."

"맞습니다. 선지자들이 대개 그러다가 죽었지요."

"허허, 그가 죽는다는 말이 아니라, 그의 명성이 오래 가지 못한다는 말이다. 죽는 거야, 나도 죽고 너도 죽고 모두가 죽는다."

"헤헤헤. 그것도 맞습니다. 주인님은 가난한 사람들을 먹이고 입히니까, 주인님 명성이 오래 가겠군요."

"요한 때문에 진이 빠졌는데, 너까지 맥 빠진 소리를 하느냐?"

"맥빠진 소리라니요? 유대 땅에서 주인님만큼 위대한 사람은 없습니다."

골란 고원은 북쪽 헤르몬산에서 남쪽 야르묵강 사이에 펼쳐진 산악 지대다. 도마의 말 목장은 벳새다에서부터 요르단강을 따라 올라가면 찾을 수 있다고 했다.

산과 언덕들이 줄지어 나타났는데, 돌들이 나무들보다 훨씬 많았다. 하지만 돌들 사이에는 싱싱한 풀들이 많아, 곳곳에서 양과 염소가 뜯어먹고 있었다. 그 위 산 중턱에서는 말들이 이리 저리 뛰어놀고 있었다.

점심때가 되기 전에, 유다는 산 중턱에서 목장을 발견했다. 한 사내가 오두막에서 그를 쳐다보다가 뛰어내렸다.

"이게 누군가? 기다리고 기다리던 메시아가 드디어 이 땅에 오셨구나."

"메시아 타령 좀 그만해라. 넌 어려서부터 변방에만 사는구나."

"변방에서 준비하고 중앙으로 쳐들어가야지. 넌 아주 귀하고 날렵하게 보인다. 로마에 가서 성공했구나."

"돈을 조금 벌었기로 성공했다고 할 수 있나? 독립을 쟁취해야 성공한 거지."

"열정이 여전하구나. 나도 그날을 꿈꾸며 너의 귀환을 고대하며 살아왔다."

"말을 키우는 건 전쟁을 준비하기 위해서겠지?"

"로마군에 대항하려면 기동성이 중요하니까. 로마 사람들 이야기 좀 해 줘라. 로마군은 어떻더냐?"

"상류층이 두텁고, 평민들은 잘살고, 천민들조차 배불리 먹어. 병사들은 매일 훈련하고, 전투 장비까지 우수해. 어떤 나라든 로마군과 싸워 이기는 건 어렵다고 봐."

"휴! 그러면 독립을 어떻게 쟁취하지?"

"아무도 우리를 얕잡아보지 못하게 힘을 키워야지. 그러면 로마가 우리를 동맹국으로 받아들일 거야. 지금으로서는 그게 최선이야."

"로마의 동맹국이 되면 뭐가 달라지지?"

"로마와 대등한 관계가 되고, 로마 황제에게 세금을 바치지 않게 돼. 그것만으로도 백성들은 굴욕감에서 벗어날 수 있지."

"로마 황제에게 세금을 내지 않아도 된다니, 꿈만 같구나. 그런데 로마가 세금을 포기하면서까지 우리를 동맹국으로 받아들일까?"

"로마는 오래 전부터 파르티아 제국[33]과 대치하고 있어. 우리가 강력한 힘을 갖게 되면, 로마가 먼저 제의할 거야. 파르티아를 함께 막아내자고."

"필로의 수제자에다 나폴리 대회의 영웅이 하는 말이니 맞겠지."

그때 한 사내가 말을 타고 다가와 말했다.

"시장에서 안드레를 만났는데, 선생님이 우리를 만찬에 초대했다고 한다."

"제자들만 초대했나?"

"목마르거나 주린 사람은 누구나 초대한다고 했다. 나사렛이 아니라, 가버나움이니까 혼동하지 마라."

도마는 유다와 그 사내를 서로에게 소개해 줬다. 그는 필립이었고, 만찬에 초대한 선생님은 예수였다.

---

33 기원전 247년 ~ 서기 224년, 이란 지역에 있었던 대제국. 스파르타쿠스의 반란을 진압한 크라수스가 파르티아 정벌에 나섰다가 카레 전투에서 전멸했고(기원전 53년), 이후에도 두 제국은 여러 차례 공방을 주고 받았지만, 파르티아는 자신들보다 로마가 강하다는 걸 인정했다고 한다.

예수의 집에 사람들이 몰려들어 너른 마당을 가득 채웠다. 그는 하느님 나라가 어쩌고 누룩이 저쩌고 했다.

갑자기 천장에서 뭔가 부서지는 소리가 났다. 예수는 말을 멈추었고, 사람들은 일제히 소리가 나는 곳을 쳐다보았다. 천장에 커다란 구멍이 나더니, 침상이 천천히 내려왔다. 튼튼한 밧줄이 침상의 네 귀퉁이에서 위로 뻗어 있었고, 병자로 보이는 사람이 침상 위에 반듯이 누워있었다. 사람들이 웅성거리자, 예수가 왼손을 들었다. 모든 사람들이 입을 다물고, 그 모양을 지켜보았다. 침상이 바닥에 내려앉자, 예수가 일어났다. 그는 오른손으로 병자의 손을 잡고, 왼손으로 얼굴을 어루만져 주었다. 병자가 얼굴을 씰룩거렸다.

"얼마나 아프고 괴로웠습니까? 당신의 죄는 용서받았습니다."

병자가 고개를 돌려 예수를 바라보았다. 몇 사람이 수군댔다.

"서기관들이여, 중풍 병자에게 당신은 죄 사함을 받았다고 하는 것과 일어나 침상을 들고 걸어가라고 하는 것 중에 어떤 것이 더 어렵겠습니까?"

그들은 서로 얼굴을 쳐다보기만 했다. 예수는 왼손을 병자의 등 밑으로 넣고, 오른손으로 그의 손을 잡았다. 병자가 일어나 앉았다.

"당신의 병은 다 나았습니다. 일어나서 침상을 들고 걸어가십시오."

사람들이 모두 눈에 불을 켜고 병자를 바라보았다. 숨소리조차 들리지 않을 정도로 조용했다. 마침내 병자가 부들부들 떨리는 손으로 밧줄을 잡고 일어났다. 그러고는 침상을 어깨에 짊어지고, 다리를 절며 문턱을 넘었다. 그를 지켜보던 사람들이 손뼉을 치며 환호했다.

유다는 예수와 함께 집을 나와 들길을 걸었다.

"중풍 병자가 침상을 짊어지고 걸어갔어. 어떤 마법을 쓴 거야?"

"마법이라니 난 그런 것 몰라."

"그러면 어떻게 중풍 병자가 갑자기 걸어가? 서기관들 표정을 보니까 사기 친다고 생각하는 것 같았어."

"그런 일로 사기를 칠 수 있겠느냐?"

"답답해 죽겠군. 설명 좀 해 봐."

"그건 사기도 아니고 마법도 아니야. 나는 그가 지붕에서 내려오는 모습을 보고, 내 눈에 눈물이 고이는 것을 느꼈어. 세상에 이처럼 가엾고 불쌍한 사람이 있는가, 무엇 때문에 중풍에 걸렸나?

그는 소작농이었어. 땀 흘려 일해도 굶주릴 수밖에 없었던 거야. 지주에게 절반을 바치고, 안티파스에게 세금으로 빼앗기고, 십일조와 봉헌물을 바쳐야 했기 때문이지. 그렇게 하고 나면, 먹을 것을 빌려야 했어. 어떤 때는 십일조도 빚을 내서 바쳤지.

이 땅의 농부들이 대개 그렇게 살아가고 있어. 그들은 자기가 저지른 죄 때문에 고통을 당한다고 생각해. 죄 때문에 괴로워하고, 그것이 병이 되고, 심하면 간질이나 중풍에 걸려.

그런 생각을 하며 '너의 죄가 사해졌다'고 말했는데, 그는 즉시 깨달았어. 하느님이 자기를 사랑한다는 것을. 그의 눈에 총기가 어리더니, 뒤틀린 몸이 조금씩 펴지는 게 보였어. 나는 그가 정상으로 되길 바라고 기도했다. 그러고 나서 서기관들에게 말했지. 어떤 게 쉬우냐고, 아니 어떤 게 어려운 거냐고 했던가? 실제로 그가 일어나 침상을 짊어지고 걸어갈 때는, 나도 놀랐어."

예수의 목소리는 젖어 있었고, 얼굴은 눈물로 흥건했다.

"사람들의 반응이 의외였어. 형이 기적을 일으켰다고 말한 사람은 아무도 없었어."

"그걸 기적이라고 할 수는 없지. 죄에서 자유하게 되니까, 죄책감에서 생긴 병도 없어진 거야."

"나는 그가 일어나지 못할까 봐 조마조마했어. 그랬으면 어떻게 하려고 했어?"

"사람들 앞에서 내 체면이 서지 않았겠지."

"형은 서기관과 바라사이파를 지나치게 멸시하고 증오해. 다른 사람들에게는 그지없이 자상하면서 그들에게는 왜 그러는 거야?"

"그들의 위선과 거드름을 보노라면, 비웃지 않을 수가 없어. 그들은 민중의 삶을 알지도 못하면서 율법을 지키라고 해. 그런데 휴! 민중들은 그들의 말을 법으로 믿고 살아가. 내가 사막으로 갔던 것은 답답하고 숨이 막혀서야. 나는 그곳에서 하느님 나라를 보았고, 비로소 숨을 쉴 수 있었어."

"하느님 나라에는 서기관과 바리사이파 사람이 없겠네."

"진실로 진실로 말하는데, 그 나라는 어린아이의 나라야."

"갈수록 어려워지는군. 어린아이의 나라는 또 뭐야?"

"어린아이는 자유로워. 매 순간을 즐기고, 항상 좋은 꿈을 꾸면서 내일을 기다리고, 지옥 같은 것은 생각하지도 않아. 또 어린아이는 원한을 오래 품지 않아, 금세 잊어버리고, 다시 친구가 되어 함께 놀지."

"그런데 왜 형은 서기관과 바리사이파 사람을 그토록 미워하고, 원한을 버리지 못하는 거야?"

"그들은 백성들을 율법으로 옭아매고, 십일조와 봉헌물을 바치지 않으면, 죄인으로 몰고 공동체에서 추방하는 자들이야. 나는 오직 그들만을 멸시하고 증오해. 그들이 낡은 교리에서 벗어나 진실한 삶을 살면 얼마나 좋겠느냐? 하지만 그들은 구제 불능이야. 그들과 맞서 싸워야만 하느님 나라를 이룰 수 있어."

"글쎄 그게 창검을 들지 않고, 말로만 싸워서 되겠느냐고? 야훼도 파라오를 굴복시키는데 열 가지 재앙을 내려야 했어."

"그래서 그 결과 폭력과 전쟁이 없어졌느냐? 폭력은 또 다른 폭력을 부를 뿐이야. 나는 세상에 불을 던졌고, 머지않아 활활 타오를 거야."

"허 참, 불은 또 뭐야?"

"공평과 정의를 가로막는 것들을 태워 없애야 해. 그래야 그 자리에 하느님 나라가 들어설 수 있어."

"어떤 나라든 말로만 세워질 수는 없어. 휴! 오늘은 이만큼만 하자."

안티파스는 자기의 생일 잔치에 유대 총독뿐만 아니라, 갈릴리의 고관들과 귀족들을 초대했다. 그들은 옆으로 누워 포도주를 마시고 음식을 먹었다.

유다는 필라투스 가까이 앉았다. 배가 불러 오고 취기가 느껴졌다. 그때 홀 입구 쪽이 술렁이면서, 화려하게 치장한 여자를 선두로 대여섯 명의 여인이 들어왔다. 안티파스가 벌떡 일어났다.

"왕비가 특별한 선물을 준비했다고 합니다. 어떤 선물인지 함께 봅시다."

풍악이 울리면서 어린 소녀가 무대 위로 올라갔다. 그녀는 눈처럼 하얀 옷에 긴 머리를 늘어뜨린 채 춤을 추기 시작했다. 무대를 이리저리 왔다 갔다 하는 모양을 보며 그저 그런 춤이라는 생각이 들 때, 그녀가 흰옷을 벗어 던졌다.

검은 실로 짠 옷이 불빛에 반짝였다. 어깨부터 허리까지는 단단히 조였고, 엉덩이 아래로는 얇게 찢었다. 그녀는 음악에 맞추어 몸을 흔들다가 날아오르듯 몸을 솟구치고, 미끄러지듯 바닥에 주저앉아 한 다리는 세우고 한 다리는 뻗었다. 그녀는 몸을 흔들며 일어나, 검은 옷마저도 벗어 던졌다.

알몸으로 보였지만, 그녀는 허연 망사를 입었고, 굵은 실이 젖가슴과 음부를 가렸다. 음악이 빨라지면서 춤이 격렬해졌다. 한 마리 새가 이 나무에서 저 나무로 옮겨 다니듯, 물고기가 어항 속을 노닐 듯, 그녀의 춤은 거침이 없었다. 그녀가 성행위를 연상시키는 동작을 연출하자, 유다는 눈살을 찌푸리지 않을 수 없었다. 마침내 풍악이 그치고 춤이 멈췄다. 안티파스가 손뼉을 치자, 손님들 모두가 박수를 보냈다. 여자들이 무대 위로 올라가, 그녀에게 흰옷을 입혀주었다. 그녀는 안티파스 앞으로 와 예를 하고 물러났다.

"하하하, 이리 오너라. 어여쁜 소녀인 줄만 알았는데, 이렇게도 아름다운 여인으로 자랐구나." 안티파스의 입꼬리가 눈썹에 닿을 듯했다. "귀한 선물을 받고 어찌 보답을 안 하겠느냐? 네 소원을 말해 보아라. 내 왕국의 절반이라도 주겠다."

그녀는 왕비에게 뛰어갔다가 돌아와 말했다.

"세례자 요한의 머리를 선물로 주세요."

"뭐라, 무엇을 달라고 했느냐?"

"요한의 머리를 잘라 쟁반 위에 얹어서 주세요."

"허, 내 생일에 참수라?"

"그게 제 소원입니다, 아버지."

"차일피일 미루어 왔는데, 네가 나로 결단하게 만드는구나."

안티파스는 경비대장을 불러 명령하고, 손님들에게 포도주를 권했다. 손님들은 크게 한숨을 토해내며 술잔을 들었다. 그런데 그 한숨이란 게 참수 명령 때문인지, 무희의 고혹적인 아름다움 때문인지, 분간을 할 수가 없었다.

병사들이 사람의 머리가 놓인 쟁반을 안티파스에게 바쳤다. 안티파스는 그것을 받아 무희에게 주고, 그녀는 그것을 왕비에게 바쳤다.

유다는 연회장을 나와 전망대로 올라갔다. 폭포수처럼 말을 쏟아 내던 자가 목이 잘렸다. 서늘한 달이 요한의 머리를 얹고, 그의 사나운 눈이 마케루스 요새를 쏘아보고 있었다.

서쪽은 유대 땅이고 동쪽은 원래 모압 족속의 땅이었지만, 지금은 나바테아 족속이 점령하고 있다. 마케루스 궁전이 자리 잡은 곳은 베뢰아 지역으로 안티파스가 다스린다. 다윗 왕 때에는 모두가 이스라엘 땅이었다.

안티파스와 헤로디아 그리고 요한의 관계에 대하여 대충은 알고 있었다. 하지만 백성들에게 위안을 주고, 권력자들에게 두려움을 일으키며, 온 땅을 진동시킨 선지자가 그렇게 허무하게 죽을 줄은 몰랐다.

갑자기 흰옷을 입은 여자가 그의 눈앞에 나타났다. 그는 상념에서 벗어나 연회장 무대에서 춤추던 소녀를 알아보았다.

"너는 누구냐?"

"왕비의 딸, 살로메라고 불러요." 그녀는 사방을 두리번거리며 말했다. "그런데 당신은 누구입니까? 늠름한 모습이 보통 분은 아닌 것 같은데."

"나는 유다라고 한다. 어째서 홀로 여기에 올라왔느냐?"

"왕을 피해 올라온 겁니다." 그녀는 몸을 떨었다. "유다 님, 나를 어디든 데려가 주세요."

"왕을 피해 올라오다니, 그게 무슨 말이냐?"

"그런 것도 설명해야 합니까?"

"야심한 시각에 너를 어디로 데려갈 수 있겠느냐?"

"옆에 별궁이 있어요. 일단 거기로 갔다가 새벽에 달아나면 돼요. 유다 님 집으로 가면 안 됩니까?"

별궁의 문지기가 살로메를 알아보고 문을 열어 주었다. 그녀는 불을 밝힌 회랑을 지나 방으로 들어갔다. 방에는 레이스로 장식한 널찍한 침상이 하나 있고, 창문에는 커튼이 드리워져 있었다.

어머니가 이혼하고 안티파스와 결혼했을 때, 살로메는 여덟 살이었다. 유대 풍습대로라면, 그녀는 어머니가 아니라 아버지의 양육을 받아야 했다. 그러나 어머니의 고집과 아버지의 양보로 그녀는 안티파스의 양딸이 됐다. 그녀가 자라면서 안티파스의 눈초리가 달라졌다. 어린 소녀에게도 그의 눈이 무엇을 말하는지 알 수 있었다. 그녀는 어머니에게 그것을 어떻게 말해야 할지 몰랐다.

어머니는 몇 달 전부터 그녀에게 춤을 가르쳐 왔고, 안티파스의 생일 잔치에서 춤을 추라고 했다. 안티파스는 그녀의 춤을 보고 나서 왕국의 절반이라도 주겠다고 했다. 그 말은 곧 그녀를 왕비로 삼겠다는 뜻이다. 그녀는 어머니와 함께 한 남자의 아내가 될 수 없었다.

그녀는 이야기꾼처럼 말했고, 말투가 품위가 있었다. 유다는 정숙한 소녀이자 요염한 여자에게 넋을 잃었다. 그러다가 어떻게 됐는지도 모르게, 새벽에는 두 사람이 다정한 부부가 되어 있었다.

동이 트자, 유다는 잠이 덜 깬 살로메를 안고 말에 올랐다. 몇몇 병사들이 앞을 막아섰지만, 그들은 말 탄 그를 잡지 못했다. 그는 바람 같이 달려 마케루스 궁전을 벗어났다. 병사들이 말발굽 소리를 내며 추격했다.

살로메는 그의 등에 달라붙어 달달 떨었다. 마침내 요르단강을 건너 안티파스의 통치 영역을 벗어났다. 하지만 병사들은 강을 건너 계속 쫓아왔다. 그는 그들을 향해 말 머리를 돌렸다. 그들도 멈춰 서며 땅에 먼지를 일으켰다. 모두 열한 명이었다.

"이제 더 쫓지 말고 돌아가라. 여기는 유대 총독이 다스리는 땅이다."

"납치범인 주제에 뻔뻔하구나. 너를 체포한다." 병사 중 하나가 말했다.

11대 1의 마상 전투가 벌어졌다. 병사들은 하나씩 쇠몽둥이로 투구를 얻어맞고 말에서 떨어졌다. 될 수 있는 대로 죽이지 않으려 했지만, 그게 잘되지 않았다. 병사 하나가 손을 부들부들 떨며 일어나 앉았다.

"돌아가서 안티파스에게 전해라. 유대인은 닭고기와 달걀을 함께 먹지 않는다. 일곱을 죽인 것은 선지자를 죽인 것에 대한 보답이다. 일곱 배씩이나 갚을 생각은 없었는데, 힘을 조절하지 못해서 그렇게 됐다고 전해라"

유다는 예리코에 이르러, 아담하고 깨끗한 여관을 찾아 들어갔다. 살로메는 비할 데 없이 아름다웠고, 어린 것이 그를 탐하고 보채기까지 했다. 정숙하고 요염하며 음란하기까지 한, 살로메는 그런 여자였다. 그는 언제 날이 새고 언제 저무는지 모르는 채, 여관에서 이레를 보냈다.

그들이 다락집으로 들어가자, 마리아가 반갑게 맞아들였다. 유다는 다락방으로 올라가 살로메를 소개하고, 그간의 일을 대충 이야기했다. 그녀는 그가 말하는 동안 아무 대꾸도 하지 않았다. 하지만 그녀의 눈은 차갑게 변했고, 그가 말을 끝냈을 때는 사납게 변해 있었다. 그녀는 말없이 다락방을 나갔다.

그는 살로메에게 쉬라 하고, 서재로 가 의자에 걸터앉았다. 불편한 상태가 어서 지나가고, 화기애애한 가정이 되어야 하는데, 어려울 것 같았다. 예리코에 집을 한 채 사서, 살로메를 그곳에 머물게 했어야 했다. 지금이라도 그렇게 하면 안 될까? 예리코는 예루살렘에서도 티베리아스에서도 제법 떨어져 있으니까 적당한 곳이다.

살로메가 눈을 비비면서 서재로 들어왔다. 그는 날이 어두워진 것을 모르고 있었다. 그녀를 토닥여 주고는 다락집을 나섰다. 아버지 집까지 가봤지만, 마리아는 어디에도 없었다. 그는 안토니 요새에 들러 필라투스를 만났다.

"안티파스 생일에 황당한 사건이 둘이나 있었어. 하나는 세례자 요한의 참수고, 다른 하나는 안티파스의 딸 납치 사건이야. 죽은 자는 다시 살아올 수 없고, 그 계집은 어떻게 된 것이냐?"

"안티파스가 그녀를 겁간하려 해서, 그녀가 내게로 피한 거야. 진작 형에게 말해야 했는데, 그럴 시간이 없었어."

"안티파스가 너를 체포하여 넘기라고 요구했다."

"……."

"무슨 이유로 그런 요구를 하느냐고 따져 물었지. 초대하지도 않은 너를 데려왔으니까 나의 책임이라고 하더구나. 네가 병사들을 죽이고 병신으로 만든 것도 배상하라더라."

"미안해. 내가 어떻게 해야 하지?"

"네가 그 계집을 다시 처녀로 만들 수 있겠느냐, 내가 너를 안티파스에게 넘길 수 있겠느냐? 나와 그는 이제부터 원수 사이가 될 거야. 내게는 그보다 더 심각한 문제가 있어. 세야누스와 친분 있었던 사람들이 하나둘 처형되고 있다. 불똥이 내게 튈지 모른다고, 시리아 총독이 조심하라고 했어."

"불이 아무리 거세도, 불똥이 여기까지 튀지는 않아."

"농담할 기분이 아니야. 세야누스 덕에 이 자리까지 왔어. 황제가 나를 소환하면, 가서 즉결 재판을 받고 죽을 수밖에 없지 않느냐?"

"황제에게 그럴 생각이 있었다면, 세야누스를 처단하고 나서 바로 했겠지. 황제가 내게 유대 총독의 도움을 받으라고 한 걸 보면, 그럴 마음이 없는 거야. 안티파스가 어떻게 할지 모르겠어. 이 일을 황제에게 보고할까?"

"교활한 녀석이 지금 황제의 눈에 띄려고 하겠느냐? 그나 나나 지금은 황제의 눈에 띄지 않는 게 상책이야."

"마누라가 화가 나서 집을 나갔는데 어디로 갔는지 모르겠어."

"하하하. 며칠 있으면 돌아올 거야. 그때까지 술이나 마시자."

마티아가 다락집에 왔다. 선생님이 강론을 기가 막히게 잘한다는 둥, 제자들은 바보 같다는 둥 했지만, 사실은 마리아에 대한 소식을 가져왔다. 그녀가 예수를 찾아 가버나움으로 왔는데, 돌아갈 생각을 안 한다는 것이다.

유다는 가버나움으로 갔다. 예수가 레위의 집에서 강론하고, 마리아는 문턱에 앉아 있었다. 레위는 알렉산드리아에서 함께 공부한 친구였다. 해가 서쪽 하늘에 누런 꼬리를 남기며 사라지자, 강론도 끝났다. 하인들이 연회장에 불을 밝혔다. 그는 마리아에게로 다가가 그녀의 손을 잡았다.

"예루살렘으로 돌아가자."

그녀는 그의 손을 뿌리쳤다.

"빨리도 찾아왔네요. 이혼 증서를 써 주세요."

"……."

"선생님이 드실 것을 준비해야 해요."

그는 레위의 왼쪽에 앉았다. 오랜만에 친구를 만났는데도 서로 인사할 겨를이 없었다. 킨노르와 비파의 합주가 울리면서, 하인들이 음식을 나르고 포도주를 잔에 따랐다. 레위가 일어나 손님들을 향하여 말했다.

"제가 세리로 일하는 동안 도움을 주셨던 분들께 진실로 감사를 드립니다. 마음껏 드시고 평안을 누리시기 바랍니다."

사람들이 포도주를 마시고 음식을 먹기 시작했다. 그릇들이 바닥을 보이기 시작하자, 레위가 다시 일어나 예수를 가리키며 말했다.

"저를 새로운 삶으로 이끌어주신 선생님을 소개합니다." 예수가 일어나서 사람들을 향해 인사하고 앉았다. "이분은 예수라는 분으로 하느님 나라를 전파하고 있습니다. 저는 생업을 그만두고 이분을 따르기로 했습니다. 이제부터는 세관이 아니라 길거리에서 저를 만나게 될 겁니다."

사람들이 왁자하게 웃었다. 여기저기서 말들이 쏟아져 나왔다. '하느님 나라가 뭐야?' '비렁뱅이들이 모인 나라지.' '세리가 비렁뱅이로 살 수 있을까?' '언젠가는 분명 후회하게 될 거야.' 사람들이 잠잠해지자 레위가 예수를 바라보며 말했다.

"선생님, 우리에게 가르침을 주십시오."

예수가 자리에서 일어나, 부드러운 눈길로 사람들을 둘러보았다.

"여러분, 무거운 짐에 얼마나 힘이 듭니까? 그토록 풍성했던 농작물과 물고기가 다 어디로 갔습니까? 왕과 귀족은 먹을 것이 남아도는데, 민중들은 먹을 것을 찾아 유랑하고 있습니다. 어린아이들은 굶어 죽거나 장사치들에게 팔려 가고 있습니다. 누가 우리를 그렇게 만들었습니까? 로마 제국과 분봉 왕들과 대제사장들입니다. 그들이 여러분을 억압하고 착취하고 있습니다."

한 사람이 손뼉을 치자, 몇 사람이 따라 했다.

"하느님 나라에서는 공평하게 나눕니다. 더 많이 가지려고 다투지 않으며, 가난한 사람에게 나누어줍니다. 하느님 나라에는 사치하는 사람도 없고, 굶주리는 사람도 없습니다."

여기저기에서 손뼉을 쳤다.

"하느님 나라에서는 누구나 억울한 일을 당하지 않습니다. 힘이 약하거나 글을 모른다고 무시당하지 않습니다. 정신이 온전치 못하거나 몸이 불편하다고 따돌림당하지 않습니다. 죄 없이 관청에 끌려가는 일도 없습니다. 죄를 지은 사람에게도 매질을 하지 않습니다."

사람들 모두가 손뼉을 쳤다.

"권세 있는 자들을 두려워하지 마십시오. 그들은 우리가 율법을 어겼기 때문에, 죄인이기 때문에 고통당한다고 가르칩니다. 그것은 그들이 제멋대로 만들어낸 교리에 불과합니다. 그러나 우리는 그들의 교리가 옳다고 생각하며 살아왔습니다. 그 결과 그들은 더 부유해지고, 우리는 더 가난해졌습니다. 가난은 우리에게 굶주림과 질병을 안겨 줬습니다. 이제 우리는 그들의 교리가 거짓임을 깨닫고, 억압과 착취를 거부해야 합니다. 여러분, 거짓 교리를 뿌리치고 하느님 나라로 들어오십시오. 우리 모두 힘을 합쳐 하느님 나라를 만듭시다."

우레 같은 박수 소리에 연회장이 들썩거렸다.

"여러분, 빈 그릇에 음식을 채워놨으니 맛있게 드시기 바랍니다." 레위가 일어나서 사람들을 향하여 말하고는 다시 앉았다. "스승님, 우리 가운데서 열둘을 택하여 사도로 임명하시는 게 좋을 것 같습니다."

"그렇게 하려는 이유가 뭡니까?"

"옛날에 모세도 장로 70인에게 도움을 받았습니다. 우리에게는 열둘이 적당할 것 같고, 회계 담당도 임명하는 게 좋겠습니다."

"당신이 적당한 사람들을 택하여 말해 주시오. 나도 이 일을 위해 기도하겠습니다."

유다는 예수를 따라 말없이 걸었다. 달이 구름 속에서 빠져나와 길을 비춰주었다. 한참을 걸어 호숫가에 이르렀다. 그들은 백사장에서 호수를 바라보며 나란히 앉았다.

"마리아에게 무슨 일이 있었느냐?"

"마리아한테 듣지 못했어? 어린 소녀가 의붓아버지의 겁탈을 피해 도망쳤고, 나는 그녀가 불쌍하기도 하고 예쁘기도 해서 마누라로 삼았어. 하! 그런데 마리아가 저렇게까지 나올 줄은 몰랐어."

"그녀는 제정신이 아니었어. 간질을 일으켜 발작하는 걸 겨우 진정시켜 놓았는데, 지금까지 아무 말도 듣지 못했다. 어린 소녀라니 대체 무슨 일이 있었던 것이냐?"

"안티파스의 생일 잔치에서 일어난 일이야. 헤로디아에게 딸이 하나 있는데, 이름이 살로메야. 안티파스가 겁탈하려 한다고 내게로 도망쳤어. 그래서 집으로 데려왔는데, 마리아가 아무 말도 없이 집을 나간 거야. 세례자 요한이 처형당한 건 알고 있어?"

"그는 자기 할 일을 하고 세상을 떠났다. 마리아가 너에게 뭐라고 했느냐?"

"이혼 증서를 써 달라고 했어."

"허허, 너는 뭐라고 했느냐?"

"무슨 말을 해야 할지 몰랐어."

"너는 여자를 어떤 존재라고 생각하느냐?"

"어려운 질문이야. 허전하고 외로울 때나, 골치 아픈 일로 밤잠을 설칠 때, 나는 여자를 품어."

"너는 여자를 한낱 장난감으로 여기고 있구나. 네가 여자라면, 그런 남자와 인생을 함께 할 수 있겠느냐?"

"그렇게까지 깊이 생각해 본 적 없어."

"한 남자가 두 여자를 아내로 취할 수는 없어. 누구도 행복할 수 없기 때문이야."

"……."

"마리아에게 이혼 증서를 주든지, 살로메를 헤로디아에게 돌려보내든지, 둘 중 하나를 선택해라. 네가 우물쭈물하면, 마리아와 살로메 둘 다 불행해지고, 나중에는 너까지 불행해진다."

그날 밤 예수와 제자들은 레위의 집에서 묵었다. 사정을 알 리 없는 레위가 유다와 마리아를 위해 따로 방을 마련해 주었다. 유다는 마리아에게 평안을 빌어 주고, 예수와 제자들이 잠자는 방으로 갔다. 비로소 레위와 대화를 나눌 수 있었다.

레위는 알렉산드리아를 떠난 후 세관원이 됐고, 결혼하여 세 딸을 두었다. 막내딸이 병들어 죽어가던 것을 예수가 살려주었다. 그것이 계기가 되어 예수를 따르게 됐다.

그는 잠을 이루지 못했다. 아프리카에서는 아내가 여럿 있었지만, 서로 시샘할지언정 집을 나가는 아내는 없었다. 그런데 왜 마리아가 불쌍해 보이지?

예수와 제자들이 아침을 먹기 위해 식탁에 앉았다. 햇빛이 처마 밑으로 기어들어 와, 창문을 넘어 예수의 머리 위에 앉았다. 잘생긴 그의 얼굴이 환하게 빛났다.

레위가 열두 사도의 이름을 불러 줬는데, 절반은 유다가 모르는 사람이었다. 유다는 사도 겸 회계를 맡게 되었다.

그는 사도가 회계를 맡는 것은 어울리지 않는다고 하며, 회계를 다른 제자에게 맡기자고 했다. 그러나 레위는 부유한 사도가 회계를 맡아야 한다고 했다.

그때 세 사람이 씩씩거리며 레위의 집으로 들어왔다. 그들은 하나같이 경문 띠가 넓고, 술 장식을 길게 늘어뜨린 옷차림이었다. 그들 중 한 사람이 예수에게 말했다.

"당신은 어째서 세리와 죄인들과 한자리에서 식사합니까? 당신은 이 땅을 무질서와 혼란으로 몰아넣고 있습니다."

"건강한 사람에게는 의사가 필요 없고, 병든 사람에게 필요한 겁니다. 나는 그들을 회개시키기 위해 왔습니다."

"세리와 죄인들을 회개시켜서 무엇을 하겠다는 것입니까?"

"하느님 나라의 백성으로 맞아들입니다."

"요한의 제자들은 자주 금식하고, 바리사이파 사람들도 그렇게 합니다. 그러나 당신 뿐만 아니라 당신의 제자들도 음식과 포도주를 탐닉하고 있습니다."

"당신이 혼인 잔치의 신랑일 때, 당신은 손님들에게 금식과 금주를 요구할 수 있습니까? 나의 제자들도 금식할 날이 있고, 금주할 때가 있을 것입니다."

"혼인 잔치라니요, 신랑과 신부가 어디 있습니까?"

"새 포도주를 담가 낡은 가죽 부대에 넣는 사람은 없습니다. 부대가 터져 포도주가 쏟아질 것이기 때문입니다. 새 포도주는 새 부대에 넣어야 합니다."

"지금 새 포도주가 무슨 상관이 있습니까, 낡은 가죽 부대는 또 뭡니까? 괴상한 말로 얼버무리지 마시오."

"묵은 포도주는 시큼털털하지만, 새 포도주는 맛이 깨끗합니다. 그래서 사람들은 새 포도주를 더 좋아하고, 값도 새 포도주가 더 비쌉니다."

"하하하, 미친놈이라는 소문이 괜히 난 게 아니군. 여보게, 미친 소리를 더 들을 필요가 있는가? 어서 갑시다."

유다는 예수의 무례한 행동을 이해할 수가 없었다. 바리사이파가 누군가? 서기관과 율법사를 배출하며, 이민족의 통치에 반대하고, 독립을 추구해 온 집단이다. 그런 자들이 예수에게서 흠을 찾으려고 쫓아다닌다. 예수는 그런 그들에게 너희 마음대로 해 보라는 듯 멸시와 조롱으로 일관하고 있다.

식사가 끝나 갈 때, 두 사람이 또 들어왔다. 그들은 광야에서나 볼 수 있는 옷차림이었다. 그들 중 하나가 말했다.

"저희는 요한 스승님의 제자입니다. 스승님이 우리를 선생님께 보냈습니다."

"무슨 일로 왔습니까?"

"선생님께 이렇게 물어보라고 했습니다. 당신이 메시아입니까, 우리가 다른 사람을 기다려야 합니까?"

"……."

"스승님의 물음에 답변해 주십시오."

"눈먼 사람이 보게 되고, 귀먹은 사람이 듣게 되며, 서지 못하던 사람이 걷고, 말을 못 하던 혀가 노래하며, 힘없는 사람과 가난한 사람에게 하느님 나라가 열립니다."

"선생님, 그게 무슨 뜻입니까?"

"나는 하느님 나라를 이 땅에 전하기 위해 온 사람입니다. 나는 당신의 스승이 기다리는 메시아가 아닙니다."

"선생님은 메시아가 아니군요."

그들은 물러나 어깨를 축 늘어뜨린 채 떠나갔다.
"저들은 자기네 스승이 처형된 걸 모르고 있습니다." 유다가 말했다.
"요한은 엄격한 선지자입니다. 그러나 하느님 나라에는 온유한 사람이 필요합니다. 새 옷에서 한 조각을 찢어 낡은 옷에 붙이는 사람은 없습니다. 그렇게 하면 새 옷을 찢을 뿐이기 때문입니다."
"새 옷과 낡은 옷이 무엇을 뜻합니까?" 도마가 물었다.
"요한은 야훼 신앙에 머물러 있었습니다. 그는 낡은 옷입니다. 나는 하느님을 만난 후 새 옷을 입었습니다. 여러분도 새 옷을 입어야 합니다."
유다는 예수의 사도가 되어 새 포도주니 새 옷이니 하면서 갈릴리를 어슬렁거릴 생각이 없었다. 회계 담당은 더욱 내키지 않았다. 마리아는 끝내 마음을 돌이키지 않았다. 그는 사도의 직분을 마리아에게, 회계 담당을 마티아에게 대신하도록 하고, 자기는 예루살렘에서 돕겠다고 했다.
"사도와 회계가 대신할 수 있는 직인가?" 레위가 말했다.
"유다가 예루살렘에 있는 게 여러모로 좋습니다. 그의 말대로 합시다." 예수가 말했다.

겨울비가 테라스 지붕을 때리는 소리를 들으며, 그는 대낮부터 포도주를 마셨다. 살로메가 한동안 수다를 떨다가 갑자기 새침하게 말했다.
"갈릴리에 갔던 일을 말해 주세요."
"일이 잘 안됐다. 이혼 증서를 써 달라고 하더구나."
"나야 상관없지만, 그 여자는 그편이 더 좋을 거예요."

"무엇이 더 좋다는 말이냐?"

"당신의 애정이 내게로 기운 걸 알면서 어떻게 함께 살겠어요? 내가 그 입장이라도 이혼 증서를 달라고 했을 거예요."

"그 일은 더 이상 말하지 마라. 내게는 너밖에 없다는 걸 알면 된다."

"그런 분이 어떻게 그렇게 많은 날을 밖에서 보내요, 당신이 집에 없으면, 내가 홀로 밤을 보내야 한다는 걸 모르나요?"

"그렇다고 너를 데리고 다닐 수야 없지 않으냐? 밖에 있을 때도 내 마음은 항상 너를 생각하고 있다."

그때 하녀가 사울이란 손님이 응접실에서 기다리고 있다고 전했다. 그는 입을 헹구고 응접실로 갔다.

"대제사장 각하가 대공회를 소집했습니다."

"그게 나와 무슨 상관인가?"

"상관이 있지요. 유다 님의 스승을 재판하기 위해 소집하는 것이니까요."

"그래 무슨 죄로 고발당했는가?"

"안식일 규정과 정결 예법을 위반한 것입니다."

"지금 그걸 제대로 지키는 사람이 얼마나 되나, 성전 당국에 걸림돌이 된 자를 제거하려는 거 아닌가?"

"그는 유대와 갈릴리 전역에서 성전을 공격하고 있습니다. 대제사장 각하는 그가 십일조와 봉헌을 거부하고 있다고 판단했습니다."

"내 말을 듣고 생각해 보게. 소작인들이 농사를 지어 수확을 하면, 반은 지주 몫이고, 또 얼마는 로마에 바쳐야 한다. 먹고살아야 하니 십일조와 봉헌물은 결국 빚을 내서 바쳐야 한다."

"그렇다고 백성들에게 십일조를 바치지 말라고 합니까?"

"거참, 십일조라는 게 모세 때 만들어진 거 아닌가, 그때는 백성들이 부담할 세금이 그것밖에 없었다는 것을 모르나? 더구나 십일조는 수확량의 십분의 일인데, 성전 당국은 무조건 거둬들인다. 로마 황제를 보라. 그는 흉년이 들거나 전쟁이 나면, 세금을 면제해 주기도 한다."

"그거야 제가 어떻게 할 수 있는 문제가 아니지 않습니까? 그에게는 십일조 문제만 있는 것이 아닙니다. 지난 초막절에는 성전에 나타나, 사람들 앞에서 바리사이파를 모욕했습니다. 서기관들과 바리사이파 사람들은 꼭뒤까지 화가 나서 그를 잡으려 했지만, 그는 교묘하게 도망쳤습니다."

"어떤 말을 들었기에 그들이 화가 났는가?"

"그의 말을 그대로 옮길 테니 들어 보시지요. 바리사이파는 소 여물통 안에서 잠자는 개와 같으니, 개는 자기도 먹지 않으면서, 소도 먹지 못하게 한다고 했습니다. 어느 누가 그런 말을 듣고 가만있겠습니까? 유다 님도 바리사이파 사람이니 당연히 화가 날 겁니다."

"흐흐흐, 그래서 내가 할 일은 무엇인가, 나더러 그를 붙잡아 오라는 말인가?"

"그건 아닙니다. 두 가지 일을 부탁하러 왔습니다. 우선 소환장을 그에게 전해주십시오. 만일 그가 출석하지 않으면, 당신이 변호를 맡아 주십시오. 고발하는 일은 제가 맡았습니다."

"변호를 잘하면 무죄 판결을 받을 수도 있는가?"

"판결은 대공회의 일입니다."

"소환장을 받고도 그가 출석하지 않는다면 어떻게 할 것인가, 그래도 재판하게 되는가?"

"그것도 대공회가 판단할 겁니다. 오전에 논고하고 오후에 변론합니다."

"한 가지만 물어보겠으니, 율법사로서 답변해 주기 바란다. 율법에 돼지고기를 먹지 말라고 한 이유가 무엇인가?"

"돼지는 부정한 짐승이기 때문이지요. 그러나 율법을 지키는 것은 그것이 주님의 명령이기 때문이지, 굳이 이유를 따질 것이 아니라고 생각합니다."

"만일 안식일에 돼지를 잡고, 구워 먹으면, 주님이 즉시 그 사람을 죽일까?"

"거참, 무슨 말을 하고 싶은 겁니까, 돼지고기와 대공회가 어떤 관련이라도 있습니까?"

"그거야 자네 소관이지 내가 어떻게 알겠는가? 비가 줄기차게 오더니 눈으로 변했군. 길이 부정할 테니 가마를 타고 가게."

유다는 마르크를 불러 가마를 갖다 대라고 했다. 사울은 가마를 타고 눈 속으로 멀어져 갔다. 그가 탄 가마가 돼지 밥통으로 보였다.

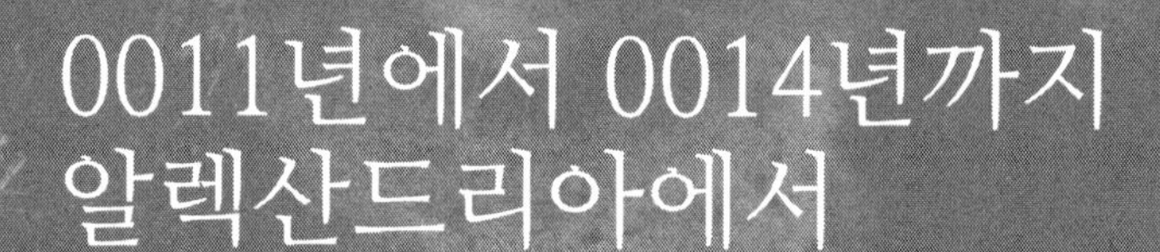

0011년에서 0014년까지 알렉산드리아에서

"이곳에는 야훼 신이 없어.
이시스 여신님은 신들의 여왕이고 수확의 어머니야.
우리 인간들은 여신님의 은총으로,
먹고 마시고 입으며 영원히 살 수 있는 거란다."

• • •

"네가 필로 선생님이 운영하는 학교에 들어가게 됐구나. 로마 제국에서 필로 선생님보다 뛰어난 학자는 없으니, 아주 잘된 거야."

"그분이 그렇게 대단한 사람입니까?"

"공부하면서 네가 스스로 판단해 보려무나. 검투사 출신을 경호무사로 구했고, 하인으로 일할 부부도 구했다. 경호무사는 유대인이야."

"보수는 어떻게 줍니까?"

"마레오티스 호수 남쪽에 니트리아 농장이 있는데, 네 생활비가 그곳에서 나와. 가이우스라는 금융업자가 농장을 관리하고, 너는 그에게서 매달 돈을 받게 되는 거야. 너를 데리고 농장을 둘러볼 생각이다."

"그게 아버지 땅입니까?"

"물론이지. 내 땅이니까 그곳에서 나오는 수입을 네가 쓸 수 있는 거야."

"요셉이 이집트 땅을 모두 사들여 파라오의 소유로 만들었다고 하는데, 언제 땅이 다시 백성들의 소유가 됐습니까?"

"아우구스투스 황제가 이집트를 정복하기 전에는 모든 땅이 왕과 사제들의 소유였지. 황제는 사제들의 땅도 몰수하고, 대신 그들에게 봉급을 줬다."

"아버지는 어떻게 땅을 갖게 됐습니까?"

"로마 시민의 식량 중 3분의 1을 이집트가 대고 있는데, 안토니우스[34]가 곡물을 무기로 로마를 위협한 적이 있었어. 그때의 교훈으로 황제는 이집트 땅의 소유를 로마의 귀족들에게 분산시키려 했지. 나는 제대할 때 공로금으로 땅을 받은 거야."

"그걸 팔아 예루살렘에서 땅을 살 수도 있었을 텐데요."

"땅값 차이가 너무 커서 그렇게 못했다. 네가 들어가 살 집과 니트리아 농장을 너에게 주마. 하지만 네가 공부를 마치지 않고 이곳을 떠나면, 집과 농장도 네게서 떠나는 거야. 알아들었느냐?"

"알겠습니다. 그런데 공부를 마치다니요, 그게 얼마나 걸립니까?"

"필로 선생님이 됐다고 할 때까지 공부해라. 경호무사가 해결할 수 없는 일이 생기면 티베리우스를 찾아가라. 대대장이니까 도움이 될 거다."

"그가 누구인지도 모르는데 찾아가면 만나 주겠습니까?"

"너를 데리고 찾아가 인사시킬 거야. 가이우스는 필로 선생님의 동생이고, 티베리우스는 가이우스의 아들이다."

아버지는 성인식 때 다시 오겠다고, 그동안 편지도 말고, 공부에 전념하라고 했다. 하인 부부는 이집트인으로 헬라어를 조금 할 줄 알았고, 경호무사는 이름을 알렉산더라고 했다.

"어쩌다가 검투사가 됐고, 한 번 싸울 때 돈은 얼마나 받았느냐?"

---

34 로마 제국의 최고 권력을 놓고 옥타비아누스와 다퉜다. 클레오파트라 여왕과 연합하여 옥타비아누스에게 대항했지만, 악티움 해전에서 패배한 후 자살했다. 후일 원로원은 옥타비아누스에게 아우구스투스(존엄한 자)라는 칭호를 부여했다.

"노예로 사는 것이 힘들어서 검투사가 됐죠. 노예 검투사는 돈을 받지 못해요."

"검투사가 돈을 많이 번다고 하던데."

"그것도 급에 따라 다르죠. 최고급 검투사는 한 경기에 1만 세스테르스를 받는다고 하더군요."

"한 경기에 2,500데나리온이라? 예루살렘의 품꾼이라면, 7년 동안 일해야 받을 수 있는 액수다. 내게 검술을 가르쳐 줄 수 있겠느냐?"

"주인님은 너무 어려서 검을 들기도 힘들 거 같은데요. 조금 더 커야지요."

"너 이놈! 말버릇이 고약하구나. 주인을 우습게 여기는 경호무사는 필요 없다."

"아이쿠! 알겠습니다. 말투를 고치겠습니다."

"스파타는 날카롭지만 무겁지는 않다. 내 공격을 받아 보겠느냐?"

그들은 정원에서 마주 섰다. 알렉산더가 마음껏 공격해 보라고 했다. 유다는 별 재주를 다 부려 공격해 봤지만, 맨손인 알렉산더를 어쩌지 못하고 지쳐 나자빠졌다.

학교에서는 토라, 지혜서, 라틴어, 그리스 철학, 수사학, 음악을 가르쳤다. 음악 시간에는 당시에 알렉산드리아에서 유행했던 기타를 가르쳤다. 수업은 일주일에 6일을 오전에만 했고, 하루에 한 과목을 가르쳤다. 오후에는 학교 도서관을 이용할 수 있고, 그냥 집으로 가도 됐다. 필로 선생님은 학생들을 직접 가르치지 않았기 때문에, 학생들은 그를 직접 볼 기회가 거의 없었다.

필로는 유다를 불러 창세기와 탈출기를 히브리어로 외운 것을 칭찬하고, 그것들을 헬라어[35]로 암기하라고 했다. 암기를 다 하자, 100권의 책을 선정해 주며 읽으라고 했다. 그가 직접 저술한 것이 15권이나 됐고, 당대의 로마 시인들과 키케로의 저서들을 합쳐 그만큼 됐으며, 나머지가 그리스 고전이었다. 기한은 없고 안식일에 질문할 기회를 주겠다고 했다.

그는 힘을 자랑하는 시몬이라는 학생과 다투게 되었고, 그것을 계기로 친해졌다. 시몬에게는 도마와 레위라는 친구가 있었는데, 그들은 모두 하숙을 했다. 시몬은 키레네에서 왔고, 레위는 다마스쿠스에서 왔다. 도마는 헤라클리온[36]에 살고 있고, 여름과 겨울에는 그곳으로 가서 지낸다고 했다.

유다는 바깥마당에서 말을 탄 채로 도마를 기다렸다. 헤라클리온은 강도들이 들끓는 곳이라 무장을 단단히 했다. 얼마 전에 말을 사고, 마당에 마구간도 지었다. 말이 암컷이라 이름을 드보라로 지었다.

도마가 나귀를 타고 나타났다. 유다는 그와 함께 온 사람을 보고 깜짝 놀랐다. 엄청난 덩치와 털이 덥수룩한 얼굴, 바라빠가 틀림없었다. 어깨에 걸친 쇠사슬이 어색할 정도로 말쑥한 모습이었다.

"허허허, 도마의 친구가 바로 너였구나."

---

[35] 당시 알렉산드리아에는 기원전 300년경에 헬라어로 번역된 성서가 존재했었다. 셉투아진트라고 부르는 그것은 최초에는 모세오경만을 번역했고, 이후 오랜 기간에 걸쳐 번역이 이루어졌다. 현대 기독교 구약성서의 원본으로 사용되었으나, 유대교에서는 정경으로 취급하지 않는다.

[36] 나일강 하구에 있던 항구 도시로 헤라클레스를 숭배했다. 지금은 해저로 가라앉아 2000년에 와서 유적과 선박 64척, 거대한 신상, 석비 등의 유물이 바닷물 속에서 발견됐다.

"알렉산드리아에서 너를 보다니 어떻게 된 거야?"

"가면서 얘기하자."

알렉산더가 주인님 홀로 보낼 수 없다며 따라오려는 걸, 유다는 바라빠가 있으니 염려하지 말라고 했다. 해변에 건설된 니코폴리스를 지나자, 야자수가 우거진 길이 끝없이 이어졌다.

"부모님은 안녕하시냐?"

"어머니는 돌아가시고 아버지는 새장가를 갔어. 그래서 떠밀리다시피 유학을 온 거야."

"고운 분이 어쩌다가 돌아가셨느냐?" 바라빠가 옷을 찢으며 말했다.

"갑자기 열이 나서 쓰러지더니 못 일어나셨어."

그의 뺨 위로 눈물이 흘러내렸다. 바라빠가 가던 길을 멈추고 말했다.

"너의 할아버지와 어머니가 나에게 잘해 주셨는데, 두 분이 다 하늘나라에 가셨구나. 그래서 네가 외톨이가 됐구나."

바라빠의 말을 듣고 그는 설움이 복받쳤다. 그가 엉엉 울어 대자 바라빠도 따라 울었다.

"사람은 누구나 죽게 마련이다. 열심히 공부해서 훌륭한 사람이 돼야지."

"너는 그동안 어떻게 살아왔느냐?"

"베들레헴에서 무작정 남쪽으로 내려가다가 도마의 아버지를 만났어. 그가 함께 행동하자고 하여 헤라클리온으로 오게 된 거야."

"거기에서 무엇을 하고 있느냐?"

"농사를 짓고 사냥도 해. 전에는 그곳이 강도들의 본거지였는데, 그들이 우리를 보자마자 공격했어. 나귀 한 마리를 빼앗으려고 달려들었다가 모두 죽음을 당했지. 농민들이 함께 살자고 해서 그곳에 정착했어. 사독 님은 커다란 돌로 기념비를 세우고, 거기에 헤세드[37]라고 새겼어. 참, 사독 님이 도마 아버지야."

저녁 무렵에 그들은 헤세드라는 마을에 들어섰다. 도마의 아버지가 모닥불을 피워 놓고 있었다. 그들은 모닥불 주위에 둘러앉았다. 빵을 꿀에 적셔 먹고, 포도주를 투박한 그릇에 따라 마셨다. 사독은 키가 크고 몸이 홀쭉했다. 왼쪽 소매가 헐렁한 것이 외팔이 같았다. 유다는 자꾸 헐렁한 소매에 눈이 갔다.

"로마군의 검을 차고 있구나."

"아버지가 준 겁니다. 스파타라고 기병들이 쓰는 겁니다."

"나를 보살펴 준 시몬 님이 유다의 아버지입니다."

"허허허. 사람의 앞일은 알 수 없구나. 나는 바라빠를 다시는 못 볼 줄 알았는데 만났고, 너희들은 이렇게 먼 곳까지 와서 다시 만났구나. 검술을 배웠느냐?"

"베들레헴에 있을 때 내가 가르쳐 줬습니다."

"바라빠에게 배운 것은 몽둥이를 휘두는 것이었고, 지금은 정식으로 마카비12형을 수련하고 있습니다."

"내일 우리 앞에서 시연해 봐라. 나는 이만 잘 테니, 유다에게 물고기를 구워 줘라."

바라빠는 물고기를 가지러 가고, 도마는 갈대를 한 단 가져와서 화덕에 불을 피웠다. 갈대가 타들어 가면서 돌을 달구었다. 바라빠가 물고기를 토막 내서 돌판 위에 얹었다.

---

37 자비와 궁휼이란 뜻

"이게 무슨 고기야?"

"이집트 왕들이 좋아했다는 뱀장어란다. 맛이 어떠냐?"

"율법에 뱀장어는 먹지 말라고 했다. 율법을 어기는 유대인을 죽이라면서 너는 뱀장어를 먹느냐?"

"나를 죽여라. 하지만 일단은 이걸 다 먹은 후에 죽여라."

"송아지고기처럼 부드럽네. 뱀장어를 빨리 잡아 온 게 신기하다."

"우물에서 건져 온 거야." 먹기만 하던 도마가 말했다.

"뱀장어를 기른단 말이냐?"

"홍수가 나면 주변이 전부 물에 잠기고, 물이 빠지고 나면 물고기들이 꼼짝을 못 해. 그러면 몽둥이로 때려 기절시키고, 우물에 넣어 두는 거야."

다음 날 아침, 유다는 마카비12형을 시연했다. 몸풀기 동작을 할 때는 황소처럼 느리게, 검을 뻗을 때나 내리칠 때는 사자처럼 강하게, 방향 전환을 할 때는 고양이처럼 민첩하게 움직였다. 그의 몸은 가벼웠고, 두 발은 마치 땅을 밟지 않는 듯했다. 그는 검을 거두고 사독을 바라보았다.

"흠잡을 데가 없구나. 누구에게 배웠느냐?"

"베냐민이라는 사람이 경호무사였는데 그에게 배웠습니다."

사독이 입을 크게 벌렸다.

"그는 어떤 사람이냐?"

"토라에 해박한 사람이었습니다. 자제력이 승패를 가른다고 가르쳤습니다."

사독이 벌떡 일어나더니 오두막으로 들어가 버렸다.

"베냐민은 우리의 동지였었어. 그러나 유다 장군이 진격 명령을 내렸을 때, 우리가 패할 거라며 듣지 않았지."

"지휘관의 명령을 따르지 않으면, 처형당하는 거 아냐?"

"사독 님이 베냐민을 체포하러 갔었어. 하지만 싸움이 벌어져 사독 님은 그에게 왼팔을 잃었단다. 대제사장이 되려고 했는데, 외팔이가 돼 버려 꿈도 함께 날아가 버린 거야. 너도 알지? 몸이 불구면 대제사장이 될 수 없다는 걸. 하지만 그 덕택에 사독 님은 목숨을 건졌다."

"목숨을 건지다니?"

"전투에 나가지 못했다는 말이지. 베냐민에게 배웠으면, 검술을 제대로 배운 거야. 그걸 검 대신 창으로 익혀 봐라."

"너한테 속아서 야자수 몽둥이를 석 달 동안이나 휘둘렀어. 이젠 안 속아."

도마는 유다를 데리고 사냥을 나갔다. 유다는 단풍나무에 올라가 지나가는 짐승들을 사냥하고, 도마는 나귀를 타고 돌아다니며 사냥하기로 했다.

그는 나귀를 단풍나무에 묶어 놓고 위로 올라갔다. 사냥감이 나타나기를 기다렸지만, 아무것도 나타나지 않고 발만 저렸다. 나귀를 타고 단풍나무 주변을 맴돌 생각으로 내려오는데, 어디선가 쉭쉭 거리는 소리가 났다. 책에서만 보았던 블랙맘마가 그를 향해 기어왔다. 그놈은 사람보다 빠르고, 코브라보다 독이 몇 배나 강하다고 했다.

그는 나귀를 탈 생각은 하지도 못하고, 뒤로 돌아 냅다 도망쳤다. 그놈한테 물리면 죽는다. 허리에 찬 검이 덜그럭거려 귀찮았지만, 끌러 버릴 여유가 없었다. 그러다가 무술을 수련한 몸으로 뱀 따위를 겁내는 것이 우스워서 잽싸게 돌아섰다. 그놈은 고개를 빳빳이 들고 달려들다가 스파타에 두 동강이 났다.

단풍나무에 묶여 있던 나귀가 쓰러져 있었다. 나무 밑에서 쉭쉭 하는 소리가 들렸다. 블랙맘마가 찌그러진 굴렁쇠 모양을 하고, 혀를 날름거리고 있었다. 그는 바짝 다가가서 그놈의 대가리를 힘껏 내리쳤다. 얼굴로 피가 튀었다.

그날 밤 꿈을 꾸었다. 유다는 말을 타고 사막으로 깊이 들어갔다. 사람들이 목마르다고 야훼를 원망했다. 블랙맘마 한 마리가 그들을 물기 시작했다. 순식간에 많은 사람이 물렸다. 그는 그놈을 잡아 장대에 매달고 들어 올렸다. '모두 여기를 보세요. 블랙맘마를 잡았어요.' 장대에 매달린 뱀을 보고서야 사람들은 잠잠해졌다. 그는 흐뭇해서 장대 위를 쳐다보다가 깜짝 놀랐다. 예수가 장대에 매달려 있었다. 그는 외마디소리를 지르면서 벌떡 일어났다.

"야! 잠꼬대 그만하고 뱀탕 먹자." 도마의 목소리였다.

헤라클리온에서 돌아온 후, 유다는 본격적으로 책을 읽기 시작했다. 필로의 책부터 읽었는데 도무지 무슨 말인지 이해할 수가 없었다. 키케로의 책은 라틴어라 더 어려웠다. 그는 필로 스승에게 책이 너무 어려워서 못 읽겠다고 말했다. 필로는 우선 〈소크라테스의 변론〉과 〈크리톤〉부터 읽은 후에 나머지 그리스 고전을 읽고, 자기의 책은 맨 나중에 읽으라고 했다. 플라톤의 저작들도 어렵기는 매한가지였지만, 무슨 말인지 이해할 수는 있었고, 무엇보다도 소크라테스의 당당한 태도와 명쾌한 논리가 마음에 들었다. 아리스토텔레스의 저작을 몇 권 읽자 겨울이 왔다.

유다는 봄이 오기 전에 필로가 선정해 준 책을 모두 읽기로 작정했다. 그러나 도마는 수영을 가르쳐 주겠다 하고, 바라빠는 악어를 잡아 악어가죽을 아버지에게 선물하자고 하여, 책을 몇 권 싸 들고 헤라클리온으로 갔다.

도마는 물고기처럼 헤엄을 잘 쳤다. 수영이라고는 해 본 적이 없는 유다는 물을 두어 항아리 마시고 나서야 헤엄을 칠 수 있었다. 사독이 그들을 지휘하여 악어를 세 마리나 잡았다. 그러나 헤세드로 돌아가는 길에 강도떼를 만났다. 그들은 무지막지한 악어를 잡느라 힘이 빠진 상태였고, 무장도 변변치 못하여 꼼짝없이 당하고 말았다. 목숨을 걸고 잡은 것을 강도들은 길에 떨어진 동전 줍듯이 가져갔다.

날렵한 도마가 강도들의 뒤를 밟아, 그들의 본거지를 알아 왔다. 그들은 열 명 남짓에 여자들까지 있다고 했다.

사독은 유다와 도마에게 전투 요령을 가르쳐 준 후, 전투 채비를 하고 강도들의 본거지로 갔다. 그곳은 세 채의 오두막이 한쪽으로 늘어서고, 쥐엄나무 세 그루가 반대편에 그늘을 만들었다. 강도 둘이 그늘에서 낮잠을 자고 있었다.

강도 하나가 하품을 길게 하다가 벌떡 일어났다. 사독의 칼이 그의 머리를 내리치자, 다른 강도는 본채 쪽으로 달아났다. 그는 도마가 던진 단검을 등에 먹고, 소리를 지르며 쓰러졌다.

"강도다! 적이다!"

오두막에서 강도들이 뛰어나왔다.

"이놈들!" 바라빠가 고함을 질렀다.

"나쁜 놈들, 악어 세 마리 때문에 사람을 죽이느냐?"

"한 마리만 남겨 줬어도 되찾으러 오지는 않았을 것이다. 잔말 말고 덤벼라." 사독이 말했다.

여섯 놈이 사독과 바라빠를 공격하고, 두 놈이 유다와 도마에게 다가왔다. 유다는 자기 앞으로 다가오는 놈에게 집중했다. 그놈은 공중으로 솟구쳤다가 내려오면서 칼을 내리쳤다. 창 소리를 내며 검과 칼이 마주쳤다. 유다는 튕겨 나오는 검을 앞으로 죽 뻗어 상대의 가슴을 찔렀다. 그자는 입에서 피를 토해내며 고꾸라졌다.

도마에게 달려들던 강도는 오른팔이 잘렸다. 뒤에 있던 유다가 그의 머리를 내리쳤다. 사독과 바라빠는 한 놈씩 쓰러뜨리고, 나머지 네 놈에게 포위되어 사투를 벌이고 있었다. 유다는 재빨리 화살을 시위에 걸면서 소리쳤다.

"도마야! 단검을 던져."

화살과 단검은 움직이는 목표물을 번번이 빗나갔으나, 마침내 화살 하나가 강도의 눈에 박혔고, 바라빠의 도끼가 그의 머리를 찍었다. 그 틈에 다른 강도가 바라빠의 등을 향해 칼을 휘둘렀으나, 옆구리에 단검을 맞고 쓰러졌다. 사독의 칼이 그의 목을 베자 나머지 둘이 파피루스 덤불을 향해 달아났다. 그들은 각각 화살과 단검을 맞고 쓰러졌다. 바라빠가 쫓아가 그들을 처치했다. 유다와 도마는 털썩 주저앉았다.

"일어나! 퍼질러 앉아 있다 공격을 당하면 어쩌려고?" 사독이 소리쳤다.

"다 잡은 거 아녜요?" 유다가 말했다.

"여자가 두 명이나 있고, 다른 놈들이 더 있는지 어떻게 알아?"

사독과 바라빠는 오두막을 향해 뛰어갔다. 조금 있다 바라빠가 주춤거리는 두 여자를 떠밀며 유다와 도마에게 데려왔다.

"도망치지 못하게 잘 지켜라."

바라빠가 다시 오두막으로 가자, 유다는 심호흡을 하며 뛰는 가슴을 진정시켰다. 갑자기 여자 하나가 단검으로 그를 공격했다. 그는 가까스로 피하면서 땅바닥에 뒹굴었다. 그때 도마의 칼이 그녀의 등을 쑤셨다. 그녀는 눈을 까뒤집고, 쿨럭거리며 피를 뿜어냈다. 등에서 칼이 쑥 빠지면서 그녀의 몸이 그의 코앞에 풀썩 쓰러졌다. 그는 재빨리 다리를 오므렸다. 다른 여자가 도망치다가 사독에게 칼을 맞았다.

"이런! 계집종으로 쓸려고 했는데, 둘 다 죽어 버렸네." 바라빠가 말했다.

"아직도 계집에 미련이 남아 있었더냐? 정신 차려라." 사독이 말했다.

바라빠가 씩씩대며 오른쪽에 있는 오두막으로 가더니, 기둥들을 도끼로 찍었다. 그러고는 방패처럼 큰 손으로 오두막의 모서리를 잡고, 몇 번인가를 흔들다가 확 밀어 버렸다. 오두막이 우지끈하며 무너졌다. 그는 왼쪽 오두막도 그렇게 무너뜨렸다.

그들은 가운데 오두막 밑으로 시체들과 무너진 오두막을 옮겼다. 시체 열두 구가 타오르며, 연기가 기괴한 모양을 만들어 냈다. 잘린 팔이 칼을 든 채로 춤을 추고, 눈을 허옇게 까뒤집은 여자가 날아다녔다.

그들은 쥐엄나무 밑에 모닥불을 피우고 악어고기를 구웠다. 유다는 시체 타는 냄새를 맡으며, 악어고기를 먹고 포도주를 마셨다. 사독이 그를 바라보며 말했다.

"빼앗기고도 되찾지 않는 사람은 평생 빼앗기면서 살게 된다."

"로마군과 싸우려면 일단 사람을 죽여 봐야 한다." 바라빠가 말했다.

유다는 좀처럼 잠을 이룰 수가 없었다. 눈을 감으면, 여자가 눈을 까뒤집고 달려들었다. 잠이 들어도, 잠들기 무섭게 여자가 쿨럭거리며 피를 게워 내는 통에, 소스라치게 놀라 깼다. 도마가 악어가죽으로 만든 허리띠를 주고 간 후에는, 그 여자의 모습이 더 생생하게 떠올랐다. 그는 포도주를 잔뜩 마시고 잤다. 그러나 포도주에 취한 잠은 오래가지 않았다.

독립투사가 되려면, 로마군에 대하여 잘 알고 있어야 한다. 로마군을 알려면, 로마군 병사가 되어 전쟁에 나가 봐야 한다. 그는 니코폴리스로 티베리우스 대대장을 만나러 갔다.

"그동안 많이 컸구나. 공부를 마치면 무얼 하려는가?"

"군대에 들어갈까 생각 중입니다. 그래서 어떻게 해야 입대할 수 있는지 여쭤보려고 왔습니다."

"네가 지금 몇 살이냐?"

"열세 살입니다. 이곳 말고 북쪽으로 갈 수는 없습니까? 게르마니아 같은 곳 말입니다."

"입대하려면 좀 더 기다려야겠다. 게르마니아 군인들은 해마다 전쟁을 하니, 시리아로 가서 입대하는 게 좋겠다."

"그곳에 있다가 유대에서 반란이 일어나면 동족들과 싸우게 됩니다."

"허허허. 네 말이 재미있구나[38]. 우선 유벤투스에 들어가라. 그곳을 나오면 고급 병사로 입대할 수 있다."

"학교는 어떻게 합니까?"

"유벤투스는 오후에만 활동한다."

알렉산드리아 유벤투스는 14세 이상의 상급반과 그 아래의 하급반으로 나누어져 있었다. 유다는 하급반에 속했지만, 체력 시험에서 좋은 평가를 받아 상급반에 들어갔다. 그것은 이집트 장관이 내년에 개최되는 소년 체전에서 우승을 목표로 잡았기 때문에 가능한 일이었다.

유벤투스 소년단원들은 김나지움에서 완전히 발가벗고 생활했다. 그곳에서 필로의 학교에 다니는 클라우디우스를 만났다. 그는 아버지가 로마인이고 어머니가 유대인이었는데, 어머니가 그를 낳고 얼마 안 되어 죽었다고 했다.

클라우디우스는 유다를 자기의 집으로 데려갔다. 그의 집은 왕궁 지구에 있는 저택으로 유대인 지구에 있는 집들과는 비교가 안 될 정도로 웅장했다. 정원에는 하늘이 보이지 않을 정도로 나무가 빽빽하게 들어찼고, 안에서 공놀이를 해도 될 만큼 커다란 정자가 있었다.

그들은 정자에 마주 앉았다. 카이사르와 폼페이우스, 옥타비아누스와 안토니우스, 헤롯왕과 그의 아들들, 가말라의 유다 등에 이르

---

38 필로의 조카인 티베리우스 율리우스 알렉산더는 유대 총독을 거쳐 이집트 장관이 되었고, 로마 제국의 티투스가 예루살렘 성전을 공격할 때, 이집트 군단을 거느리고 합세했다.

기까지 그들은 시간 가는 줄 모르고 이야기를 나누었다.

클라우디우스에게는 예쁜 여동생이 있었다. 그는 그녀에게서 눈을 뗄 수가 없었다. 그녀가 그를 쳐다볼 때는 눈을 감았다 떴고, 그때마다 속눈썹이 나풀거리면서 까만 눈동자가 보였다 안 보였다 했다. 그녀의 이름은 클라우디아, 클라우디우스의 배다른 동생이라고 했다.

그는 종일 그녀를 생각했다. 그녀의 검은 눈이 선명하게 떠오르고 좀체 지워지지 않았다. 옷을 갈아입을 때마다 그는 아래가 뜨거워졌다. 정원으로 나가 스파타를 뽑으면, 검날에 그녀의 모습이 어른거렸다. 스파타를 던져버리고 공부방으로 들어가 두루마리를 펼치면, 글자 사이로 그녀의 검은 눈이 나타났다.

선수 선발전에서 그는 달리기와 높이뛰기에 출전하여 우승했다. 그것 때문에 그는 교사들과 학생들에게 주목받았다. 그뿐만 아니라 그들은 노골적으로 그를 따돌렸다. 클라우디우스는 선수로 선발되지는 못했지만, 그를 편들어 주었다.

유다는 마레오티스 호수로 새 사냥을 나갔다가 빈손으로 돌아왔다. 클라우디아가 눈에 밟혀 활을 제대로 쏠 수가 없었다. 집에서 아버지와 형이 그를 기다리고 있었다. 아버지가 그를 와락 끌어안았다.

"키는 많이 컸는데 몸이 말랐구나."

기다리던 형이 그를 안았다.

"의젓한 모습이 성인식을 할 만하구나. 안으로 들어가서 어머니에게 인사를 드려라. 네게 여동생이 생겼다."

애꾸가 된 베냐민이 율법을 연구하겠다면서 바빌론으로 갔다고 아버지가 말했다. 그는 악어가죽으로 만든 허리띠를 아버지에게 드리고, 헤세드에서 있었던 일들을 이야기해 주었다. 그러나 강도들을 죽였다는 말은 하지 않았다.

성인식에 필로의 가족들과 유다의 친구들이 참석했다. 그는 축복문을 낭송하고, 토라의 한 부분을 히브리어로 읽었다.

"그가 말하되 네 이름을 다시는 야곱이라 부르지 않고, 이스라엘이라 부를 것이다. 그것은 네가 하느님과 사람들과 겨루어 이겼기 때문이다."

그가 낭송을 끝내자 아버지가 화답했다.

"유다에 대한 책임[39]을 면하게 해주신 하느님께 축복이 있기를."

다음 순서는 친지들 앞에서 그가 직접 말씀을 강론하는 드라샤였다. 그는 친구들의 도움을 받아 강론을 준비했다. 강론이 끝나자 청중들이 박수를 보냈다. 아버지가 그에게 성구 상자를 달아 주고, 기도 보를 씌워 줬다. 필로가 그에게 다가와 말했다.

"아브라함이 떠돌이 검객이었다는 게 근거가 있느냐?"

"저에게 무술을 가르쳐 준 선생님에게 들었습니다. 겨우 318명을 이끌고 가서, 왕들의 연합군을 무찌르고 롯을 구할 정도로, 아브라함은 무술 고수였다고 합니다. 그뿐만 아니라 그의 손자 야곱은 하느님과 싸워 이길 정도로 절정 고수였답니다."

"허허허. 뭔가를 주장하려면 근거가 있어야 한다. 야곱은 너무 오래전 사람이라 근거를 대기가 어려우니, 개연성 있는 이야기로 만들어 봐라."

---

39 성인식을 하기 전에는 자녀의 율법에 대한 책임이 부모에게 있었다.

유다는 클라우디우스의 집으로 갔다. 클라우디아가 총총걸음으로 문 앞에 나타나 깍듯이 인사를 하고, 오빠가 집에 없다고 말했다. 그녀는 그를 정원으로 데리고 갔다. 그들은 정자로 올라가 서로 반대편 의자에 앉았다.

"성인식을 했다면서요, 나이가 벌써 열여섯이나 됐어요?"

"헤헤헤. 내 나이는 열세 살이야. 우리는 그 나이에 성인식을 해."

"유대인들은 성인식을 왜 그렇게 빨리 해?"

"그거야 우리가 로마인들보다 우수하니까 그렇지."

"피! 유대인들도 그리스인들도 모두 로마인들의 지배를 받고 있는데."

그는 그녀를 노려보다가, 벌떡 일어나 그녀의 뺨을 잡고 입을 맞췄다. 그녀는 눈을 감고 가만있었다. 그는 그녀를 바닥에 뉘었다. 그녀의 옷을 벗기고, 자기 옷도 훌렁훌렁 벗어 버렸다. 아래쪽이 불타는 듯 뜨거워지자, 서둘러 그녀에게 들어갔다.

그러나 그녀가 아프다고 소리를 지르는 바람에 딱딱하던 것이 흐물흐물해졌다. 다시 기운을 내서 시도하기를 여러 번, 그때마다 그녀가 비명을 질러 대는 통에, 나중에는 그것이 한여름의 개 혓바닥처럼 늘어져 다시는 일어서지 않았다. 그녀는 허파가 튀어나오도록 한숨을 쉬었다.

"우리 혹시 성불구자 아냐?"

"그럴 리가 있나, 둘 다 처음이라서 그럴 거야."

"피! 아무리 처음이라도 우수한 유대인이 뭐 그래, 로마 사람들은 매일 하는데. 우리 오빠도 틈만 나면 노예들과 해. 너는 잘하는 게 뭐야?"

"글쎄다. 못하는 건 없는데."

"공부하는 것과 운동하는 것 말고 뭘 잘해?"

"블랙맘마를 사냥하고 악어도 잡아 봤어."

"시시한 동물만 잡으니까 힘이 안 생기지. 우수한 유대인이라면, 사자 정도는 잡아야지."

"허허허. 내가 오늘 아주 볼품없게 됐구나. 사자를 잡아 줄게."

"시장에서 사지 말고, 네가 직접 잡아야 해."

"그거야 물론이지. 사자를 잡아 주면, 너는 나와 결혼하는 거다."

"호호호. 그건 그때 가서 말해."

유다는 니트리아 농장을 둘러보고, 그곳에서 하루를 묵었다. 새벽에 일어나서 음식보따리와 물주머니를 긴 줄로 묶어 말 등에 싣고, 남서쪽을 향해 일직선으로 달려갔다. 애완동물 가게 주인이 말했다. 마레오티스 호수에서 남서쪽으로 계속 가면, 사자의 서식지가 나타나는데, 몰이꾼들이 그곳에서 사자를 여러 마리 잡았다고.

광야를 지나고 사막이 나타났다. 드보라의 속도가 점점 느려졌다. 저녁이 되자 그는 빵과 육포를 먹었다. 그러고는 드보라의 옆구리에 등을 대고, 담요를 머리까지 덮었다.

새벽에 그는 몸을 오들오들 떨면서 잠에서 깼다. 부챗살 같은 빛이 지평선에서 위를 향해 곧게 뻗어 나가고, 구름이 황홀한 자태를 만들었다. 곰이 화난 모습으로 앞발을 들고 있었고, 사자가 근엄한 표정으로 곰을 노려보고 있었다. 구름은 곰과 사자를 지워 버리고, 클라우디아의 모습을 그려 놓았다.

며칠 동안 사막을 달렸는지 하루씩 더해 가다가 잊어 버렸다. 달

밤에 눈을 크게 뜨고 멀리 바라보니 오아시스 비슷한 것이 보였다. 갑자기 바람이 세차게 불더니 모래가 날아와 얼굴을 때렸다. 모래 폭풍이 아닌가 하여 급히 우묵한 곳을 찾아 들어갔다. 그러나 거센 바람은 오래지 않아 멈췄다.

그는 새벽부터 먹을 것을 찾아 사방을 돌아다녔다. 어제 오아시스 비슷한 것은 신기루였다. 사자를 잡기는커녕 사막에서 굶어 죽을 것 같았다. 그는 말에서 떨어져 바닥에 엎어졌다. 물집이 생긴 엉덩이를 뜨거운 모래에 지졌다. 사자야, 나타나기만 해라. 너를 잡아서 구워 먹을 테다. 다시 말을 타고 남서쪽으로 달려갔다.

사막에 어둠이 내리고 있었다. 오늘 저녁에도 뭘 먹기는 글렀다. 그는 눈까지 침침해졌다. 어디에서 잠을 자야 할까 하고 두리번거리다가, 갑자기 땅으로 떨어졌다. 지친 드보라가 뭔가에 다리가 걸려 기우뚱했던 거다. 그는 야자수 숲 가까이에 있었다. 드보라가 히힝 거리며 주둥이로 그의 등을 밀어 댔다.

그는 호수에 들어가 배가 터지도록 물을 마셨다. 무언가가 그의 다리를 툭툭 쳤다. 그는 스파타를 머리 위로 치켜들고 기다렸다. 물고기가 뛰어올랐다가, 검을 맞고 떨어져 허연 배를 드러냈다. 길이가 1피트나 되는 묵직한 것이었다. 두 마리를 더 잡았다. 마른풀과 야자수 가지를 주워서 불을 피웠다.

물고기를 불에 구우려는데, 사람들이 소리를 지르면서 뛰어왔다. 그들은 모닥불을 짓밟아 끄고, 물고기를 호수에 놓아주었다. 그는 몸을 부들부들 떨며 소리쳤다.

"야! 이 미친개 같은 놈들아. 뭐 하는 짓이야?"

그들은 알아들을 수 없는 말로 지껄이면서 그를 두들겨 팼다. 그는 저항 한 번 못 해 보고 기절했다.

융단이 깔린 쾌적한 홀에 향기가 진동했다. 유다는 몰매를 맞은 일을 기억해 냈다. 뚱뚱한 여자가 길고 넓은 의자에 앉아서, 네 겹으로 주름진 목살을 오르락내리락하며 말했다.

"구하려고 애를 써도 못 구했는데 제 발로 찾아왔구나."

"이상한 사람들이 나를 두들겨 팼는데, 그들은 지금 어디 있죠?"

"네가 신성한 물고기를 먹으려고 했다면서 그들이 너를 처벌해 달라고 했어. 네가 잡은 것이 오시리스[40] 님의 살을 먹은 물고기였나 봐. 그들은 평신도라 아무것도 모른단다. 네가 처벌받을 이유는 없고, 아무튼 나는 최고 사제로서 너에게 입신 의식을 치러 줄 거야."

"입신 의식이 뭡니까?"

"부활을 믿고 깊은 잠으로 들어가는 거야. 그리고 여신님이 은총을 내려 주면 다시 깨어난단다."

"나는 입신 의식 안 할 겁니다."

"사람이 하고 싶어서 하는 게 아니란다. 여신님의 은총을 받아야 하는 거야."

"여신님이 무어라고 은총을 내립니까? 은총은 야훼가 내립니다."

"이곳에는 야훼 신이 없어. 이시스 여신님은 신들의 여왕이고 수확의 어머니야. 우리 인간들은 여신님의 은총으로, 먹고 마시고 입으며 영원히 살 수 있는 거란다. 모레부터 이레 동안 금식해야 하

---

[40] 오시리스는 이집트의 왕으로서 백성들의 절대적인 지지를 받았지만, 이것을 시기한 세트는 오시리스를 살해하고, 그의 시체를 토막 내어 나일강에 뿌린다. 오시리스의 아내인 이시스는 그의 시체를 수습하고, 오시리스는 부활한다. 하지만 물고기가 그의 생식기를 먹어버려, 그것은 찾지 못했다고 한다.

니까, 그동안 든든히 먹고 잠을 푹 자라."

광장에서 사람들이 손을 흔들면서 소리치고 있었다. 그들은 각양각색의 옷을 입고, 손에는 별 희한한 물건들을 들고 있었다. 횃불, 램프, 단지에다가 남자의 생식기처럼 생긴 막대기까지. 날이 어두워지자 사람들은 저마다 횃불과 램프에 불을 밝혔다. 붉은빛으로 물든 호수에 휘황찬란한 배 한 척이 떠 있었다.

최고 사제라는 여자가 배 위로 올라가고, 여사제들이 제물들을 배에 실었다. 유다도 제물과 함께 실렸다. 배가 서서히 움직이자, 사람들이 횃불과 램프 불을 흔들면서 환호했다. 얼마 안 되어 배가 멈추더니, 여사제들이 배에서 제물들을 내리기 시작했다.

최고 사제는 그의 팔을 단단히 잡고, 배에서 내려 야자수 숲속을 걸어갔다. 아담한 노천탕에 이르자, 그녀는 그를 씻기고 새 옷으로 갈아입혔다. 노천탕 옆에 있는 건물에서 소녀 둘이 나오더니, 그를 양쪽에서 부축하고 데려갔다. 옷을 화려하게 차려입은 여자가 제단 앞에 서 있었다.

"나는 사랑과 부활과 풍요의 여신 이시스다. 무릎을 꿇어라."

소녀들이 그를 꿇어앉혔다. 그녀가 빵을 들어 올려 찢으면서 말했다.

"이것은 오시리스 님이 물고기에게 뜯긴 살이다. 받아먹어라."

그러나 양이 너무 적어 허기진 배가 요동치기만 했다.

"이것은 오시리스 님이 죽음을 당할 때 흘린 피다. 받아 마셔라."

그는 그것을 마시고 제단 위로 쓰러졌다.

정신이 들면서 희미하게 보이던 사물이 점점 또렷해졌다. 유다는 침상에 누워있었다. 지척에서 속이 훤히 들여다보이는 옷을 입은 여자가 그를 바라보고 있었다.

"당신이 여신입니까?"

"너는 나의 은총을 받았다. 얘들아, 사랑의 묘약을 가져와라."

달콤한 것이 향내가 코를 찔렀다. 그녀가 그들에게 뭐라 하자, 그들이 그의 옷을 벗겼다. 그들은 그녀의 옷도 벗겼다. 그의 아랫도리에서 힘이 불끈 솟아났다. 빳빳하게 서서 사방으로 튀던 것이 그녀의 깊은 곳을 찾아 들어갔다. 갑자기 피가 머리로 쏠리면서 온몸이 터질 것만 같았다. 극도의 쾌감이 온몸과 정신을 휘감았다.

"얘들아, 꿀이 든 빵과 포도주를 가져오너라. 며칠 굶었다고 힘을 못 쓰는구나."

그는 빵을 먹고 포도주를 마셨다. 그제야 배고픔이 가셨다. 소녀들이 그에게 녹색의 액체가 담긴 그릇을 내밀었다. 그는 그것을 들고, 그녀를 쳐다보았다.

"마셔라. 네가 오랫동안 쾌락을 누릴 수 있도록 힘을 줄 것이다."

맛이 쓰고 풀 냄새가 났다. 정신이 몽롱해지고 몸이 점점 뜨거워졌다. 그녀가 눈을 감은 채로 말했다.

"어서 들어오너라."

그곳은 마치 호수처럼 넓고 깊었다. 모든 피가 아래로 몰리더니, 터져 나가면서 힘도 함께 빠져나갔다. 그는 코를 골면서 곯아떨어졌다.

꿈 같은 날들이 계속됐다. 여신은 밤새도록 그를 탐했다. 욕망은 끝이 없었고, 채우면 채울수록 새로운 욕망이 더욱 거세게 일어났다. 그는 학교도 클라우디아도 잊었다.

그러던 어느 날 최고 사제가 드보라를 끌고 왔다. 무기들과 잡동사니가 말의 등에 얹혀 있었다. 그는 혁대를 하고 허리에 검을 찼다.

"그렇게 차리니까 어른처럼 보이는구나. 최고 사제가 무술을 가르쳐 주어라."

"그럴 필요 없습니다. 몇 년 전에 검술 체조를 배운 적이 있는데, 그걸 연마하겠습니다. 나는 무엇이든 여자에게는 배우지 않습니다."

"호호호, 그러면 보름 전부터 네가 밤마다 배우는 것은 누가 가르쳐 주는 것이냐?"

유다는 날마다 무술을 연마한 후, 말을 타고 호숫가를 달렸다. 하루는 커다란 단지가 호숫가에 떠 있는 것을 보았다. 그것은 밧줄로 연결되어 바위에 묶여 있었고, 주둥이가 사람이 들어갈 수 있을 만큼 넓었다.

그는 산 정상으로 올라갔다. 거기에서 그는 자신이 섬에 갇혀 있음을 알았다. 섬은 발처럼 생겼는데, 엄지발가락처럼 생긴 곳에 신전과 오두막이 있고, 호수 건너편에 있는 신전과 마주 보고 있었다. 새끼발가락처럼 생긴 곳이 호수 건너편과 가장 가까웠고, 커다란 단지가 그곳에 있었다.

어느 날 새벽, 그는 허전함을 느끼며 잠에서 깼다. 여신이 곁에 없었다. 소녀들은 방바닥에서 코를 골며 자고 있었다. 그는 침상에서 일어나 밖으로 나갔다. 그녀가 노천탕 옆의 빈터에서 칼춤을 추고 있었다. 힘있고 날렵한 몸놀림이었다. 그녀는 옷을 벗고 탕으로 들어갔다. 긴 머리가 바람에 휘날리고 젖가슴이 출렁거렸다.

그는 침을 삼키며 바라보다가 몸서리를 쳤다. 굵은 뱀이 그녀의 겨드랑이에서부터 허리까지 휘감고 내려와, 사타구니에서 혀를 날름거리고 있었다. 그는 그 자리에 얼어붙었다.

그녀가 노천탕을 떠나자, 그는 마구간으로 갔다. 드보라에 무기와 잡동사니들을 싣고, 단지가 있는 곳을 향해 달려갔다. 동쪽 하늘이 붉어지면서 날이 희미하게 밝아 왔다. 그는 단지에 들어가려다가 간이 떨어질 만큼 놀랐다. 단지 안에서 최고 사제가 그를 노려보고 있었다. 그는 첨벙대며 물 밖으로 나갔다. 그녀가 뒤를 따라왔다.

"네가 요즘 수상해서 어제저녁부터 이곳을 지켰다."

그의 검이 그녀의 가슴을 향해 주욱 뻗었다. 그녀는 재빨리 피했지만, 오른쪽 어깨를 찔렸다. 그녀의 손가락들 사이로 피가 새어 나왔다.

"어린놈이 무술을 하는구나. 하지만 너 정도는 왼손 하나로도 충분하다."

그녀는 발을 힘차게 구르더니, 몸을 날려 그에게 달려들었다. 맞서다가는 깔려 죽을 것 같아서 그는 피했다. 신전 기둥 같은 두 다리가 모래 속에 박혔다. 순간 그의 검이 그녀의 목을 쑤시고 들어갔다. 커다란 몸이 고꾸라지며 머리를 모래에 박았다.

그는 단지를 잡아당겨, 밧줄과 말고삐를 단단히 묶었다. 드보라에 올라 배를 걷어찼다. 녀석은 잠시 머뭇거리다가 호수로 뛰어들었다. 단지가 기우뚱거리며 끌려왔고, 물이 금세 그의 발까지 올라왔다. 그는 말에서 내려 짐을 단지에 싣고, 자신도 단지 안으로 들어갔다.

드보라는 호수 건너편을 향하여 천천히 나아갔다. 시간은 굼벵이처럼 느리게 흘러갔다. 마침내 드보라가 물속을 네 다리로 걷기 시작했다. 그는 자신의 짐과 최고 사제의 보따리를 말에 싣고 올라탔다.

야자수 숲속에서 그는 보따리를 풀고 빵을 먹었다. 주변이 시끌벅적하면서 한 무리의 사람들이 나타났다. 그는 벌떡 일어나면서 시위에 화살을 걸었다. 사내들이 곤봉을 들고 그에게 다가오고 있었다.

"최고 사제님을 죽이고 도망을 쳐? 얘들아, 저놈을, 캑!"

그는 계속해서 활을 쐈다. 셋이 가슴에 화살을 맞았고, 나머지 둘이 그에게 달려들었다. 그들 중 하나가 그의 검에 찔려 쓰러지자, 다른 하나는 숲속으로 달아났다.

그는 말을 타고 야자수 숲속을 달려갔다. 앞에서 여신과 여사제들이 말을 타고 나타났다. 그는 활로 여신을 겨눴다.

"네가 나까지도 죽이려느냐?"

"뱀 같은 년, 내 화살 맛도 보아라."

"못된 놈, 얘들아, 저놈을 사로잡아라."

그는 차마 여신을 쏠 수가 없어서 여사제들을 겨냥했다. 화살이 연거푸 날아가 여사제들을 쓰러뜨렸다. 갑자기 쇠붙이를 긁는 듯 날카로운 휘파람 소리가 들려왔다.

드보라가 급작스레 멈춰 섰다. 징그러운 뱀들이 땅을 뒤덮고 있었다. 드보라는 허둥대다가 주저앉았다. 그는 뱀들을 질겅질겅 밟으면서 뛰어가 무화과나무로 올라갔다. 하지만 뱀들도 하나둘 나무 위로 기어 올라왔다. 그는 검을 휘두르고 발로 차, 그것들을 나무에서 떨어뜨렸다. 그러나 다리가 마비되기 시작했고, 정신까지 몽롱해졌다. 까무룩 잠이 들려다가 피리 소리를 듣고 정신을 차렸다.

하얀 옷을 입은 청년이 백마를 타고, 피리를 불면서 다가왔다. 자칭 미카엘이라 하는 자였다. 뱀들이 빳빳하게 세웠던 고개를 내렸다.

"내 피리는 뱀들을 복종시킬 수 있다. 다 쫓아줄까?"

"쫓아버리면 될 걸 왜 내게 물어보느냐?"

"저것들을 쫓아주면, 너는 나에게 무엇을 해줄 건데?"

"세 가지 지시를 말하는 거냐?"

"갸륵하게도 잊지 않았구나."

"나는 세 가지를 해주고, 너는 뱀만 쫓아주는 건 불공평하다."

"뱀을 쫓아주고, 너를 세상에서 제일 강한 사람으로 만들어 줄 테니, 두 가지다. 한 가지만 더 해 주면 되겠구나."

"뭘 해 줄 거냐?"

"너에게 신령한 무기를 만들어 주마."

"세상에서 제일 강한 사람이라면, 삼손만큼 강한 거냐?"

"그야 물론이지."

유다는 비린내에 욕지기를 하며 말했다.

"네 말대로 하겠다. 어서 뱀들을 쫓아 버려라."

미카엘이 피리를 불기 시작하자, 뱀들이 기어서 동굴로 들어갔다. 그 많던 뱀들이 전부 사라졌고, 여신도 보이지 않았다.

그는 유다에게 손짓하고 동굴로 들어갔다. 종유석과 석순들이 즐비한 곳을 지나자, 평평한 바위가 나타났다.

"누워라. 네 몸을 만져 봐야겠다."

그의 두 손이 유다의 몸을 머리에서부터 발가락까지 훑어 내려갔다.

"근육 곳곳이 뭉쳐 있고, 혈관에는 독이 흐르고 있다. 요사이 뭘 먹었느냐?"

"사랑의 묘약이라는 걸 먹었다."

"하마터면 빼빼 말라 죽을 뻔했구나. 뭉친 곳을 풀어 주고, 독을 강한 근육으로 바꿔 주마."

미카엘은 그를 엎어 놓고 온몸을 주무르더니, 그를 바로 눕히고 배를 주물렀다. 그는 짐승처럼 소리를 질러 대며 토했다. 새까만 핏덩이들이 썩은 냄새를 풍기며 뭉텅뭉텅 나왔다. 넓은 풀밭에서 드보라와 백마가 다정하게 풀을 뜯고 있었다.

"이 바구니에 버섯 세 개와 과일 네 개가 들어 있어. 이것을 다 먹으면 잠이 올 거야. 잠이 깰 때마다 똑같이 먹어라."

"너는 안 먹냐?"

"나는 너와 다른 존재라 이런 것들을 먹지 않아. 잘 참고 다 먹어야 해."

그는 버섯부터 먹었다. 맛이 쓰고 구린 냄새가 났다. 과일 하나를 깨물자 즙이 입안에 가득 찼다. 하지만 얼마나 쓴지 코와 귀까지 아팠다. 남은 것들을 다 먹고 잠이 들었다. 잠이 깨면 배가 고파, 바구니에서 버섯과 과일을 꺼내 먹었다. 먹고는 자고 깨고는 먹었다. 바구니가 텅 빈 것을 보고 잠들었다가 깼다. 미카엘이 그를 바라보고 있었다.

"내 말을 잘 듣고, 명심해라. 네 몸은 무술을 단련하기에 더없이 좋은 상태가 됐어. 상처를 입어도 금세 아물 것이고, 뱀독도 너를 해치지 못할 것이며, 머지않아 세상에 너를 이길 자가 없게 될 거야. 이게 신령한 무기다. 받아라."

그것은 기다란 쇠막대기였고, 한쪽 끝에 창날이 있었다.

"왜 이렇게 길게 만들었느냐?"

"네가 다 자라면 적당할 거야. 이것을 뭐라고 불러야 좋을지, 네가 이름을 지어라."

"이걸로 뱀을 때려잡으면 좋겠구나. 쇠막대기니까 쇠몽둥이라고 부르겠다."

"너는 보통 사람보다 더 먼 곳을 볼 수 있고, 방안에서 속삭이는 소리를 밖에서 들을 수 있을 거야."

"이젠 돌아가야겠다. 집을 떠나온 지 오래 됐거든."

"어디로 가려느냐? 내가 데려다주마."

"마레오티스 호수 남쪽에 있는 니트리아 농장까지만 가면 돼."

"이 부근이 전부 니트리아야. 농장으로 가는 길만 알려주면 되겠구나."

유다는 어렵지 않게 농장을 찾았다. 어처구니가 없었다. 말을 타고 줄곧 남서쪽으로만 달렸는데, 결국에는 떠난 곳으로 되돌아왔다. 그곳에서 알렉산더가 기다리고 있었다.

유다는 오랫동안 행방불명이 되었던 이유를 필로 스승에게 설명해야 했다. 사자를 잡으러 갔다가 이방 신을 섬기는 사람들에게 잡혔고, 감옥에 갇혀 있다가 탈출했다고 말했다.

"어른도 잡기 어려운 사자를 네가 잡으러 갔었다는 말이냐? 공부하기 싫으면 그만두고 집으로 돌아가거라."

"석 달을 허비한 만큼 더 열심히 공부하겠습니다."

"네 아버지에게 편지할까 하다가, 티베리우스가 겨울까지 기다려 보자고 해서 참았다. 티베리우스에게 가서 네 얼굴을 보여 줘라."

클라우디아를 보고 싶었지만, 사자를 잡지 못해서 체면이 서지 않았다. 그런 심정을 알았는지, 알렉산더가 그녀는 로마로 이사를 갔다고 말해 줬다.

그는 다시 필로가 선정해 준 책들을 읽기 시작했다. 하지만 기운이 펄펄 솟아나, 알렉산더와 대련을 하며 넘치는 힘을 다스려야 했다. 열흘도 안 되어 알렉산더는 그의 속도를 따라잡지 못해 항복을 선언했다.

"사자를 잡으러 갔다가 날쌘 사자가 돼서 돌아왔군요. 휴! 이젠 내가 필요 없게 되었으니 주인님을 떠나야겠습니다."

"네가 없이 내가 무엇을 할 수 있겠느냐? 내 곁에 있어라."

석 달 동안이나 결석했다고, 그리스인 교관이 걸핏하면 유다에게 면박을 주었다. 그는 아쉬울 게 없어 자퇴서를 냈다. 그러나 이집트 장관이 그를 불러, 나폴리 소년 체전 때까지만 참으라고 했다. 그는 유다가 우승하면 상금을 두둑하게 주겠다고 약속했다.

그는 달리기와 높이뛰기와 권투에 출전하여 모두 우승했다. 여섯 명의 소년들이 다른 경기에서 우승하여 이집트는 아홉 개의 금메달로 종합 우승했다.

시상식이 열리고, 소박하게 차려입은 황제가 우승자들에게 상을 줬다. 그는 마지막 차례에 시상대로 올라갔다.

"권투 결승에서 만난 상대는 몸집이 너의 두 배였다. 그런데도 눈부신 공격으로 승리했다. 어떻게 이겼느냐?"

"그의 공격에 힘으로 맞서는 대신 바쁘게 움직였습니다. 그가 저의 속도를 따라잡지 못해서 이긴 것 같습니다."

"한 종목에 우승하기도 어려운데, 너는 3개 종목에서, 그것도 별로 연관이 없는 종목들에서 우승했다. 그리스인이냐, 유대인이냐?"

"예루살렘에서 알렉산드리아로 유학을 왔습니다."

"좋구나. 나이는 몇이냐?"

"열네 살입니다."

"티베리우스, 자네가 어렸을 때와 비교하면 어떤가, 자네는 올림피아 제전에서 우승하지 않았는가?"

"비교할 수가 없습니다. 나는 저 소년만큼 강하지 못했습니다."

황제가 그에게 월계관을 씌워 주며 말했다.

"이제부터는 제국의 평화를 위해서 일하라."

티베리우스란 사람이 비단 주머니를 그에게 주며 말했다.

"폐하가 하사하는 황금이다. 감사하다고 말씀드려라."

유대인 지구에서 회당장이 유다에게 환영식을 베풀어 주었다. 유다는 유대인들에게 영웅 대우를 받았고, 그의 친구들은 그를 우러러보았다. 이집트 장관은 그에게 약속한 상금 외에 알렉산드리아 도서관 이용권을 주었다. 그것은 귀족이나 학자들만이 누릴 수 있는 특권이었다. 그는 유벤투스를 자퇴하고, 그 시간에 도서관에서 책을 읽었다.

가을이 지나 겨울 문턱으로 들어설 무렵에, 이집트 장관이 그를 불렀다.

"영웅이 되더니 소년티가 싹 가셨구나. 그동안 무엇을 하고 지냈느냐?"

"도서관에서 책을 읽었습니다."

"허허허, 도서관 이용권을 잘 줬구나. 어떤 책을 읽었느냐?"

"〈갈리아 전기〉[41]를 세 번째 읽고 있습니다."

"유대인 소년이 라틴어 책을 읽기가 쉽지 않을 텐데 대단하구나. 아무튼 아우구스투스 황제가 죽고, 티베리우스가 제위를 이어받은 지 석 달이 됐다. 황제의 친아들인 드루수스가 자네를 로마로 불렀다."

"황제의 친아들이 부르면 가야 합니까?"

"가지 않아도 되지만, 그건 로마 제국에서 출세할 기회를 놓치는 거야. 며칠 있으면 오스티아[42]행 배가 끊어지고, 봄이 돼야 다시 출항한다. 잘 생각해 보고 마음이 결정되면 나를 찾아와라."

마침내 그에게 학교를 떠날 기회가 왔다. 아무리 생각해도 공부를 더 이상 하는 것은 의미가 없다. 그는 필로 스승을 만났다.

"황제의 친아들이 널 어디에 쓰려고 부르는지 모르겠지만, 관리로 쓸 것 같지는 않구나. 네 생각은 어떠냐?"

"저도 관리가 되고 싶은 생각은 없습니다. 그가 저를 부른 것은 아마도 제가 나폴리 대회에서 3관왕을 한 것과 관계가 있겠지요."

"네게 떠오르는 세상이 알렉산드리아 도서관이냐, 아니면 로마의 정치판이냐? 솔직하게 말해 봐라."

"도서관에 틀어박혀 책을 읽는 것보다는 밖으로 돌아다니는 것이 좋습니다."

"나는 너를 학자로 만들려고 했는데, 너의 탁월한 육신이 그걸 거부하는구나. 그래도 그렇게 싸다니면서도, 내가 선정해 준 책들을

---

41 기원전 58~52년 동안, 카이사르가 갈리아 총독으로서 직접 겪은 군사 활동을 간결체 문장으로 기록한 책이다. 당대의 문장가 키케로가 극찬한 작품으로 오랫동안 라틴어 교육 교재로 사용되었다.

42 로마시 서남쪽 약 20㎞ 지점에 있는 항구 도시.

다 읽었으니 얼마나 다행이냐. 한 가지만 약속해 다오. 어디에 가서 무엇을 하든, 죽을 때까지 책 읽기를 멈추지 마라. 약속하겠느냐?"

"예, 약속하겠습니다. 스승님의 말씀을 명심하고, 항상 책을 몸에 지니고 다니겠습니다."

유다는 친구들을 집으로 초청하여 송별식을 했다. 시몬이 그를 치켜세우며 말했다.

"대학자의 수제자에다 나폴리 대회 3관왕이 마침내 로마로 간다. 가서 출세하면 우리를 불러라."

"유다는 출세했다고 해서 로마에 머물 친구가 아니다. 유다는 장차 유대 땅으로 가서 메시아가 될 것이다." 도마가 말했다.

"뛰어난 인간이라고 메시아냐, 노력해서 되는 것이 메시아냐? 메시아는 야훼가 보내주는 것이다." 레위가 말했다.

"메시아는 다윗의 후손이고, 베들레헴에서 탄생할 거라고 했다. 유다는 다윗의 후손이고 베들레헴에서 태어났다." 도마가 말했다.

"하하하. 메시아는 고난의 종이라고 하는데, 난 고난당할 생각이 없다. 그는 찔리고 상하고 채찍에 맞는다[43]고 했다. 하지만 난 누굴 두들겨팰지언정 채찍에 맞을 생각이 전혀 없다." 유다가 말했다.

"그거야 세월이 가면 드러날 일이고, 우리가 헤어지면 언제 만날 수 있을까?" 도마가 말했다.

"앞일을 모르고 살아가는 게 인생이다. 하지만 우리가 먼훗날에 만나자고 약속하는 건 의미가 있다. 우리가 오랫동안 만나지 못하면, 내가 30세 되는 해에 만나기로 하자." 유다가 말했다.

---

43 이사야 53장 5절 참조.

"그거 좋다. 어디에서 만나기로 할까?" 시몬이 말했다.

"내 아버지의 집이 베다니에 있다. 예루살렘에서 동쪽으로 1마일 조금 넘게 떨어진 곳인데, 그 근처에서 아무나 붙잡고, 베다니 문둥이 시몬의 집이 어디냐고 물으면 다 안다." 유다가 말했다.

"날짜를 정하자." 레위가 말했다.

"내가 30세 되는 초막절에 만나자." 유다가 말했다.

0032년 봄에서 여름까지

"단언하건대,
조만간 예수가 물 위를 걷고,
하늘을 날아다닌다는 말이
우리의 귀에 들릴 것입니다."

• • •

"성전 당국이 형에게 전해 주라는 소환장이다. 유월절 전날 대공회에 나와 재판을 받으라는 거다."

"스승님이 유월절 전에 예루살렘에 와야 한다는 말입니까?"

"오면 잡혀 죽는다. 유대 땅에 들어서지 말라고 전해라."

"우선 소환장을 전해 주고, 나중에 기회를 틈타 말하겠습니다."

"소환장은 내가 갖고 있겠다. 말로만 전해라. 형은 요즘 어떻게 지내고 있느냐?"

"주인님보다 못한 사도들이 주인님에 대해 수다떠는 걸 들었습니다."

"계속해라."

"스승님을 따르지 않으면서 사도 직분을 가질 수 있느냐, 사도가 안티파스의 딸을 취할 수 있느냐? 그런 얘깁니다."

"다른 일은 없었느냐?"

"베드로는 스승님에게 여주인님을 욕하다가 꾸중을 들었습니다."

"무어라고 욕을 했더냐?"

"여자가 너무 나댄다고 했습니다."

"마리아는 뭐라 했느냐?"

"여주인님이 무슨 말을 하려고 하면 베드로가 윽박질렀다고 했습니다. 또 사도들이 여자를 깔본다고 했습니다. 스승님은 사도들을 꾸짖었습니다."

"너는 어떻게 생각하느냐?"

"스승님이 여주인님을 특별히 아끼는 건 맞습니다."

"본래 스승이란 빨리 깨닫는 제자를 대견하게 여기는 법이다. 사도들보다 마리아가 먼저 깨닫는 거다."

"그런데 여주인님도 깨닫지 못한 말씀이 있습니다. 하느님은 우리가 죄를 뉘우치기도 전에 용서한다는 말씀인데요, 그게 무슨 뜻이지요?"

"죄를 뉘우치기도 전에 용서한다고? 어렵구나. 아마도 그건 우리에게 애당초 죄가 없다는 뜻일 것 같은데, 좀 더 생각해 봐야겠다."

"스승님이 설마 그렇게 말도 안 되는 말씀을 했다고요?"

"죄는 용서만큼이나 어려운 문제다. 내가 재판에서 형을 대신해 변론한다. 너는 그때까지 일주일에 한 번씩 와야 한다. 일주일 동안 있었던 강론과 사건을 내게 전해 줘야 재판을 잘 준비할 수 있다는 말이다."

"제가 없을 때 일어난 일은 어떻게 하고요?"

"마리아에게 물어라. 그러나 내가 시켰다는 것을 눈치채게 하면 안 된다."

유다는 마티아를 떠나보내고 나사로의 집으로 갔다.

"예루살렘에 갈 때마다 다락집에 들르려다 신혼 재미에 방해가 될까 하여 그만뒀지."

나사로의 누이들이 빙글거리며 그를 쳐다보았다.

"안티파스의 의붓딸을 취했다고 비난하는 거냐?"

"난 네 말을 듣고 싶을 뿐이야."

"너의 스승이 참수당한 일은 황당한 일이었지. 그러나 열다섯 살 계집이 무얼 알겠는가?"

"나의 스승님은 권세 있는 자들에게 죽음을 당할 운명이었어. 난 네가 무슨 이유로 안티파스의 딸을 아내로 취했는지 묻고 있는 거야."

"특별한 이유가 있는 게 아니야. 끌리니까 덥석 안은 것뿐이지. 내가 너를 보러 온 건 예수가 위험에 처했기 때문이야."

그는 대공회와 재판에 대하여 말했다.

"선생님은 당연히 출석하겠지?"

"당분간 예루살렘에 오지 말라고 했어. 와서 좋을 일이 없잖아."

"악과 맞서 싸워야지, 왜 피하느냐?"

"성전 당국은 덮어놓고 죽일 거야."

"주님의 진노가 다가오고 있는데, 선생님이 과연 네 말을 들을까?"

"나도 그게 걱정이야. 누구나 죽음을 피할 수 없지만, 그렇게 죽는 건 개죽음이야."

"재판정에 나가서 너희가 악을 행하고 있다고 말해야 해. 그렇게 하고 처형당하면, 그건 개죽음이 아니지. 나의 스승은 그렇게 하지 못했어. 내가 선생님과 함께 성전에서 대소동을 일으키자, 그는 겁을 먹고 데카폴리스[44]로 피신했지. 하지만 결국 안티파스에게 붙잡혀 죽음을 당했지 않느냐? 선지자가 예루살렘 밖에서 죽었으니, 그야말로 개죽음이었다."

유다는 나사로의 집을 나왔다. 세례자 요한이 대공회에 나가서

---

44 10여 개의 헬라 도시들이 연맹을 맺은 지역으로, 시리아 속주에 속했다. 로마 제국은 이 지역에 자치권을 부여했다. 갈릴리와 베뢰아 사이에 있는 이 지역은 성전 당국으로부터 자유로웠다.

그들에게 지독한 말들을 퍼붓고 죽었더라면, 그건 개죽음이 아니었을까? 나사로는 스승인 요한보다 더 메시아 신앙에 사로잡혀 있다. 요한은 피하기라도 했지만, 나사로라면 찾아가서 잡혀 죽었을 것이다. 예수가 처한 위험을 의논하려고 그를 찾았는데, 번지수를 잘못 짚은 꼴이 됐다.

유다는 구제 사업을 확장했다. 모금과 기부물품을 관리하는 부서를 조직하고, 마하보 전사에게 일을 맡겼다. 일주일에 한 번 제공하던 식사도 두 번으로 늘리고, 질을 높였다.

그는 별동대를 열 명으로 하여 세 개를 만들고, 바라빠와 요나단과 자기 자신이 하나씩 맡았다. 바라빠의 별동대는 대장간 일을 하고, 요나단의 별동대는 의적 활동을 하고, 그의 별동대는 구제 사업을 도우며 첩보 활동을 하도록 했다.

세네카가 편지로 놀라운 소식을 전했다. 8년 전에 황제의 아들 드루수스가 급사한 것이 세야누스가 독살한 것으로 드러났다. 드루수스의 아내 리빌라가 세야누스와 연인 사이였고, 자기의 남편을 독살하는 일에도 가담했다. 세야누스의 전처가 자기 아들이 처형당하는 것을 본 후 자살했는데, 자살하기 전에 황제에게 편지를 보내, 그때의 일을 소상하게 밝혔다. 황제는 세야누스의 잔당들을 샅샅이 조사하여 처형했다. 로마는 공포의 도가니가 됐다.

어느새 유월절이 코앞에 다가왔고, 마티아가 갈릴리 소식을 갖고 왔다.

"열두 해를 혈루증으로 고생한 여자가 사람들 틈바구니를 헤집고, 스승님의 겉옷을 만졌는데 병이 나았어요. 아주 말짱해진 거죠. 스승님은 그 여자에게 당신의 믿음이 당신을 구원하였으니 평안히 가라고 했어요."

"너의 믿음이 너를 구원했다. 다시 들어도 심오하구나. 다른 것은 없었느냐?"

"조금 이상한 이야긴데, 길기도 해서 여주인님께 적어 달라고 했어요."

어떤 주인이 타국에 가면서 종들에게 자기 소유를 맡겼다. 한 종에게는 금 다섯 달란트를, 다른 한 종에게는 두 달란트를, 또 다른 한 종에게는 한 달란트를 맡겼다. 다섯 달란트 맡은 종과 두 달란트 맡은 종은 장사하여 배를 남겼으나, 한 달란트 맡은 종은 금을 땅속에 감추어 두었다.

주인이 돌아와 결산했다. 다섯 달란트 맡았던 종과 두 달란트 맡았던 종은 주인에게 상을 받았다. 그러나 한 달란트 맡았던 종은 주인에게 '당신은 굳은 사람이라 심지 않은 데서 거두고, 헤치지 않은 데서 모읍니다. 나는 두려워서 당신의 금을 땅속에 감추어 두었습니다. 이것을 당신에게 돌려줍니다.'라고 말했다.

주인은 화를 내며 '악하고 게으른 종아, 너는 내 돈을 은행에 맡겨서 내가 이자라도 받게 해 줘야 했다.'라고 말했다. 주인은 돌려받은 한 달란트를 다섯 달란트 맡았던 종에게 주면서 말했다. '있는 자는 받아 풍족하게 되고, 없는 자는 있는 것까지 빼앗길 것이다. 이 무익한 종을 내쫓아라.'

"나는 이것에 '한 달란트의 반란'이라고 제목을 붙였다. 이야기를 듣고 제자들이 뭐라더냐?"

"아무 말도 없었습니다. 스승님이 또 가르치겠지요."

"알았다. 내일 재판이 열린다. 이제부터는 한 달에 두 번만 와라."

"한 달란트의 반란이 무슨 뜻인가요? 저도 알고 싶습니다."

"이것은 주인에게 항거하는 종의 이야기다. 높은 이자 때문에 망한 농부들이 한둘이냐? 고리대금업자는 충성된 종을 이용하여 부자가 되고, 농부들은 높은 이자 때문에 더 가난하게 된다. 그래서 한 달란트 받은 종은 그것이 고리대금으로 사용되지 못하도록 땅속에 묻어 둔 것이다."

"그게 고리대금으로 사용됐다는 말은 없는데, 제가 보지 못한 건가요?"

"주인이 '너는 내 돈을 은행에 맡겨서 내가 이자라도 받게 해줘야 했다.'라고 말한 까닭이 무엇이겠느냐? 다섯 달란트 받은 자나 두 달란트 받은 자가 고리로 이자 놀이를 한 것이다."

"그럴 듯한데 아직도 이해가 안 됩니다."

"네가 하느님 나라의 회계를 맡고 있으니, 자세히 설명해 주마. 주인이 얼마나 오랫동안 떠나 있었기에, 그동안에 배를 남겼겠느냐? 만일 1년 만에 돌아와 결산을 했다면, 그들은 이자를 십 할이나 받은 것이다. 안티오키아 은행은 1년 이자로 일 할을 주고, 로마 은행은 일 할의 반을 준다. 배를 남겼다는 게 얼마나 높은 이자인지 알겠느냐?"

"그게 그렇군요. 그러면 심지 않은 데서 거두고, 헤치지 않은 데서 모은다는 것은 무슨 뜻입니까?"

"노동을 하지 않고 이자만 받아 먹고산다는 것 아니겠느냐? 하지만 이것은 종으로서 할 수 있는 말이 아니다. 다른 종들은 배를 남겼는데, 한 푼도 남기지 못한 주제에 어찌 그런 말을 할 수 있겠느냐?"

"아하, 그것도 그렇군요. 그런데 없는 자는 있는 것까지 빼앗긴다는 건 무슨 뜻인가요, 없는 자는 빼앗길 것도 없잖습니까?"

"빚을 갚지 못하면, 다시 말해서 돈이 없으면 땅까지 빼앗긴다는 말이다. 갈릴리에 그런 일이 얼마나 많으냐? 그건 그렇고 여기에 네 사람이 등장하는데, 그들이 누구누구인지 말할 수 있겠느냐?"

"글쎄요, 그들이 누구인데요?"

"주인은 로마 제국이다. 다섯 달란트 맡은 종은 대제사장들이고, 두 달란트 맡은 종은 제사장과 서기관들이다. 그렇다면 한 달란트 맡은 종은 누구라고 생각하느냐?"

"아하, 그게 스승님이군요."

"훌륭하다. 형은 고리대금업자들에 대항하여 반란을 일으키자고 말한 것이다. 그러나 결과는 공동체로부터 추방당하는 것이다. 그런데 흐음, 마침내 형이 마음을 굳혔구나."

대공회 의원들이 다 모이자, 카이아파스가 자리에서 일어났다. 그는 티베리우스 황제가 세야누스를 처형하고, 그의 잔당들을 숙청한 일을 장황하게 말하고는, 사울을 소개했다.

"서기관 사울이 나사렛 예수를 고발합니다. 다들 아시는 바와 같이 그는 가말리엘의 제자로서 율법과 전통에 밝은 사람입니다. 자, 시작하시오."

카이아파스가 의장 자리로 가고, 사울이 연단으로 나왔다. 그는 의원들을 향하여 머리를 숙여 인사하고, 서너 장의 양피지를 연단

위에 올려놓았다. 유다는 피고석에 앉았다.

"의원 여러분, 나는 서기관으로서 나사렛 예수를 고발합니다. 피고는 나사렛과 세포리스에서 목수 일을 하다가 세례자 요한의 제자가 됐습니다. 요한은 그에게 성전이 필요 없다고 가르쳤습니다. 스승에게 영향을 받은 피고는 몇몇 사람들을 이끌고 성전에 나타나 소동을 일으켰습니다. 그는 채찍으로 양과 소를 몰아내고, 환전상의 돈을 쏟아 버렸습니다.

그 사건 이후 피고는 갈릴리로 가서 제자들을 모집하고, 병든 자들을 고쳐 주면서 백성들을 선동했습니다. 어부와 세리에서 거지와 창녀에 이르기까지, 하층민이나 천민들이 그를 따랐습니다. 그들 앞에서 피고는 성전을 공격하고, 제사장들과 서기관들을 비난했습니다. 이에 성전 당국은 서기관들을 파견하여 그의 언행을 조사해 왔습니다."

그는 잠시 말을 멈추고 컵을 들어 물을 마셨다.

"의원 여러분, 우리 민족은 다윗 왕국이 멸망한 후부터 이방인들에게 끊임없이 고통을 받아 왔습니다. 잠시 잠깐 하스몬 왕가가 독립을 쟁취했지만, 율법과 전통을 소홀히 했고, 권력 다툼의 과정에서 백성들을 희생시켰습니다. 그들은 로마에 멸망했고, 유대인이라고 인정할 수 없는 헤롯이 우리 민족을 통치하게 됐습니다. 그는 백성들을 수없이 학살했습니다.

우리 민족이 왜 그러한 고난을 겪었으며, 우리 백성들이 왜 죽음을 당했습니까? 주님은 율법을 지키는 자에게는 복을 주지만, 지키지 않는 자에게는 응보하여 징벌합니다.

우리는 지금 로마의 통치 아래 있지만, 평화와 안정을 누리고 있습니다. 제사를 드릴 수 있고, 율법과 전통을 지킬 수 있습니다. 그러나 아직은 인구가 적고 힘도 약합니다. 그렇기 때문에 우리는 로마의 우산 아래에서 민족의 번영과 발전을 이룩해 나가야 합니다. 그러면 언젠가는 외세를 몰아내고, 독립왕국을 이룰 수 있습니다. 의원 여러분, 그렇지 않습니까?"

사울이 좌중을 둘러보자 여기저기에서 의원들이 '옳습니다' 하고 외쳤다.

"피고는 율법을 지키지 않으며 제자들에게도 그렇게 가르쳤습니다. 그는 여러 차례 안식일을 지키지 않았으며, 정결 예법을 위반했습니다. 율법은 이런 자를 돌로 쳐 죽이라고 합니다. 그는 제사장들과 서기관들을 비난하고 모욕했으며, 신성모독까지 했습니다. 이에 대한 사례를 하나하나 말씀드리겠습니다.

첫째, 안식일에 피고는 병을 고쳐 주고, 그의 제자들은 밀 이삭을 잘라 먹었습니다. 서기관들이 그것을 율법 위반이라고 지적하자, 그는 괴상한 말로 자신을 정당화했습니다. '안식일이 사람을 위하여 있는 것이지, 사람이 안식일을 위하여 있는 것이 아니다. 그러므로 사람의 아들은 안식일에도 주인이다.'라고 했습니다.

피고는 자기 자신을 안식일의 주인이라고 말했습니다. 이 사람이 어디까지 올라갈지 모르겠습니다.

둘째, 피고의 제자들은 씻지 않은 손으로 빵을 뜯어 먹었습니다. 이를 본 서기관들이 왜 당신의 제자들은 정결 예법을 지키지 않느냐고 물었습니다. 피고는 '무엇이든지 밖에서 사람에게 들어가는 것은 더럽게 만들지 못하되, 사람 안에서 나오는 것이 더럽게 만드는 것이다.'라고 했습니다.

의원 여러분, 이게 정상적인 사람이 하는 말입니까? 더러운 손으로 음식을 집어 먹으면 당연히 병에 걸립니다. 더구나 밖에서 사람에게 들어가는 것은 음식 따위만 있는 것이 아닙니다. 여인의 경우에는 남자의 정액을 밖에서 안으로 받아들입니다."

장내에 폭소가 터져, 사울은 잠시 기다려야 했다.

"의원 여러분을 웃기려고 한 말이 아닙니다. 피고의 말대로라면, 남편이 아닌 사내의 정액도 여인을 더럽게 하지 못하고, 도리어 여인의 안에서 나온 아이가 더럽게 만드는 것이 됩니다. 사람 중에 여인의 안에서 나오지 않은 자가 있습니까. 지극히 상식적인 것에도 서기관들의 말이라면 그는 궤변으로 맞섭니다. 그가 조금이라도 서기관들을 존중한다면 '제자들이 바빠서 못 씻었다.'라고 말해야 옳았습니다.

셋째, 피고는 '바리사이파에게 화가 있을 것이니, 그들은 소 여물통 안에서 잠자는 개와 같다. 그들은 자기가 먹지도 않으면서 소들도 먹지 못하게 한다.'라고 말했습니다. 여러분도 알다시피, 바리사이파는 율법과 전통을 지키고, 백성들을 교화하며, 이스라엘의 독립을 위해 힘쓰는 집단입니다. 피고는 그런 바리사이파를 모욕했습니다.

넷째, 피고는 제사장들보다 세리와 창녀들이 먼저 하느님 나라에 들어가고, 밧줄이 바늘귀로 들어가는 것이 부자가 하느님 나라에 들어가기보다 쉽다고 했습니다. 예수는 예루살렘의 제사장들과 부유한 사람들을 조롱하면서 민중들을 선동했습니다.

다섯째, 피고는 중풍 병자에게 너의 죄가 사함을 받았다고 말했습니다. 도대체 주님 외에 누가 사람의 죄를 사할 수 있습니까? 피고는 사람의 죄를 사했을 뿐만 아니라, 자신을 안식일의 주인이라고까지 했습니다. 의원 여러분, 이보다 더한 신성모독을 보거나 들은 적이 있습니까?

이밖에도 문제 되는 사례들이 많지만, 다섯 가지만으로도 고발하기에 충분하고, 따라서 피고는 돌로 쳐 죽이는 형을 받아 마땅합니다."

사울이 숨을 길게 내뿜으며 물컵을 손에 쥐자, 의원들이 여기저기서 웅성거렸다.

"의원 여러분, 피고는 가말라의 유다와는 전혀 다른 자입니다. 가말라의 유다는 율법을 지키기 위해 목숨을 바쳤지만, 피고는 마치 율법을 위반하기 위해 죽을 사람처럼 행동하고 있습니다.

피고는 성전 당국에 맞서기 위하여 하느님 나라를 들고 나왔습니다. 본래 하느님 나라는 세례자 요한이 만들어 낸 것인데, 그것을 피고가 표절했습니다. 요한에 대해 말하자면, 성전 당국이 그에게 너무 관대했습니다. 안티파스에게 죽기 전에 성전 당국이 요한을 처단했더라면, 민중들이 피고에게 선동당하는 일은 없었을 것입니다. 피고는 성전 대소동과 요한의 죽음을 이용하여 막대한 세력을 얻었습니다. 우리는 지금 결단해야 합니다.

피고는 소위 기적이라는 것으로 민중들을 현혹하고 있습니다. 불치병을 고쳐 주고, 죽은 자를 다시 살렸다고 합니다. 또 갈릴리 호수에서 배를 타고 광풍을 꾸짖었더니, 거센 파도로 출렁이던 호수가 잔잔해졌다고 합니다.

옛날 그리스에 피타고라스라는 사람이 있었습니다. 그는 불치병을 고쳤고, 죽은 자를 살렸고, 바람을 잠재우고, 물 위를 걸었다고 합니다. 단언하건대, 조만간 예수가 물 위를 걷고, 하늘을 날아다닌다는 말이 우리의 귀에 들릴 것입니다."

다시 한 번 의원들의 폭소가 터져 나와, 사울은 입을 다물 수밖에 없었다. 장내가 조용해지자 그는 다시 입을 열었다.

"의원 여러분, 작년 이맘때에 피고가 성전에서 행패를 부리며 한 말을 기억하십니까? 그는 상인들에게 '이제부터는 백성들을 속이고 착취하는 걸 돕지 말라.'라고 소리쳤습니다. 도대체 누가 백성들을 속이고 착취한답니까, 피고는 성전 당국을 지목하는 것 같은데 과연 그렇습니까? 성전 당국은 율법에 따라 백성들에게 십일조와 봉헌물을 거두어들입니다. 그것을 속임수나 착취라고 할 수 있습니까?

민중들이 그의 선동에 넘어가면 심각한 사태가 발생할 수 있습니다. 만일 피고를 추종하는 무리가 무장 봉기를 하면, 예루살렘에서 폭동이 일어나고, 그것이 지방으로 퍼질 것입니다. 그렇게 되면 유대 총독 휘하의 병력만으로는 진압할 수가 없어, 시리아 총독의 군단들이 출동할 것입니다. 가말라의 유다 때문에 입은 상실과 고통을 기억하십시오. 세포리스는 불에 타 잿더미가 되고, 백성들은 노예로 팔리고, 수천 명의 청년이 십자가에 못 박혀 죽었습니다.

의원 여러분, 우리는 율법의 엄정함을 보여 줘야 합니다. 피고가 얼마나 더 율법을 위반하고, 얼마나 더 성전 당국을 조롱하고, 얼마나 더 신성을 모독해야 그를 심판할 것입니까? 이 재판에 성전의 안위와 백성들의 생명이 달려 있습니다.

의원 여러분, 저 기세등등한 선동가를 언제까지 놔둘 것입니까? 피고가 출석하지 않은 법정에서 유죄를 선고하는 일은 없어야겠지만, 예수의 경우에는 다릅니다. 그의 범죄는 싹이 터서 무럭무럭 자라고 있으며, 우리의 생명을 위협하고 있습니다. 우리는 오늘 그를 처단해야 합니다. 의원 여러분, 피고에게 사형을 선고해 주십시오."

사울이 머리를 숙여 절하자, 의원들 모두가 손뼉을 쳤다. 카이아파스가 정회를 선언했다.

오후에 대공회가 속개되고, 카이아파스가 유다를 소개했다.

"변호인은 니고데모 의원의 동생으로 알렉산드리아에 유학한 청년입니다. 열 살 무렵에는 토라를 히브리어로 암기했다고 합니다. 변론을 맡을 만하지요?"

유다는 의원들에게 인사를 하고 연단으로 갔다.

"나사렛은 아름답고 평화롭기 그지없는 마을입니다. 주민들은 순박하고 친절하며, 산과 들의 짐승들도 조그마해 전혀 위협을 주지 않습니다. 갈릴리 지역이 대개 그렇습니다. 그 지역은 술람미[45] 여인의 고향이기도 합니다.

갈릴리의 풍토가 그를 온유하고 겸손한 사람으로 만들었습니다. 그는 가슴에 사랑을 가득 담고 있었고, 그것이 행동으로 나타났습니다. 불과 10대 초반에 불행한 사람들을 위로할 줄 알았고, 위기에 처한 사람을 보면 몸을 던져 구했습니다.

그러나 피고는 세상이 잘못 돌아가고 있는 것을 보게 됩니다. 어느 날 갑자기 이웃의 농부가 없어집니다. 농토와 재산을 잃어버리고 야반도주한 것입니다. 고향을 떠났던 사람들이 거지꼴이 되어 돌아와 날품팔이로 살아갑니다. 품을 팔지 못하면 자녀를 팔기도 합니다.

---

45 아가서의 여주인공으로 솔로몬 왕이 짝사랑한 여인이다.

이웃의 불행에 탄식하던 피고가 티베리아스와 예루살렘을 바라봅니다. 그곳에는 부유한 사람들이 사치스럽게 살고 있습니다. 부당하다고 생각하면서, 피고는 도시 너머의 막강한 힘을 봅니다. 성전 체제와 로마 제국이라는 괴물입니다.

성전 당국은 백성들을 착취하고, 로마 제국은 백성들을 억압함으로써 성전을 옹호합니다. 성전 체제는 어떻게 짜여져 있습니까? 맨 꼭대기가 대제사장이고, 맨 아래가 천민입니다. 그 사이에 제사장과 서기관, 그리고 평민이 있습니다. 힘 없고 가난한 사람들이 기만당하는 현실을 보며, 피고는 분노합니다.

온유하고 겸손했던 피고가 자기 주장을 합니다. 그의 주변에 사람들이 모여들고, 제자가 되어 따릅니다. 그는 지배 체제가 어떻게 백성들을 기만하고 착취하고 억압하는지 가르칩니다. 그리고 지배 체제에 굴종하는 것을 죄라고, 지배 체제에 항거하는 것을 회개라고 가르칩니다.

그러나 제자들은 오랫동안 서기관과 율법사의 가르침에 세뇌되어 왔기에, 그것을 깨닫지 못합니다. 그들이 백성들에게 무엇이라고 가르칩니까? 부유한 자는 율법을 지켰기 때문에 부자가 됐고, 가난한 자는 지키지 않았기 때문에 가난하게 됐다고 가르칩니다."

그는 물컵을 집어 들고 벌컥벌컥 들이켰다. 의원들은 눈을 감았고, 카이아파스와 사울은 천정을 멀뚱멀뚱 쳐다보고 있었다.

"의원 여러분, 사울은 피고가 율법을 위반했다고 지적했습니다. 그러나 율법을 겉으로만 지키는 것이 무슨 의미가 있습니까? 의인이라고 칭송받던 사람이 불의에 가담하여, 우리를 부끄럽게 하는 것이 작금의 현실입니다. 사울은 또 피고가 바리사이파를 모욕하고, 제사장을 조롱했다고 지적했습니다. 예로부터 선지자는 왕과 제사장을 꾸짖고 비판했습니다. 피고는 바리사이파와 제사장이 행한 일들에 대하여 사실대로 말한 것입니다.

의원 여러분, 사울은 피고가 신성을 모독했다고 주장했습니다. 주님만이 죄를 사할 수 있는데, 그가 중풍 병자의 죄를 사했다고 말입니다. 이것은 중상모략입니다. 사람이 무슨 권세로 중풍 병자의 죄를 사하겠습니까? 다만 피고는 주님이 그의 죄를 사했다고 선언했을 뿐입니다. 그 증거로 중풍 병자가 일어나 자기 침상을 짊어지고 걸어갔습니다.

사울은 또 피고를 선동가로 치부했는데, 이것도 중상입니다. 선동가라면 민중들이 소요나 폭동을 일으키도록 부추겨야 합니다. 그러나 그는 '누구든지 네 오른빰을 때리거든, 왼빰을 돌려대라.'라고 말했습니다. 그는 선동가와는 거리가 먼 사람입니다.

피고가 선동가라는 증거로 사울은 하느님 나라를 문제 삼았습니다. 그리고 피고가 요한의 하느님 나라를 표절했다고 말했습니다. 그러나 사울의 주장은 사실을 왜곡하고 있습니다.

요한은 하느님이 직접 불의를 몰아내고, 역사를 끝장내고, 악을 없앨 거라고 말했습니다. 따라서 요한의 하느님 나라는 미래의 어느 때에 가서야 나타날 나라입니다. 그러나 피고는 하느님 나라가 이미 우리 가운데 있다고 말합니다. 그렇다면 그가 말하는 하느님 나라는 어떤 것입니까?

그것은 우리 민족이 한 번도 경험해 보지 않은 나라입니다. 그것은 억압과 착취가 없는 나라입니다. 그곳에서는 누구나 억울한 일을 당하지 않습니다. 힘이 약하거나 글을 모른다고 무시당하지 않습니다. 정신이 온전치 못하거나 몸이 불편하다고 따돌림당하지 않습니다. 죄 없이 관청에 끌려가는 일도 없습니다. 죄를 지은 사람에게도 매질을 하지 않습니다.

사울은 십일조와 봉헌물을 거두어들이는 것이 착취가 아니라고 했습니다. 정말 그렇습니까? 농민들은 극심한 흉년에도 십일조와 봉헌물을 내야 합니다. 로마의 황제는 흉년이나 전쟁으로 인해 농민들이 어려움을 겪게 되면, 세금을 면제해 줍니다. 그러나 성전 당국은, 흉년이 들든 말든, 수확량의 10분의 1과 봉헌물을 거두어 갑니다.

어려운 상황에서 농민들은 빚을 지게 되고, 이자를 내지 못해 빚이 눈덩이처럼 불어납니다. 결국에는 농토를 빼앗기고 소작인이 되었다가, 천민으로 전락하고 맙니다.

의원 여러분, 신앙과 지성으로 판단해 보십시오. 이것이 착취가 아니면 무엇입니까? 성전 당국은 주님의 백성들을 착취하여 죄인으로 만들고, 그들을 율법과 전통의 공동체에서 추방하여 천민으로 만들었습니다. 반면에 피고는 그들을 영접하여 하느님나라의 백성으로 맞아들였습니다.

의원 여러분, 예루살렘에서 무엇을 보십니까? 하층민이 사는 지역을 보십시오. 골목마다 거지들과 노숙자들이 들끓고 있습니다. 그들은 일하려 해도 일자리를 구할 수 없고, 일자리를 얻어도 집이나 농토를 마련할 수 없습니다. 그들이 받는 임금으로는 먹고 입는 데도 빠듯하기 때문입니다."

의원들이 여기저기서 웅성거려, 유다는 잠시 변론을 멈추고 기다렸다. 그는 물을 마시고 변론을 계속했다.

"의원 여러분, 분명히 해두고 넘어갈 것이 있습니다. 우리 민족이 이방인의 침략을 무수히 당하고, 로마의 압제에서 벗어나지 못하는 이유가 무엇입니까?

우리는 모세의 율법을 지키지 않았기 때문이라고 배웠기 때문에, 대부분 그렇게 생각하고 있습니다. 그러나 정말 그렇습니까? 정말 그렇다면, 우리는 영원히 독립을 이룰 수 없습니다. 왜 그렇습니까? 우리 민족은 율법을 제대로 지킨 적이 없고, 지금도 지키지 않고 있으며, 앞으로도 지키지 못할 것이기 때문입니다.

그렇다면, 진정한 이유가 무엇입니까? 힘이 없기 때문입니다. 힘이 있어야 이방인의 침략을 막아내고, 독립을 이룰 수 있습니다. 그런데 그 힘은 어디에서 나옵니까? 그것은 백성에게서 나옵니다. 백성들 하나하나의 힘이 모여 국방력을 이룹니다. 그런데 백성들이 힘을 가지려면 잘 먹어야 합니다. 굶주리는 백성에게 힘이 있을리 없습니다. 로마를 보십시오. 그들은 천민조차도 굶주리는 자가 없습니다. 그러나 백성들이 배불리 먹어도, 공평과 정의가 행해지지 않는다면, 백성들의 힘을 하나로 모을 수 없습니다.

토라의 마지막 책[46]이 우리에게 분명하게 말합니다. '너희는 마땅히 공의만 좇아라. 그리하면 네가 살겠고, 네 하느님 야훼가 네게 주시는 땅을 얻으리라.'

공평과 정의를 행하면, 우리 민족이 살고, 땅을 얻게 된다는 말씀입니다. 이것이 바로 하느님 야훼의 율법입니다. 우리는 안식일이나 정결 예법을 지키기에 앞서, 무엇보다도 이 말씀을 지켜야 합니다. 성전 당국과 서기관과 율법사들은 백성들에게 그렇게 가르쳐

---

46 구약성서의 신명기를 말한다.

야 합니다. 그렇지 않습니까?

의원 여러분, 이스라엘 백성들은 지금 도탄에 빠져 있습니다. 백성들이 얼마나 덜 먹어야 합니까, 얼마나 덜 입어야 합니까, 도대체 얼마나 더 쥐어짜야 만족하겠습니까? 굶어 죽고, 병들어 죽고, 맞아 죽는 일이 매일 곳곳에서 일어나고 있습니다.

피고는 도탄에 빠진 백성들을 하느님 나라로 맞아들인 사람입니다. 그는 그들에게 서로 돕고 서로 나누며 서로 사랑하라고 가르칩니다. 아브라함 때부터 지금까지 아무도 하지 않은 일을 그가 하고 있습니다. 우리는 그를 재판정에 세울 것이 아니라, 그를 본받아야 합니다.

의원 여러분, 피고가 출석하지 않은 법정에서, 피고의 항변도 들어 보지 않고 유죄 평결을 내릴 수 있습니까? 그것은 원고들의 책략에 넘어가 죄 없는 사람을 학살하는 것입니다. 만일 그렇게 된다면, 이 재판의 목적이 성전 당국의 악을 은폐하기 위하여 희생양을 만드는 것 말고 무엇이겠습니까? 이 법정이 예수를 죽인다면 공평과 정의를 죽이는 것입니다. 공평과 정의가 없는 민족에게 미래는 없습니다. 경고하거니와 그러한 민족에게는 영원한 파멸밖에 없습니다.

의원 여러분, 여러분의 신앙과 지성을 양심에 부끄럽지 않게 사용해 주십시오. 주님과 사람 앞에 정직하고 착한 사람, 예수에게 무죄를 선고해 주십시오."

유다는 의원들에게 인사를 하고 피고석으로 걸어갔다. 법정 안은 그의 발걸음 소리 말고는 아무 소리도 들리지 않았다. 누군가 일어나 손뼉을 쳤다. 그 뒤를 이어 두어 사람이 그리고 모두가 일어나 박수를 보냈다. 카이아파스가 빙그레 웃으며 왼손을 머리 위로 들었다.

"논고와 변론이 끝났습니다. 잠시 정회한 후에 다시 모여 논의를 계속하겠습니다."

의원들이 카이아파스와 사울 주변으로 몰려들었다. 멍하니 서 있는 유다에게 성전 경비대장이 다가왔다.

"멋진 변론이었다. 그러나 달라지는 것은 없다. 자네는 부자들과 귀족들의 심기만 불편하게 만들었다. 도대체 자네가 예수와 다른 게 무엇인가?"

"나는 진실을 말했을 뿐입니다."

"세상에 진실이 어디 있나? 그것은 광야에서나 구할 수 있는 것이다. 세례자 요한이 한 번이라도 성전에 와서 외친 적이 있는가? 대제사장님들은 자네를 높이 평가하고 있다. 한 번의 실수는 눈감아 주실 거다."

"실수는 그들이 했습니다. 나는 그들의 실수를 지적했고, 올바로 행동하라고 했을 뿐입니다. 나는 오히려 당신이 처량해 보입니다. 당신은 평생 배운 칼을 악의 무리에게 바치고 있습니다."

"허허, 30이 넘으면 세상을 볼 줄 알아야 한다. 자네가 아무리 강한들 그들을 이길 수 있겠는가? 자네는 오늘 이겼다고 생각하겠지만, 이겼다고 해서 결코 이긴 게 아니다. 자네의 부친이나 형이 어떻게 살고 있는지 생각해 보라. 세상은 진실이 아니라 힘과 돈으로 굴러간다. 도대체 자넨 무엇 때문에 책을 읽는가?"

"……."

대공회 의원인 아리마태아 요셉과 니고데모가 유다에게 다가오자, 솔로몬은 자기의 병사들에게로 갔다.

"세상은 진실이 아니라 힘과 돈으로 굴러간다고? 돼먹지 못한 놈 같으니라고." 요셉이 말했다.

"사실 그의 말이 틀리지 않지요. 유다가 그걸 몰라서 예수를 변호했겠습니까? 하지만 오늘 변론으로 너는 출세할 기회를 영영 잃어버렸다. 요셉 님, 어떻게 생각합니까?" 니고데모가 말했다.

"유다가 그렇게 날카로운 사람인지 몰랐습니다. 카이아파스가 열없게 웃었지만, 속으로는 분노를 삭이느라 고생 좀 했을 것입니다."

"솔로몬의 말을 듣고서야 카이아파스가 저를 비웃었다는 걸 알았습니다. 그들이 어떻게 나올지 모르겠습니다." 유다가 말했다.

"어떤 자가 감히 카이아파스와 의원들 앞에서 자네처럼 말할 수 있겠는가? 자네는 그들의 양심을 제대로 찔렀어. 오늘은 선고까지는 가지 않을 거다. 자, 이쯤하고 우리는 동지들에게 갑시다." 요셉이 말했다.

유다는 가방을 베개로 하고 뜰에 누워 눈을 감았다. 그는 꿈속으로 들어갔다. 아름드리 올리브나무 위로 올라가 사방을 둘러보았다. 살로메가 산들산들한 모습으로 다가와 안겼으나, 그녀를 밀쳐냈다. 마리아가 나타나 그에게 눈길을 한 번 주더니, 휑하니 사라졌다. 예수가 산 중턱에서 양들에게 풀을 먹이고 있었다. 유다의 모습이 갑자기 로마군의 복장으로 변했다. 예수는 그를 힐끗 쳐다보고 도망쳤다. 양들이 사방으로 흩어졌다. 유다는 그를 쫓아가면서 소리쳤다. '형, 멀리 가. 인도까지 가라고. 다시는 오지 마.' 누군가 그의 어깨를 흔들었다.

의원들이 좌석에 앉아 웅성거리고 있었다. 재판장이 연단에서 좌중을 둘러보자, 의원들이 자세를 바로 했다.

"이 재판은 피고가 출석하지 않았으므로 판결할 수 없습니다. 은 30개의 현상금을 걸고, 피고를 수배합니다. 성전 경비대장은 피고를 체포하여 법정에 출석시키시오."

유다는 가방을 별동대원에게 주며 다락집에 갖다 놓으라고 했다. 재판장은 판결을 뒤로 미루었다. 어차피 예수는 출석하지 않을 테고, 대공회는 그것을 구실로 삼아 유죄를 선고할 것이다. 유죄라면 그것은 곧 사형을 의미한다. 그는 안토니 요새에서 필라투스를 만났다.

"나는 유대인들을 도무지 이해할 수가 없어. 성전 금고 돈으로 수로를 건설했는데, 그걸 신성모독이라고 하는 거야."

"로마 제국의 관리가 예루살렘에 수로를 만들었다고?"

"명절 때는 물이 모자라서 병사들이 피부병에 걸리니 어쩌겠느냐? 그래서 수로를 건설했고, 경비를 성전 금고에서 부담하도록 했지. 그걸 신성모독이라고 할 수 있느냐?"

"율법사들은 그렇게 볼 거야."

"티베리우스 황제가 예루살렘의 율법사들보다 훨씬 현명하다. 아우구스투스 신의 동상을 훼손한 자가 신성모독죄로 고발당했을 때, 티베리우스는 신성모독인지 아닌지는 신만이 알 수 있는 것이라고 했어. 너는 어떻게 생각하느냐?"

"형 말이 맞아. 내가 찾아온 건 수배령 때문이야."

그는 재판 이야기를 하고 도와 달라고 했다.

"예수를 잡아다가 백성들이 돌로 쳐 죽이게 한다면, 나는 어쩔 도리가 없지. 내가 개입하면, 그들은 황제에게 나를 고발할 거야."

"카이아파스가 그를 체포해 달라고 요청하면 어떻게 할 거야?"

"갈릴리는 안티파스가 통치하는 지역이 아니냐? 내겐 그를 체포할 권한이 없어."

"만에 하나 그가 잡히면, 나는 그를 구출할 거야. 그때 카이아파스가 형에게 도움을 요청해도 들어주면 안 돼."

"나를 염려하지 말고, 그 대단한 예수나 잘 지켜라. 네가 지키고 있는데, 감히 누가 그를 붙잡겠느냐?"

"공격보다 지키는 게 더 어려운 법이야. 차라리 카프리섬에 은둔해 있는 황제를 암살하라면 그게 더 쉽겠어."

"말 잘 꺼냈다. 8년 전에 황제의 아들 드루수스가 급사한 게, 세야누스가 독살한 것으로 밝혀졌어. 놀라운 것은 드루수스의 아내 리빌라가 독살에 가담했다는 거야."

유다는 세네카로부터 편지를 받아 알고 있는 일이었지만, 그가 계속 말하게 놔두었다.

"황제는 며느리를 친정으로 돌려보냈고, 그녀의 어머니가 굶겨 죽였다고 하더군. 세야누스와 친분이 있었던 사람들이 무수히 처형됐다. 나는 요즘 잠도 제대로 자지 못하고 있어."

"게르마니쿠스도 그놈이 독살한 거 아냐?"

"독살이 아니라 열병으로 죽었다고, 네가 분명히 말했었다."

"열병에 걸렸으니 독을 조금만 써도 됐겠지. 게르마니쿠스와 피소 총독 사이가 안 좋은 걸 이용해서, 그놈이 독을 쓴 거야. 게르마니쿠스와 드루수스가 있는 한 자기는 희망이 없으니까, 우선 게르마니쿠스부터 죽인 거야. 그런데 시민들은 엉뚱하게 티베리우스 황제를 의심했지."

"추리의 천재구나. 나 좀 도와다오. 내가 어떻게 하면 마음 편히 잘 수 있겠느냐?"

"아들 때문에 미쳐버린 황제는 신경 쓸 필요 없어. 그가 형을 소환하면 병사들을 천 명만 선발해서, 이집트 사막을 넘어 남쪽으로 가자. 나와 함께 조그마한 나라를 세우자고. 그렇게 생각하면 잠이 잘 올 거야."

예수를 고발한 사울이 다락집에서 천연덕스럽게 유다를 기다리고 있었다.

"예수에게 수배령이 내렸잖습니까. 그래서 당신에게 협조를 구하려고 왔습니다."

"그 일을 왜 자네가 하는가?"

"대제사장님 각하와 성전 경비대장의 지시를 받아 내가 그 일을 하게 됐습니다."

"나는 그와 만난 지 오래됐고, 그가 어디에 있는지 모른다."

"그러면 소환장은 어떻게 됐습니까?"

그는 소환장을 사울에게 돌려주었다.

"어디에 있는지 몰라 전하지 못했다."

"제자가 스승이 있는 곳을 모를 수 있습니까?"

"함부로 예단하지 마라. 우리는 사제간이 아니다. 그는 갈릴리 사람이니까 그 어디에 있을 거다."

"나는 죄인을 체포하기 위해 수배령을 집행해야 합니다."

"아무에게나 죄인이라고 뒤집어씌우면 되겠느냐? 죄명이 무엇인지 명확하게 말해 보라."

"몰라서 묻는 겁니까? 신성모독죄와 율법을 범한 죄입니다."

"뭐가 뭔지 모르는 건 자네다. 사자가 영양을 잡아먹는 게 죄인가?"

"그거야 사자의 본능이니 죄라고 할 수 없겠습니다만, 무슨 말을 하려는 겁니까?"

"가난한 사람들을 돕고, 죽어가는 사람들을 살리는 것이 예수의 본능이다. 도대체 죄라는 것이 무엇인가? 자네의 양심을 걸고 말해 보라."

"나의 양심을 걸고 분명히 말하는데, 주님의 율법을 위반하는 것이 죄입니다."

"결국 주님이 만든 율법에서 죄가 나왔다는 말인데, 지극히 선한 주님이 그런 율법을 만들었단 말인가?"

"그러면 사람이 율법을 만들었다는 말입니까?"

"왜 모세의 율법이라고 하는지 생각해 보라. 사람들이 걸핏하면 우상을 만들었듯이, 세상의 모든 제도는 사람이 만든 것이다."

"갈수록 심하군요. 그렇다면 도대체 사람이 무슨 목적으로 율법을 어렵고 복잡하게 만들었습니까?"

"거참, 내 생각이 점점 틀을 갖춰가는군. 사람이 왜 율법을 어렵고 복잡하게 만들었을까? 그래야만 백성들이 율법을 잘 몰라서 대제사장들의 명령에 복종할 것이기 때문이야. 내 말이 틀리는가?"

"그러나 율법은 분명히 주님이 만들었습니다."

"모세 당시에는 주님이 왕이었고, 백성들은 십일조와 봉헌물을 주님께 바쳐야 했다. 하지만 사람이 왕이 된 후에는 왕에게 세금을 바쳤는데, 대제사장들은 주님께도 여전히 십일조와 봉헌물을 바쳐야 한다고 했다. 다른 나라들과 비교해 보라. 이스라엘 백성은 이중으로 세금을 내는 셈이다. 그러니 백성들이 얼마나 고달프겠는가!"

"나는 당신에게 이런 말을 듣자고 온 것이 아닙니다. 나는 범죄자인 예수를 체포해야 합니다."

"예수가 무죄라는 것은 세상을 비추는 해처럼 분명하다. 그런데 현자라고 불리는 자네가 왜 불의한 일에 앞장서는가?"

"예수의 망상인 하느님 나라로부터 백성들을 지켜야지요."

"자네는 지금 야망에 사로잡혀 있어. 그것이 자네를 성전에 붙들어 매고 있는 거야. 그러나 어쩌겠나? 그것이 자네의 본능인 것을."

"나는 절차를 밟으러 왔는데, 당신은 나의 영혼을 흔들어 놨습니다. 이젠 당신과 상관없이 수배령을 집행하겠습니다."

예수는 갈릴리 호수가 내려다보이는 산에서 설교하고 있었다. 수천 명이 곳곳에 옹기종기 모여 앉아 설교를 들었다. 그가 한마디 하면 중간에서 제자들이 그 말을 그대로 받아 소리 질렀다.

"하느님은 본래 세상을 풍족하게 만들었습니다. 그래서 우리는 누구나 일하면, 먹고 마시고 입을 수 있어야 마땅합니다. 뿐만 아니라 일할 수 없는 사람에게 나누어줘도 될 만큼, 하느님은 세상을 넉넉하게 만들었습니다. 그래서 하느님 나라에는 굶주리거나 목마르거나 헐벗은 사람이 없어야 마땅합니다.

그러나 지금 세상에는 가난한 사람들이 넘쳐납니다. 왜 이렇게 됐습니까? 권세자들이 너무 많은 것을 차지했기 때문입니다. 그들이 어떻게 그 많은 것들을 차지했습니까? 힘으로 억압하고, 율법으로 착취했기 때문입니다. 그들이 누굽니까? 로마 제국이고 성전 당국입니다.

부유함은 주님의 축복이고, 가난은 주님의 징벌이라고 말하는 자들이 어디에 있습니까? 예루살렘 성전과 지방의 회당에 있습니다. 백성들은 그들의 거짓말에 속아 가난을 죄라고까지 생각합니다. 여러분! 가난은 주님의 징벌이 아니라, 그들이 백성들을 억압하고 착취했기 때문에 생겨난 것입니다.

갈릴리 땅이 어떻게 변했는지 생각해 보십시오. 부자들이 온갖 방법을 써서 땅을 빼앗고, 곡물을 재배하던 땅에 포도나무를 심었습니다. 우리가 배불리 먹고도 남을 만큼 풍성한 곡식들이 포도로 변했습니다. 우리가 매일 먹던 생선은 어떻게 됐습니까? 우리가 먹고 남은 생선으로 젓갈과 훈제를 만들었었는데, 지금은 젓갈과 훈제를 만들고 남은 찌꺼기를 우리가 먹고 있습니다.

그래서 어떻게 됐습니까? 부자들은 포도주와 생선 가공품을 팔아 더 부자가 됐고, 우리는 굶주리게 됐습니다.

그러나 부자들은 더 부자가 되기 위해서 농민들을 억압합니다. 농민들은 세금을 내고 나면, 먹고살기조차 빠듯하여 십일조와 봉헌물을 바칠 형편이 안 됩니다. 하지만 성전 당국은 농민들의 사정을 봐주지 않습니다. 십일조와 봉헌물을 바치지 않으면, 율법을 위반하는 것이라고 겁을 줍니다. 농민들은 죄인이 되지 않기 위해, 빚을 내서 십일조와 봉헌물을 바칩니다.

그렇게 몇 년이 흐르면 결국 농민들은 빚더미에 앉게 됩니다. 이

자를 내지 못해 빚은 더욱 많아집니다. 어쩔 수 없이 이웃에게 빚을 갚으라고 재촉합니다. 돌려받아야만 빚을 갚을 수 있고, 그래야만 농토를 빼앗기지 않기 때문입니다. 돌려받지 못하면 빚진 자를 고소합니다. 그러면 그 빚진 자가 자기에게 빚진 자를 또 고소합니다. 마을공동체가 서로 고소하며, 서로 원수가 됩니다. 우리의 원수가 로마 제국과 성전 당국에서 이웃으로 바뀌어 버립니다.

고소당하지 않으려면 먼저 고소하지 마십시오. 고소당하기 전에 화해하십시오. 감옥에 갇히면, 한 푼도 남김없이 갚아야 나올 수 있습니다. 먼저 형제에게 빚을 탕감해 주십시오. 그러면 여러분도 빚을 탕감받을 수 있습니다. 그것이 바로 원수를 사랑하는 방법입니다.

율법을 어기면 주님의 징벌을 받는다고 권세자들이 말합니다. 그것도 거짓말입니다. 하느님은 무한히 용서합니다. 여러분이 죄를 뉘우치기도 전에 용서합니다. 그들의 가르침을 받아들이지 말고, 그들을 위해 봉사하지 마십시오. 그들을 뿌리치고 하느님 나라로 들어오십시오.

공중의 새들을 보십시오. 하느님이 그들을 먹입니다. 들의 백합화를 보십시오. 하느님이 그들을 입혀 줍니다. 우리도 마찬가지입니다. 하느님은 우리에게 모든 것이 풍족한 세상을 만들었습니다. 그러나 사람의 손이 하느님이 만든 세상을 망가뜨렸습니다. 세상은 속이고 강탈합니다. 그래서 모든 것이 부족하게 됐습니다.

무엇을 먹고 무엇을 입을까 염려하지 말고, 하느님 나라로 들어오십시오. 그곳에서는 모든 물건을 함께 쓰고, 자기 재물을 자기 것이라 하지 않습니다[47]. 여유 있는 사람은 부족한 사람에게 베풀고,

---

[47] 사도행전 4: 32 참조

부족한 사람들도 서로 나눕니다. 그래서 하느님 나라에는 모든 것이 풍족합니다. 여러분, 내일 일을 염려하지 마십시오. 오늘의 양식으로 만족하고, 내일의 염려는 내일에 맡기십시오."

강론이 끝나자 제자들이 무리를 나누어 가르쳤다. 마리아도 제자들의 일원이 되어 한 무리를 맡은 것 같았다. 예수가 유다에게 다가왔다. 그들은 산 위로 올라가 한적한 곳에 앉았다.

"나를 찾기가 쉽지 않았을 텐데, 용케 찾아왔구나."

"형의 강론은 아로새긴 은쟁반에 금 사과야[48]."

"같은 강론을 여러 번 반복하고 있어. 그렇지 않으면 오늘 깨달았다가도, 내일이면 잊어버려. 불을 던졌는데 타오르지 않으니, 내가 얼마나 갑갑하겠느냐?"

"40일씩이나 굶으면서 깨달은 진리를 하루 이틀에 깨우칠 수 있나? 민중들은 오늘 평안하고 흡족했을 거야. 형이야말로 내일의 염려는 내일에 맡겨라."

"하하하, 오랜만에 웃어 보는구나. 저들이 나와 함께 지낸 지 사흘째야. 가져온 도시락은 다 먹었을 테고, 그대로 돌려보내자니 가다가 쓰러져 버릴 것 같다. 네가 먹을 것을 구해 와라."

그때 도마와 필립이 그들에게로 다가왔다.

"스승님, 늦었습니다만 성과는 있었습니다. 돌아오지 않은 제자가 있습니까?" 도마가 말했다.

"다들 돌아와 있습니다. 어떤 성과가 있었는지 듣도록 해 주시오."

"하느님 나라를 전하고 병든 자를 고쳐 줬습니다. 주님의 이름으

---

48 잠언 25:11

로 명령했더니, 귀신이 사람에게서 나와 어디론가 사라졌습니다. 발작하던 사람이 갑자기 잠잠해지는 것을 보고 사람들이 놀랐습니다. 하지만 우리가 더 놀랐습니다. 우리가 그런 일을 할 수 있다는 게 신기했습니다."

"하늘에서 사탄이 번개처럼 떨어지는 것을 내가 봤습니다[49]. 기뻐들 하시오. 하느님 나라가 이루어지고 있습니다. 필립은 유다를 도와 양식을 구해 오시오. 점심은 어떻게든 해결할 테니, 저녁때까지 구해 오시오. 가까운 곳에 로마식 빌라가 있을 겁니다."

로마식 빌라는 자급자족하는 농장이라, 창고에 각종 식량을 저장하고 있다. 필립이 그런 곳을 알고 있었다. 그들은 마차를 있는 대로 끌고 그곳으로 갔다. 농장이 제법 규모가 큰 것이 제대로 찾아왔다고 생각하며 유다가 말했다.

"오천 명 정도 되는 사람들이 먹을 빵이 필요합니다. 아참, 포도주도 필요합니다."

"그렇게 많은 빵을 금세 구울 수 있겠습니까, 언제까지 필요한 겁니까?"

"아하, 그게 그렇군요. 저녁때 필요한데 얼마나 구울 수 있습니까?"

"불을 피우는 데도 시간이 걸립니다. 빨리 구우면 이천 명분은 가능할 것 같습니다."

"빵은 그렇게 해 주고, 말린 생선이나 과일을 있는 대로 주고, 포도주는 오십 항아리면 되겠습니다."

"우리도 먹어야지요. 견과류와 말린 과일과 절인 물고기는 저기

---

49 누가복음 10:18

보이는 창고에서 반 만 남기고 가져가시오. 하지만 포도주는 없소."
"포도밭이 있는데, 포도주가 없다는 게 말이 됩니까?"
"남아 있는 게 없소."
"정말 없단 말인가?"
"왜 그러는 거요? 포도주는 한 방울도 없소."

70여 명의 제자가 민중들을 한 무리씩 맡아 함께 앉았다. 한 제자가 예수에게 도시락을 바쳤다. 그는 그것을 높이 들고 기도했다. 제자들이 마차에서 음식을 내려 민중들에게 나눠주었다. 모두 배불리 먹고 적잖은 양이 남았다.

"스승님은 우리의 왕입니다." 민중들 가운데 한 사람이 일어나 큰 소리로 말했다. "어떤 임금이 우리의 스승님만큼 어질겠습니까? 스승님은 우리의 왕입니다."

그러자 여기저기에서 민중들이 '옳소! 우리의 임금님 예수!'라고 외쳤다. 모두가 일어서서 두 손을 높이 들고 '임금님 예수!'라고 소리쳤다.

예수는 두 손으로 얼굴을 가리고 있었다. 그들의 외침은 더욱 거세졌다. 마침내 그가 일어나 왼손을 들었다. 민중들은 일제히 그를 바라보았다.

"하느님이 여러분들을 데려오라고 나를 보냈습니다. 나는 하느님의 일꾼이고, 사람의 아들입니다. 이제 여러분이 거처하는 곳으로 돌아가십시오."

예수는 제자들에게 민중들을 흩어 보내라고 했다. 하지만 그의 말에 따르는 제자가 하나도 없었다. 유다는 민중들 한가운데로 걸어갔다. 이참에 그들을 선동하면, 군대를 만들 수 있다. 그들이 칼을 잡으면, 군단이 하나 생긴다.

"유다는 내게로 오고, 제자들은 어서 사람들을 흩어 보내시오."

예수가 꾸짖듯이 말했다.

수십 명의 제자들이 양떼를 내몰 듯 민중들을 몰아냈다. 날은 저물고 산은 정적에 휩싸였다. 예수와 제자들은 아름드리나무와 바위를 찾아 등을 기댔다.

유다는 마차에서 항아리를 내리고 마개를 열었다. 시큼한 냄새가 났다. 그때 예수가 다가왔다.

"양식을 구하느라 힘들었을 텐데, 아직도 잠을 자지 않고 있구나."

"이것 좀 마셔 봐, 무슨 맛이 나는지."

예수는 그릇을 받아들고 들이켰다.

"이거 포도주가 아니냐, 조금 시지만 마실 만한데 어디서 구했느냐?"

"로마식 빌라에서 가져온 거야. 자식이 포도주는 한 방울도 없다고 하더라고. 그런데 이게 포도주란 말이지?"

"그곳에선 포도주를 팔지 않는다. 허 참, 너 이걸 강탈해 왔구나."

"돈을 줬는데, 뭔 소리야? 팔라고 할 때 순순히 내놓았으면, 두들겨 맞지는 않았지. 아무튼 맛이 기가 막히네."

"목에 걸려서 잘 넘어가질 않는구나."

"거짓말하지 마, 포도주가 목에 걸릴 리가 있나."

그들은 밤이 늦도록 포도주를 마셨다. 그가 계속 농담만 하자, 예수가 정색하고 물었다.

"재판이 어떻게 되었는지 말해 다오."

"피고가 부재중이라 판결하지 않겠다고 했어. 대신 은 30개를 현상금으로 내걸고 수배령을 내렸어."

"현상금을 많이도 걸었구나. 허 참, 은 30개를 받으려고 나를 잡아갈 사람이 있을까?"

"성전에는 쓸 만한 놈이 하나도 없어. 변론을 준비하면서 깨달은 것이 있어."

"그게 무엇인지 궁금하구나."

"우리에게는 본래 아브라함과 야곱의 신앙이 있었는데, 그것은 자유로운 것이었어. 그런데 모세가 나타나서 그것을 성막과 율법 속에 가둬 버린 거야. 그는 하느님을 성막 안에 가둬놓고, 백성들을 율법으로 옭아맸어. 거기에서 성전 체제의 싹이 튼 거야. 하지만 성막은 너무 작고, 제사장들이 들고 다닐 정도니까 볼품이 없었지. 이집트의 신전들에 비하면 얼마나 초라해? 그래서 다윗이 한탄했고, 솔로몬이 예루살렘 성전을 지은 거야."

"훌륭하다. 그런데 모세가 진정 그런 의도로 성막과 율법을 만들었을까?"

"백성들은 모세가 왕이 되려 한다고 비난했고, 모세는 자기를 비난한 사람들을 모두 죽였어. 토라에는 주님이 그들을 죽였다고 써 있는데, 주님이 백성을 죽일 리는 없잖아."

"너는 지금 모세가 토라를 자기 입맛대로 썼다고 말하고 있는 거야."

"바로 말했어. 알렉산드리아에 있을 때, 창세기와 탈출기를 헬라어로 외웠는데, 내가 암기만 했겠어? 잘 외워지지 않을 때마다 생각을 깊이 하게 되더라고. 처음에는 야훼가 모세를 위해서 율법을 만든 게 아닐까 생각했었어."

"너는 어떻게 생겨 먹은 인간이기에 그런 생각까지 하는 거냐?"

"토라가 어떻게 말하는지 생각해 봐. 모세가 자기의 생각을 야훼에게 말하면, 야훼가 모세의 말을 앵무새처럼 따라하는 것 같지 않아? 토라에는 모세가 자신의 권세를 아무도 트집 잡지 못하게 끼워 넣은 말이 수두룩해."

"많이 연구했구나. 네 말이 맞다."

"형, 멀리 도망가. 인도까지 가면 안전할 거야."

"그것은 아버지의 뜻을 거스르는 거야. 때가 되면 나는 그들과 싸울 거야."

"형 혼자서 싸울 수는 없어. 오늘 민중들이 형을 왕으로 세우려고 했는데, 왜 거절했어?"

"내가 한 말을 벌써 잊었느냐? 하느님 나라에는 왕이 없다."

"지금 그 이야기가 아니잖아. 민중들을 모아서 군단을 만들고, 성전 당국과 로마 제국을 공격하자는 거야."

"네가 나와 함께한 세월이 얼마냐? 그런데도 너는 여전히 폭력에 의존하고 있어."

"내가 의존하는 것은 폭력이 아니라 강한 힘이야. 힘이 약하면, 어떻게 성전 당국과 싸우고, 어떻게 로마 제국을 이 땅에서 몰아내?"

"더 이상 말하지 않겠다. 너는 지금 진리에서 너무 멀리 떨어져 있다."

무더위가 기승을 부리는 가운데 유다는 바쁜 나날을 보냈다. 여름이 되면서 다락집을 찾아오는 사람들이 늘어나, 다락집의 너른 마당도 좁았다. 그래서 도시락을 쌌는데, 그것을 받기 위해 사람들이 줄을 섰다. 그 줄이 카이아파스의 저택까지 이어지자, 그가 양식을 보내 줬다.

마하보는 병력이 꾸준히 늘어 200여 명에 육박했다. 그들은 한 달에 한 번 정도는 부자들을 털어 생계비를 벌었다. 우선 만만한 부자를 점찍어 놓고, 일주일가량 동태를 살피다가, 적당한 때에 저택에 잠입하여 재물을 강탈했다.

바라빠는 대장간을 잘 운영했다. 무기를 만들어 성전 경비대와 유대 총독에게 납품하고, 이익금으로 마하보 전사들이 사용할 무기를 만들었다.

여름이 막바지로 치닫던 날 사울이 찾아왔다.

"카이아파스 각하가 예수의 일로 당신과 의논하자고 합니다."

"그를 체포하지 못했는가?"

"그를 따르는 무리가 많아서 그냥 돌아왔습니다. 성전 경비대는 제사장이나 레위인들이 대부분인데 그들이 무엇을 할 수 있겠습니까? 나는 그때 예수라는 사람을 처음 봤습니다."

"유대 현자의 눈에 그가 어떻게 보이던가?"

"군중들이 많아서 그에게 가까이 갈 수가 없었으니, 사실 봤다고 할 수도 없지요. 다만, 이야기 하나를 들었는데, 그가 무슨 의도로 그런 이야기를 했는지 짐작하기 어려웠습니다. 나는 그것을 '날강도 청지기'라고 제목을 붙였는데 들어보겠습니까?"

유다는 날강도라는 말이 신경에 거슬렸다.

"말해 보게."

"어떤 청지기가 주인의 재산을 마구 낭비했고, 주인이 그것을 알아챘습니다. 해고당할 거라는 생각에 청지기는 눈앞이 캄캄했습니다. 빚진 자들 가운데서 살아가야 하는데, 지금까지 몹쓸 짓을 많이 했기 때문에 따돌림을 당할까 염려했습니다. 그는 빚진 자들을 불러 채무 증서를 가져오라 하고, 부채를 반 넘게 줄여 줬습니다. 그런데 이 일을 알게 된 주인이 청지기를 꾸짖지 않고, 도리어 일을 지혜 있게 했다고 칭찬했습니다. 예수가 제자들에게 물었습니다. 그들이 청지기를 영접하겠습니까?"

"제자들이 답변하지 못했겠군. 혹시 이렇게 생각해 본 적 있나? 불의한 일로라도 친구를 만들어라. 그러면 후일에 그가 너를 도와줄 것이다."

"그건 너무 유치합니다. 구태여 이야기를 만들어서까지 전할 내용은 아니지요."

"이솝의 우화에서처럼 교훈을 찾으려고 하니까, 유치한 것만 듣는 것이다. 액면 그대로 들으면, 그가 불의를 고발한다는 것을 알게 될 것이다."

"그가 어떤 일을 고발한 것입니까?"

"부자가 어떻게 재물을 모으는가? 다른 사람들을 착취하지 않고는 부자가 되기 어렵다. 주인은 그렇게 해서 부자가 됐고, 청지기는 딴 주머니를 찼다. 주인은 크게 악하고, 청지기는 덜 악할 뿐, 모두 착취하는 자들이다."

"핵심은 그게 아니라, 청지기가 자기 마음대로 빚진 자들의 채무를 줄여 줬는데, 주인은 오히려 그것을 칭찬했다는 거 아닙니까?"

"빚진 자들이 왜 빚을 갚지 못하고 있나? 원금에 이자가 붙어서 큰돈이 됐기 때문이다. 그런데 전액은 아니지만, 청지기가 빚을 갚을 수 있게 만들어 주었다."

"주인이 겨우 그만한 것에 칭찬까지 한다는 말입니까?"

"원금이야 오래전에 회수했고, 이제 얼마간의 이자를 또 받았다. 그 돈을 다시 굴릴 수 있게 됐으니, 칭찬할 만하지 않은가? 예수는 부자가 가난한 자를 어떻게 착취하고 있는지 보여주고 있다."

"놀랍습니다."

"날강도 청지기라고 했는데, 예수를 겨냥한 말인가?"

"날카롭군요. 사실 그가 하는 말들이 십일조와 봉헌물을 바치지 말라느니, 빚을 탕감해 주라느니 하잖습니까. 그게 날강도가 아니면 뭡니까?"

"빚이 어떻게 생겨났는가, 빚을 내서 십일조와 봉헌물을 바쳤기 때문이 아닌가? 날강도는 예수가 아니라 성전 당국이다. 자네는 아까운 사람이다. 무얼 바라고 성전 당국의 주구 노릇을 하는가?"

"나는 바리사이파의 일원으로서 율법이 제대로 지켜지기를 바랍니다. 성전 당국은 내게 생계 수단일 뿐입니다. 사흘 뒤 오전에 카이아파스의 저택으로 오십시오."

현직 대제사장의 응접실에서 세 사람이 만났다. 카이아파스가 한 편에 앉고, 반대편에 유다와 솔로몬이 자리를 잡았다. 카이아파스가 유다를 바라보며 말했다.

"자네의 변론은 아주 훌륭했다. 하지만 예수를 법정에 출석시켜야 유무죄를 판결할 텐데, 그를 체포하기가 너무 어렵다. 좋은 방법이 있으면 말해 보라."

"유대 총독에게 체포해 달라고 요청하면 어떻겠습니까?"

"벌써 요청했었다. 하지만 그는 갈릴리 사람을 체포하기 위해 병력을 출동시킬 수 없다고 했다."

"유대 총독이 거부했다면, 그것은 황제의 뜻이라고 봐야 합니다."

"황제는 무엇보다 안정을 원하고 있다. 설마 황제가 폭동이 일어나길 바라겠는가?"

"그를 체포하여 어떻게 할 작정입니까?"

"대공회 의원들의 결정에 따를 것이다."

"도움을 드리고 싶으나 제가 할 수 있는 일은 없군요."

"각하, 안티파스에게 도움을 요청하는 길밖에 없는 것 같습니다. 제가 각하의 요청서를 갖고 티베리아스로 가겠습니다." 솔로몬이 말했다.

0015년에서 0022년까지 로마에서

"어리석은 자가 왕이 되면,
백성들이 고단하고 왕좌도 지키지 못한다."

• • •

필라투스의 아내를 보고 유다는 숨이 멎었다. 그녀는, 그가 사자를 잡으러 가게 만들었던, 클라우디아였다. 멍청하게 서 있는 유다의 어깨를 치며 필라투스가 말했다.

"알렉산드리아에서 총사령관님을 찾아온 촌놈이 있다고 했더니, 이 사람이 자네를 안다는 거야. 어릴 적에 서로 좋아했는데, 자네가 사자를 잡으러 간 후 돌아오지 않았다나?"

"클라우디아 님이 좋은 분과 결혼했군요. 늦었지만 축하드립니다."

"사자를 잡긴 했나요?"

"잡기는커녕 오히려 암사자에게 잡힐 뻔했지요. 겨우 살아서 여기까지 온 겁니다." 유다는 허리에 뱀을 두른 여신을 떠올렸다.

"나폴리 대회에서 3관왕을 했다니 대단합니다."

"전에 말했잖습니까? 로마인보다 유대인이 우수하다고."

그들은 한바탕 크게 웃은 다음 식당으로 갔다. 식탁에 음식이 정갈하게 차려져 있었다.

"무엇 때문에 총사령관님을 만나려는 거예요?"

"총사령관이 황제의 친아들인 드루수스가 맞나요? 난 그가 부른다고 해서 로마에 온 겁니다."

"아하, 그렇군요. 곧 좋은 일이 있겠군요."

"클라우디우스는 잘 있습니까?"

"오빠는 아프리카 군단에서 고급병사로 복무하고 있어요."

오랜만에 만난 두 사람을 위해서인지 필라투스는 말없이 음식만 먹었다. 그녀는 유다에게 이것저것을 물어보고는 자러 갔다. 마침내 필라투스가 입을 열었다.

"근위대장이 자네를 총사령관님에게 동성애 상대로 바치려고 했다. 그는 자네가 오고 나서야 보고했는데, 그분이 관심을 보이지 않은 것이다."

"근위대장이 미친놈이군요."

"어허, 말조심하라. 기왕 로마에 왔으니까 이곳에서 성공하든지, 돌아가서 공부를 계속하든지 하라."

"돌아갈 수는 없습니다. 빨리 달리고 높이 뛰고 쇠몽둥이를 잘 휘두르는데, 근위대에 들어갈 수 있습니까?"

"이탈리아 출신이 아니면 아예 지원을 못 한다. 로마에 머물면서 무얼 할 건지 생각해 봐라. 내가 도울 수 있는 일이 있으면 돕겠다."

주님을 떠나서는 아무 일도 성공하지 못한다는 어머니의 유언을 기억하고, 유다는 로마에 오자마자 유대인 회당부터 찾아갔다. 회당장이 좋은 셋집과 노예들을 구해 주었고, 그때만 해도 살림살이가 넉넉했었다. 그러나 황제의 친아들은 만나지도 못한 채 한 달이 훌쩍 지나갔고, 돈은 바닥이 났다. 수입이 전혀 없이 알렉산드리아에서처럼 살았기 때문이다.

회당장의 도움을 받으며 기다리고 있다가, 겨우 만난 게 근위대 병사인 필라투스였다. 그는 험상궂은 얼굴에 목소리마저 걸걸하여, 유다는 절망할 수밖에 없었다. 그러나 필라투스는 바라빠를 연상케 할 만큼 유다에게 호의적이었다.

로마에 가면 출세할 거라는 이집트 장관의 말을 믿었다. 그러나 이제는 출세는커녕 먹고사는 일이 막막했다. 그는 셋집을 정리한 후 거리로 나와 포럼을 걸었다. 차가운 바람이 부글부글 끓는 속을 식혀 주었다.

그는 포럼 주변을 돌아다니며 사람들이 무엇으로 먹고사는지 살펴봤다. 밤에는 선술집에서 지새고, 낮이라도 졸리면 볕이 잘 드는 곳에서 잠을 잤다. 사람들은 아주 다양한 직업을 갖고 있었다. 하지만 대부분 근근이 살아갈 뿐, 돈을 벌어 부자가 될 수 있는 직업은 무역업과 검투사 말고는 없어 보였다. 무역업은 밑천이 필요하지만, 검투사는 쇠몽둥이 하나만 있으면 됐다.

필라투스의 알선으로 검투사 경기업자와 훈련소장을 만났다. 유다는 자유인 2급 검투사로 3년 계약을 했다. 경기업자와 훈련소장의 명령에 복종한다, 명령을 어기면 처형이다, 일주일에 6일 동안 합숙 훈련한다, 경기업자가 상대를 결정한다, 등등의 조건으로 계약하고 계약금을 받았다. 그리하여 다시 셋집을 구하고 여자 노예를 하나만 샀다.

6일 동안의 훈련을 마치고 셋집으로 돌아온 날, 알렉산더가 정원에 불을 밝혀 놓고 있었다. 그의 옆에는 말 두 마리가 허연 김을 내뿜고 있었다.

"주인님, 사흘이나 기다렸지 뭡니까?" 그가 드보라의 대가리를 끌어안으면서 말했다.

"새끼를 낳았구나. 수컷이 맞지?"

"맞아요. 삼손이라고 불러 주세요."

삼손은 멀뚱멀뚱 그를 쳐다보고 있었다. 적갈색 망아지를 생각했었는데, 삼손은 백마였다.

"그런데 왜 하필 삼손이냐?"

"주인님이 걸핏하면 삼손, 삼손 했잖아요."

"하하하, 내 마음을 알고 있구나. 예루살렘 성전을 보고 싶다고 가더니, 무슨 생각으로 이 먼 곳까지 왔느냐?"

"날마다 밤마다 주인님 생각이 나더라고요. 시몬 님이 한숨 쉬는 모습을 보고는 주인님을 찾아가야겠다고 결심했지요."

"아버지는 건강하시더냐?"

"시몬 님은 팔팔하시고, 여기 편지를 가져왔어요."

아버지의 편지는 염려로 가득 차 있었다. 무엇이든 열심히 해서 성공하라고 했다. 돈을 로마 은행으로 부쳤으니 찾아 쓰라고 했다.

"주인님, 이제부터는 저를 마티아라고 불러 주세요. 그게 본래 제 이름이거든요."

"야훼의 선물이라? 좋은 이름이구나."

"고귀한 주인님이 어쩌다가 천한 검투사가 됐습니까? 검투사는 아무리 잘 싸워도 언젠가는 죽거나 불구가 되거든요."

"디아스포라에게 못할 일이 있겠느냐마는, 네 말이 고맙구나. 돈을 웬만큼 벌면 그만두겠다."

유다의 육신은 자신의 기능들을 효율적으로 결합하고, 공간을 새롭게 인식하여 갔다. 선배 검투사들이 수천 번을 연습하여 익힌 기술들을 그는 불과 수십 번에 숙달했다. 상대가 공격하면, 그의 육신이 반격에 유리한 곳으로 움직였다. 그의 귀는 전투 와중에도 뒤에서 나는 소리를 들을 수 있었다.

그는 본 게임 직전에 벌어지는 경기에 처음 출전했다. 트럼펫 소리가 울리고, 병사들이 대기실 문을 열었다. 경기장 한가운데에서 네 명의 검투사들이 관중들을 향해 팔을 흔들고 있었다. 두 검투사는 칼과 방패를 들었고, 한 검투사는 쌍검을, 나머지 한 검투사는 삼지창과 그물을 들었다.

경기 주최자가 소리쳤다. 나폴리 대회의 영웅 아폴론, 열다섯 살의 유대인, 처녀 출전 등의 수식어가 따라붙었다. 관중들은 우우 소리를 질렀다. 그는 머릿속이 하얘지고 숨이 막혀 오는 것을 심호흡으로 진정시켰다.

네 명의 검투사들이 일제히 그를 향해 달려왔다. 쇠몽둥이가 번쩍하면서 두 명의 검투사가 나뒹굴었다. 좌우에서 쌍검과 삼지창이 동시에 그를 공격했다. 그는 자세를 낮추면서 쌍검의 턱에 쇠몽둥이를 밀어 넣고, 몸을 일으키면서 왼발로 삼지창의 불알을 찼다. 쌍검은 얼굴이 반으로 쪼개졌고, 삼지창은 사타구니를 부여잡고 뒷걸음쳤다. 관중들이 일제히 일어나면서 '아폴론, 아폴론!'을 연호했다.

삼지창이 그물을 던졌다. 그는 그물을 잡고 당겼다. 상대는 그물을 놓아 버리고, 삼지창으로 찔러왔다. 그는 피하면서 쇠몽둥이로 상대의 머리를 내리쳤다. 상대는 맥없이 주저앉더니, 사지를 부르르 떨면서 뒤로 자빠졌다.

유다는 투구를 벗고 열광하는 관중들을 향해 포효했다. 그때 갑자기 뒤통수가 근지러웠다. 삼지창이 그의 머리를 찔러왔다. 그는 돌아서며 쇠몽둥이로 삼지창을 쳐냈다. 상대는 삼지창을 놓치고 바닥에 쓰러졌다. 햇빛에 반짝거리는 쇠몽둥이 창날이 그의 머리를 겨누었다. 관중들이 고함을 질렀다.

"죽여! 죽여!"

경기 주최자가 옆에 앉아 있는 귀부인에게 어떻게 하면 좋겠냐고 물었다. 그녀는 끝까지 포기하지 않고 싸웠으니 살려 주라고 했다.

유다는 일주일마다 경기에 나갔고, 나갈 때마다 승리했다. 1급 검투사로 급이 바뀐 그는 본 게임에 출전하게 됐다. 그의 명성이 높아지면서 부잣집 여인들이 그를 불렀다. 그는 유부녀가 아닌 여자들의 부름에만 응했다.

그러던 어느 날, 그는 필라투스의 부름으로 그의 집에 갔다가, 귀부인을 만났다. 그녀는 이집트 사막의 여신을 떠올릴 만큼 매혹적이었다. 필라투스는 두 사람을 서로 소개해 주고 응접실을 나갔다. 그녀는 총사령관의 아내인 리빌라였고, 가슴이 불룩하다 못해 젖통이가 쏟아질 것만 같았다.

"강한 용사가 어쩌면 그렇게 손이 고와요?" 그녀가 그의 손을 잡으며 말했다.

"이 손에 죽은 사람이 한둘이 아닙니다." 그는 손을 살며시 빼며 말했다.

그녀는 눈웃음을 치며 그에게 입술을 내밀었다.

"리빌라 님, 유대인은 유부녀를 사귀지 않습니다."

"유부녀라니요?"

"유대인의 법은 유부녀와 간통하면 돌로 쳐 죽이라고 합니다. 그래서 유대인은 아가씨만 사귑니다."

"역겨운 놈."

그녀가 응접실을 나가고, 조금 후에 필라투스가 들어왔다.

"아따, 이 사람, 여자가 원할 때는 안아 줘야지."

"난 유부녀는 싫습니다. 고결한 분이 왜 그런 행동을 했는지 모르겠습니다."

"고결한 여자가 검투사 따위를 거들떠보기나 하겠나? 어쨌든 오늘 일에 대해서는 함구하게."

경기업자가 갈리아 지역의 님 경기장과 아를 경기장으로 원정경기를 가자고 제의했다. 그 지역에서는 검투사 경기를 혐오하는 황제를 신경 쓸 필요가 없고, 보수도 훨씬 많다고 했다. 유다는 총사령관의 아내를 떠올리며 잠시 로마를 떠나기로 했다.

님 경기장에서는 세 번의 경기를 무난히 치렀다. 불구가 된 검투사도 있었지만, 아무도 죽지는 않았다. 그러나 아를 경기장에서는 관중들의 열기로 경기가 과열되었다. 네 번의 경기에서 검투사 다섯 명이 죽었고, 나머지는 불구가 됐다.

경기업자가 유다에게 자기의 농장으로 가 당분간 휴식을 취하라고 했다. 그 농장은 아를 경기장에서 멀지 않은 어촌에 있었다. 그는 태어나서 그처럼 아름다운 곳을 본 적이 없었다. 농장 한가운데에 커다란 연못이 자리를 잡았고, 앞을 바라보면 진한 파란색 바다 위로 하얀 구름이 이불처럼 드리웠다. 뒤로 돌아서면 소나무와 전나무가 산 아래에서부터 꼭대기까지 빽빽하게 들어찼다.

유다가 감탄을 연발하자, 경기업자가 그 농장을 사는 게 어떠냐고 했다. 검투사가 돈을 벌기에는 아를 경기장만 한 곳이 없고, 검투사를 은퇴한 후에도 아를 농장에서 나오는 수입만으로 살아갈 수 있다고 했다. 그는 계약서에 서명하고, 모자라는 돈은 경기를 치르면서 갚기로 했다.

사투르날리아[50] 축제가 한창일 때, 유다는 필라투스를 찾아갔다. 아를 농장에서 가져온 포도주를 선물했다.

"그동안 고마웠습니다."

"나는 자네가 죽지 않고 살아 있는 것만도 고맙단다. 나도 선물을 준비했지."

하녀가 그에게 토가를 입혀 주고, 아트리움 한구석에 있는 청동 거울을 보게 했다.

"이제 열흘만 있으면 자네가 16세가 되잖나? 로마에선 16세가 되면 토가를 입는다."

"이 은혜를 무엇으로 갚아야 할지 모르겠습니다."

"자네와 피로 맹세한 형제가 되고 싶은데 어떤가?"

"필라투스 님 같은 분을 형으로 삼는 건 내게도 영광입니다."

그들은 팔뚝에서 피를 뽑아 포도주와 섞었다. 필라투스가 잔을 높이 들고 말했다.

"내 조상의 명예를 걸고 맹세한다. 지금부터 영원히 유다는 내 동생이다. 유다의 친구는 나의 친구고, 유다의 원수는 나의 원수다."

유다는 야훼의 이름으로 맹세하고, 피를 탄 포도주를 마셨다.

---

[50] 농신제인 이 축제 기간(12월 17일부터 23일까지 일주일)에는 모든 공무가 정지되고, 형벌의 집행도 연기되며, 친구끼리는 선물을 주고받고, 노예에게는 특별한 자유를 베풀었다. 크리스마스가 이 축제를 모방했다는 설이 있다.

세야누스의 초청으로 유다는 플라미니우스 경기장에서 열리는 검투사 경기에 출전하게 됐다. 그것은 최고사령관과 총사령관[51]이 공동으로 주최하는 경기라, 규모가 엄청나고 상금도 많다고 했다.

그는 대기실에서 경기장을 내다보았다. 필라투스의 영향력으로 그는 입장식에 참여하지 않아도 되었다. 10만 명을 수용할 수 있는 관중석 네 개 층이 꽉 찼다. 트럼펫 소리가 울리면서 사령관 복장을 한 자가 맨 아래층에 있는 특별석에서 일어났다. 그는 티베리우스 황제의 건강과 안녕을 빌고, 관중들에게 경기를 마음껏 즐기라고 했다. 관중들의 박수 소리에 관중석이 떠나갈 듯했다.

다시 한 번 트럼펫 소리가 울리고, 본 게임에 출전할 검투사들이 보조를 맞추면서 입장했다. 그들의 행렬이 경기장 이쪽에서 저쪽까지 끝없이 이어졌다. 코끼리와 사슬에 묶인 사자와 곰과 표범 들이 입장하고, 짐승들과 싸울 남녀 투우사들이 뒤따라 들어왔다. 큐피드처럼 차려입은 어린아이들이 복권이 달린 화살을 관중석으로 쏘아 댔다.

박수 소리가 울려 퍼지자, 본 게임에 출전할 검투사들이 특별석을 향하여 경의를 표했다. 관중들의 함성에 경기장이 들썩거렸다. 그들은 경기장을 천천히 돌아다니며 울퉁불퉁한 근육을 뽐냈다. 곳곳에서 여자들이 소리를 지르며 그들의 몸을 만졌다.

경기 진행자가 일어나 '드루수스 총사령관님이 빵과 포도주를 제공합니다.'라고 외쳤다. 관중들이 손뼉을 치며 감사를 표했다. 본 게임에 출전할 검투사들이 퇴장하고, 남녀 투우사들이 짐승들과

---

51 총사령관은 한 지역의 군단들을 지휘하는 직책이고, 최고사령관은 로마군의 통수권자로 황제의 권한이었다. 그러나 티베리우스 황제는 그 직책을 게르마니쿠스가 공동으로 맡도록 했다.

경기를 했다. 유다는 대기실 벽에 달라붙어, 눈을 감고 호흡을 가다듬었다.

그가 눈을 떴을 때, 남녀 투우사들이 경기장을 돌면서 관중들에게 인사를 하고 있었다. 경기장 한가운데서는 짐승들의 사체를 치우느라 바빴다. 발가벗은 소녀들이 춤을 추면서 장미 꽃잎을 여기저기에 뿌리고, 허리에 남근상을 묶은 난쟁이들이 재주를 부리면서 돌아다녔다. 트럼펫 소리가 울리면서 경기 진행자가 일어섰다.

"로마 시민 여러분, 이제 조금 후면 1,000명의 검투사가 죽을 때까지 싸웁니다. 검투사 하나가 999명의 적을 상대로 싸우는 겁니다. 마지막에 살아남은 검투사에게 상금과 함께 자유를 줍니다."

관중들이 함성을 질렀다.

"시민 여러분, 말씀을 잘 들어 보십시오. 1,000명의 검투사 중에서 자유인 검투사가 150명입니다. 그런데 자유인 검투사가 우승하면 어떻게 됩니까? 자유인에게 자유를 줍니까?" 관중들의 웃음소리가 경기장을 뒤흔들었다. "노예 검투사가 우승하면, 드루수스 총사령관님이 20만 세스테르스와 함께 자유를 줍니다. 만일 자유인 검투사가 우승하면, 게르마니쿠스 최고사령관님이 40만 세스테르스를 주고 기사로 임명합니다."

관중들이 손뼉을 치면서 '40만! 카이사르!'를 연호했다.

"시민 여러분, 지금 나누어 드리는 빵과 포도주는 게르마니쿠스 최고사령관님이 제공한 것입니다. 맛있게 드시고 최고사령관님의 건강과 영광을 위해 빌어 주기를 바랍니다."

검투사 대기실로 유다에게 도시락과 포도주 항아리가 배달되었다. 도시락에서 파피루스 조각이 튀어나왔다.

〈당신을 살해하기 위해 실력자 100명이 투입됐다고 합니다. 그들의 무기에 뱀독을 발랐다고 하니 조심하시오.〉

그는 빵과 함께 파피루스 조각을 씹고 포도주로 넘겼다. 이런 쪽지를 보낼 사람은 필라투스 말고는 없다. 경기를 포기하려면 위약금을 물고 아를 농장으로 가면 된다. 그러나 농장을 사느라 돈을 많이 썼고, 아직도 잔금이 남아 있었다. 할아버지의 목소리가 들려왔다. '삼손만큼 돼라.' 마티아가 쇠몽둥이로 바닥을 치며 말했다.

"까딱하다가는 주인님이 죽겠어요."

"내가 죽으면 아버지에게 전해라. 한순간도 아버지를 잊은 적이 없다고."

병사들이 문을 열고 유다를 경기장으로 내몰았다. 그는 두려움이 머리끝까지 차올라 꼼짝도 하지 않고 서 있었다. 쇠와 쇠가 부딪치는 소리에 정신이 아득했다. 큰 칼이 그의 머리를 향하여 날아왔다. 그때부터 그의 쇠몽둥이가 춤을 추기 시작했다. 한 명, 두 명, 세 명, 초원의 관목들이 낫질에 베어지듯, 검투사들이 쇠몽둥이를 맞고 쓰러졌다.

숨이 가빠오자, 그는 무리를 빠져나가 관중석을 향하여 뛰었다. 담벼락에 몸을 붙이고 앞을 바라보았다. 셀 수 없이 많은 검투사가 신음을 토하며 바닥에 쓰러져 있었다. 30여 명의 검투사가 타원형 모양으로 그를 향하여 몰려왔다.

그는 그들을 향하여 뛰어갔다. 쇠몽둥이가 번쩍하면서 무리의 중앙에 있는 검투사들이 쓰러졌다. 그는 다른 검투사들의 한가운데로 뛰어들었다. 검투사들이 하나둘 그에게 달려들기 시작했다. 쇠몽둥이가 쉭쉭 소리를 내면서 빙글빙글 돌아갔다. 햇빛이 창날에 반사되어 번쩍번쩍할 때마다, 검투사들의 투구와 무기들이 날아갔다. 50여 명의 검투사가 그를 에워쌌다.

그는 쇠몽둥이를 지렛대 삼아 뛰어올라 방패를 딛고, 공중을 날아 포위망을 벗어났다. 바닥에 내려서자마자 몸을 돌려 쇠몽둥이를 휘둘렀다. 그들의 투구가 머리와 함께 쪼개지고, 그들의 방패가 몸뚱이와 함께 갈라졌다. 그는 무리의 중앙을 돌파한 후에 다시 몸을 돌려서 공격했다. 그는 두 팔이 저렸고 목이 탔다. 투구 속으로 땀이 흘러 눈을 쏘았다.

그는 투구를 벗어 던졌다. 갑자기 윙 하는 소리가 나면서 머리가 서늘했다. 그는 재빨리 뒤로 물러났다. 간발의 차이로 도끼가 그의 발 앞에 박혔다. 좌우에서 칼과 창이 그의 옆구리를 찔러 왔다. 쇠몽둥이로 바닥을 밀면서 몸을 뒤로 빼 가까스로 피했다. 좌우에서 달려들던 자들이 서로 부딪쳤다. 찰나 그의 등에 칼이 박혔다. 그는 손을 뒤로 돌려 칼을 뽑았다.

네 명이 그를 향해 무기를 겨누고 있었다. 길지 않은 시간에 죄다 죽고, 다섯 명이 살아 남은 것이다. 두 명은 칼과 방패를 들었고, 두 명은 방패 없이 각각 창과 쌍도끼를 들었다. 그는 팔뿐만 아니라 다리까지 저렸다. 그의 등에서 피가 흘러 엉덩이로 흘러내렸다. 그 와중에 오줌이 정강이를 타고 쏟아졌다. 쌍도끼를 든 자가 킬킬댔다.

그의 몸이 쌍도끼를 향해 날아가고, 쇠몽둥이가 그자의 목을 꿰뚫었다. 창을 든 자가 그의 등을 찔러 왔다. 쇠몽둥이를 당기면서 옆으로 피했지만, 이미 창날이 그의 등으로부터 왼쪽 가슴을 뚫고 나왔다. 쇠몽둥이가 그자의 머리를 내리쳤다. 그자는 머리가 쪼개지면서 쓰러졌다. 그 순간을 노려 나머지 둘이 그에게 달려들었지만, 그들의 칼은 허공을 찔렀다.

검투사 둘이 방패로 몸을 가리고 칼로 그를 겨눴다. 가슴에 엄청난 고통이 밀려왔다. 이제 죽는구나! 하고 입술을 깨무는데, 할아버지의 목소리가 다시 들렸다. '삼손만큼 돼라.'

그는 뒤뚱거리면서 뛰어가 오른쪽에 있는 자의 머리를 내리쳤다. 방패가 부서지면서 방패를 든 팔까지 잘렸다. 왼쪽에 있던 자가 방패를 던지고, 두 손으로 칼을 잡고 그의 머리를 내리쳤다. 쇠몽둥이가 상대의 목을 뚫었다. 팔이 잘린 자가 한 손으로 칼을 쥐고 몸을 던졌다. 그는 옆으로 피하면서 상대의 등을 주먹으로 쳤다. 상대는 바닥에 엎어졌다. 그는 쇠몽둥이로 상대의 머리를 겨누고, 특별석을 바라보았다. 그러나 총사령관은 딴 데를 쳐다보고 있었다. 그는 쇠몽둥이로 상대의 목을 쳤다. 그것으로 검투사 1,000명의 '너죽고 나살기' 대회가 끝났다. 그는 잘린 머리를 쇠몽둥이 창날에 꿰어 들고 포효했다. 관중들은 함성 없이 손뼉만 쳤다.

총사령관이 호위병들을 거느리고 경기장으로 내려왔다. 유다도 그를 향해 절뚝거리면서 걸어갔다. 총사령관이 그에게 월계관을 씌워 주자, 그는 다시 한 번 포효하며 관중들을 바라보았다. 이번에는 관중들이 함성을 지르며 환호했다. 총사령관은 호위를 받으며 특별석으로 향했다. 유다는 갑자기 이는 분노에 입술을 부르르 떨며 총사령관, 아니 드루수스를 향해 투창 자세를 취했다. 어느새 경기장으로 들어온 마티아가 쇠몽둥이를 잡아채며 말했다.

"주인님! 무슨 짓을 하려는 겁니까!"

유다는 가슴으로 튀어나온 창날을 잡고 대기실로 들어갔다. 마티아는 그의 등에 박힌 창대를 잡고 울었다. 훈련소장과 교관이 겁에 질린 눈으로 그 광경을 바라보았다. 그때 토가를 입은 사람이 두리번거리며 들어왔다. 그들은 일제히 그를 쳐다보았다.

"위대한 아폴론이여, 당신은 뱀독을 묻힌 칼에 상처를 입었습니다." 그가 커다란 유리병을 품속에서 꺼냈다. "가슴에 박힌 창을 뽑고, 이것을 상처에 바르시오."

"천한 검투사에게 은혜를 베풀다니, 당신은 누구입니까?"

"나는 루키우스 안네우스 세네카라고 합니다."

"신동으로 명성이 자자한 분 아닙니까? 감사합니다."

"독을 이겨내야 살 수 있습니다. 이것은 에트로그 기름인데, 뱀독에 효과가 좋다고 합니다. 뭣들 하고 있나? 가슴에서 창을 뽑아라."

"마티아, 어서 창을 뽑아라. 세네카 님이 파피루스를 보냈군요."

"님 경기장에서 당신을 처음 보고 아를 경기장까지 따라갔었습니다. 친구를 통해 이번 경기에 음모가 있다는 걸 알았습니다."

교관이 그에게 재갈을 물리고, 톱으로 창대를 잘랐다. 톱질에 가슴이 뭉개지는 것 같고, 진동이 머리를 흔들어 정신줄이 오락가락했다. 교관은 창날의 끄트머리에 줄을 감고, 마티아와 훈련소장에게 유다의 두 팔을 하나씩 붙들라고 했다. 그는 유다의 가슴에 발을 대고, 줄을 확 잡아당겼다. 잘린 창대가 창날과 함께 단번에 뽑혔다. 유다는 데굴데굴 구르고 싶은 것을 간신히 참았다.

"이렇게 끔찍할 수가! 이제 됐습니다. 어서 포도주로 씻어내고 기름을 발라라." 세네카라는 사람이 말했다.

유다는 셋집에서 포도주 두 항아리를 마시고, 앉은 채로 잠을 잤다. 밤 늦게 필라투스가 왔다. 그는 처연한 눈길로 유다를 바라보며 말했다.

"난 그렇게 끔찍한 경기를 처음 봤어."

"난 싸우느라 그놈의 경기가 어떤 모습일지는 생각조차 못 했어. 얼마나 끔찍했는데?"

"그건 경기가 아니라 대학살극이었어. 청군과 백군이 없는 경기에서 관중들이 누구를 응원할 수 있었겠느냐? 곳곳에서 신음과 비명을 질러 대고, 여자들은 아예 눈을 가리고 울었어. 재미라고는 하나도 없는 경기였어."

"어쩐지 내가 포효했을 때, 환호가 없었어. 드루수스란 놈이 끔찍한 경기를 창안했단 말이지?"

"세야누스의 작품일 수도 있지. 아무튼 창이 네 몸을 관통했을 때, 나는 미쳐버릴 것 같았다. 미안해. 내가 너를 도와주지 못했어."

"근위대 병사가 무엇을 할 수 있겠어?"

"무슨 일이 터질지 모르겠다. 차라리 브리타니아[52]로 도망쳐라."

"40만 세스테르스를 받아야지. 검투사 999명의 목숨값이야."

"그렇잖아도 세야누스가 네게 명령서를 보냈어. 모레 오전 10시에 마르켈루스 극장에서 네게 40만을 주고 기사로 임명하겠단다."

"이번에는 어떤 음모가 있을까?"

"그 극장은 좁아서 1,000명을 투입하지는 못해."

"그걸 농담이라고 하는 거야? 난 지금 한 명도 못 이겨."

다음 날, 유다는 마카비12형을 연마했다. 한 차례 연마하고는 쉬

---

52 현재 영국의 그레이트 브리튼섬으로, 서기 30년 무렵에는 로마 제국으로부터 자유로웠다.

고, 쉬고 나서는 또 연마하기를 계속했다. 통증이 점점 가라앉고, 마비가 조금씩 풀렸다. 저녁 무렵에는 마카비12형을 제대로 시연할 수 있었다.

극장 입구에서 병사들이 유다의 쇠몽둥이를 뺏으려 했다. 유다는 마티아에게 쇠몽둥이를 맡기고 홀로 극장으로 들어갔다. 무대에는 탁자와 의자 세 벌이 마련되어 있었고, 관객석에는 50여 명의 군인이 늘어서 있었다. 그들 중 10여 명은 백인대장 복장을 하고 있었다. 그는 그들에게서 멀찍이 떨어져 관객석에 앉았다.

몇몇 사람들이 무대로 걸어 들어왔다. 맨 앞에 있는 사람은 온화한 인상에 토가를 입은 모양이 마치 아우구스투스를 보는 듯했다. 그는 가운데에 있는 탁자로 가서 의자에 앉았다. 드루수스가 그의 오른편에 앉았고, 세야누스는 그들 옆에 섰다. 필라투스가 양피지 다발을 세야누스에게 받들어 올렸다. 그는 그것을 탁자에 놓고 소리쳤다.

"유다! 이리로 오라."

그는 부러 절뚝거리며 걸어가 탁자 앞에 섰다.

"최고사령관님이 자네에게 상금을 주고 기사로 임명할 것이다. 그러기 전에 너는 황제 폐하에게 충성을 서약해야 한다. 이것을 크게 소리 내어 읽어라."

그는 양피지 한 장을 받아 들고 읽었다.

"나는 기사 임명을 받기에 앞서 ……."

그는 '나와 내 민족이 섬기는 신보다 티베리우스 황제를 더 사랑할 것을 서약한다.'라는 문장을 읽을 수 없었다. 그는 최고사령관을 향해 소리쳤다.

"기사 임명을 받지 않겠습니다."

"황제 폐하께 반역하겠다는 것이냐?" 세야누스의 입언저리가 회심의 미소로 번졌다.

"유대인은 율리우스 카이사르에서부터 지금까지 황제에게 충성 서약을 하지 않아도 된다고 허락받았습니다."

"황제 폐하에게 충성을 서약하지 않는 기사는 모두 반역자다."

"이 서약문은 내 민족을 배신하라는 것입니다. 내 민족을 배신한 사람이 나중에 로마 황제를 배신하지 않으리라 생각합니까?"

세야누스의 얼굴이 붉게 물들었다. 가늘게 뜬 눈이 독을 품은 뱀처럼 사악했다.

"이놈이 999명과 싸워 이기더니, 황제 폐하를 우습게 여기는구나. 여봐라. 반역자를 쳐라."

늘어서 있던 백인대장들이 그를 에워쌌다.

'하이에나 같은 새끼! 경기장에서 겨우 살아남았는데 극장에 와서 죽는구나. 그러나 그냥 죽지는 않는다.'

그는 양피지를 내던지고 공중으로 몸을 솟구쳤다. 두 자루의 창이 그의 몸을 향해 날아왔다. 그는 두 손에 하나씩 창을 받아 들고, 관객석 계단으로 내려섰다. 그들은 돌아서며 공격했다. 두 명의 백인대장이 하나는 옆구리에, 다른 하나는 목에 창을 박고 버둥거렸다. 그때 다급한 외침이 극장을 뒤흔들었다.

"동작 그만!"

최고사령관의 호령으로 모두가 그 자리에 얼어붙었다.

"그놈을 포위하고 있어라. 그리고 자네들은 나를 따라오라."

그들은 무대를 떠나 응접실 같은 곳으로 들어갔다. 그의 귀에 최고사령관의 목소리가 들려왔다. 그가 말한 내용은 대략 다음과 같은 것이었다.

나는 언제 어떤 방식으로 검투사 경기가 열리는지 몰랐다. 그런데 내가 10만 관객 앞에서 우승자에게 돈과 명예를 주겠다고 약속한 것이 됐다. 설마 이 일을 황제 폐하가 모를 거로 생각했나? 상처 입은 우승자를 죽이는데 근위대 50명을 동원했다는 말이 퍼지면, 내가 무슨 낯으로 나의 시민들을 대할 것인가? 나는 저놈을 게르마니아로 데려가서 호위병으로 쓰겠다. 휴! 호위병 하나에 40만이라?

필라투스가 셋집으로 찾아왔다. 그는 두 손으로 유다의 머리를 감싸며 말했다.

"이번에는 꼼짝없이 죽을 줄 알았는데, 기어코 살아났구나."

"형이 없었으면 이렇게 재미있는 일도 없었을 거야."

필라투스의 눈에 눈물이 고였다. 유다가 밖을 향해 소리쳤다.

"마티아, 포도주를 가져오고 양고기를 구워라."

그는 항아리를 들어 필라투스의 잔에 포도주를 따라 주었다.

"이제 최고사령관의 호위병이 됐으니, 너의 앞길이 활짝 열린 셈이야."

"게르마니쿠스가 그렇게 대단한 사람이야?"

"그분은 아우구스투스 신의 손자이자 티베리우스 황제의 양아들이야. 드루수스와는 비교할 수 없을 정도로 인품이 고결한 분이지. 그분은 게르마니아에서 전쟁을 벌이고 있는데, 황제 폐하에게 새

해 인사를 왔다가 이런 꼴을 본 거야. 아참, 네 덕택에 내가 백인대장으로 승진했다."

"그럼 여태껏 졸병이었던 거야?"

"백인대장 대우를 받고 있었는데, 자리가 나서 정식으로 백인대장이 된 거지."

"그런데 내 덕택이라니 무슨 말이야?"

"네가 백인대장 둘을 잡았잖아. 옆구리에 창이 박힌 자는 중상을 입었고, 목으로 창을 먹은 자는 죽었어. 그래서 내가 백인대장이 된 거야."

유다는 로마 제국의 최고사령관 앞에서 충성을 서약했다. 그러나 서약문에 야훼보다 황제를 더 사랑해야 한다는 따위의 말은 없었다.

"몸은 어떤가? 40만이 들어간 몸이다."

"다 나았습니다. 최고사령관님의 은혜를 늘 가슴에 새기고 보답하겠습니다."

"흠, 보답이라, 읽고 쓸 줄 아는가?"

"〈갈리아 전기〉를 세 번 읽었고, 지금은 〈사물의 본성에 관하여〉[53]를 읽고 있습니다."

"허허허, 재미있는 녀석이군. 검투사가 에피쿠로스를 읽는다고? 흠, 시간 날 때마다 병영 도서관을 찾고, 두루마리를 항상 끼고 다녀라. 그게 내게 보답하는 것이다. 알겠는가?"

"알겠습니다."

---

53 기원전 1세기에 루크레티우스가 쓴 책. 에피쿠로스학파의 사상을 전해 주는 대표적 자료다.

"곧 전쟁이 시작된다. 카이레아의 백인대에서 복무하라."

카이레아는 호위대의 백인대장으로 몸이 탄탄하고, 고집이 센 사람으로 보였다. 그는 유다의 실력을 시험하겠다며 맨손으로 겨뤄보자고 했다.

겨루기가 시작되자마자, 유다는 카이레아의 정강이를 발로 차 넘어뜨렸다. 그가 벌떡 일어나자 같은 방법으로 또 넘어뜨렸다. 그는 껄껄 웃으며 양손으로 유다를 움켜잡으려 했다. 유다는 재빨리 피하면서 역시 같은 방법으로 그를 넘어뜨렸다. 그것으로 시험은 끝났고, 유다는 합격 판정을 받았다.

카이레아는 복무에 대하여 중요한 것들을 설명해 주었다. 유다는 20년을 복무해야 제대할 수 있다는 말을 듣고 놀랐다. 그것도 규정만 그렇고, 실제로는 30년이 넘어야 제대한다고 했다. 30세가 되면 예루살렘으로 돌아가리라 생각하고 있던 그는 크게 절망했다.

최고사령관이 진격 명령을 내렸다. 총 병력은 8만이었고, 카이레아의 백인대가 그를 호위했다.

게르만족은 전술을 그것밖에 모르는지, 기습 공격과 매복 작전으로 일관했다. 그러나 로마군은 잘 훈련되어 있었고, 전투 장비도 우수하여 적의 공격을 쉽게 물리쳤다.

마침내 게르만족이 전면전으로 나왔다. 게르마니쿠스가 연단에 올라, 자기의 병사들을 향하여 한바탕 연설을 했다. 그러자 적장인 아르미니우스도 질세라 게르만 전사들 앞에서 연설했다. 그는 게르마니쿠스를 조롱하고, 게르만 전사들의 용기를 북돋웠다. 그때 유다는 당차고 자신감 넘치는 아르미니우스를 처음 봤다.

백병전이 시작됐다. 전장은 칼이 부딪치는 소리, 전사들의 고함, 말들이 울부짖는 소리로 가득했다. 유다는 신나게 싸우다가 호위대를 이탈하고 말았다. 그의 눈에 말 몸뚱이에 하반신이 깔려 버둥거리는 아르미니우스가 들어왔다. 그는 말의 고삐를 끌어당기며 말했다.

"아르미니우스, 용을 써 봐라."

그가 안간힘을 쓰며 빠져나오자, 유다는 그를 번쩍 들어 말 등에 태웠다.

"너는 누구냐? 이름을 알려 달라."

"유다라고 한다."

"네 이름을 기억하겠다."

유다는 쇠몽둥이로 말 궁둥이를 힘껏 쳤다. 그는 숲속에 가득한 로마군을 피해 도주했다. 평원은 게르만 전사들의 시체와 무기로 뒤덮였다. 전면전에서 로마군은 압도적으로 승리했다.

게르만 전사들은 연일 매복과 기습 공격으로 로마군에게 타격을 입혔다. 그러나 그들의 기세는 점차 수그러들었다. 아르미니우스는 부상 때문인지 실력을 발휘하지 못했다. 사실상 승부가 결정됐다고 판단한 게르마니쿠스는 병사들에게 약탈을 허락했다. 로마군은 숲속을 뒤져 약탈하고, 어린아이와 여자들과 노인들까지 모두 죽였다.

대승한 게르마니쿠스가 철수를 명령했다. 일부의 군단은 육로를 통해 귀환하고, 대부분은 배를 타고 북해로 나아갔다. 물결도 잔잔

하고 바람도 순풍이라, 게르마니쿠스는 배에서 축제를 벌였다. 그러나 갑자기 우박이 쏟아지고, 사방에서 돌풍이 불었다. 무시무시한 파도에 배가 하늘 높이 올랐다가 떨어지며 병사들을 팽개쳤다. 상당한 수의 배가 부서지고, 많은 병사가 죽었다. 게르마니쿠스조차도 간신히 살아남았다. 승전에 기고만장했던 병사들이 기가 죽어 마치 패잔병처럼 보였다.

그 와중에 게르마니쿠스는 10여 년 전에 몰살당한 바루스 군단의 군기가 가까운 숲에 묻혀 있다는 정보를 입수했다. 그는 실리우스 총독에게 보병 3만으로 적을 공격하라 명령하고, 그 틈에 카이레아에게 군기를 찾으라고 했다. 카이레아의 백인대는 이곳저곳을 파내다가 마침내 군기를 찾았다.

실리우스 총독은 용기백배하여 적들을 공격했다. 로마군은 매복했다가 기습하는 적들까지 격퇴해 버렸다. 다시 학살과 약탈이 시작됐다. 키가 작은 자들은 검으로 머리를 부수고, 키가 큰 자들은 목이나 배를 찌르고, 여자들은 능욕한 후에 죽였다. 눈에 보이는 게르만족은 모조리 살해당했고, 그들의 집은 약탈당한 후 불태워졌다.

로마군은 전쟁에서 만족할 만한 성과를 거두고 주둔지로 향했다. 유다는 승리감에 도취된 병사들처럼 쇠몽둥이를 비껴들고, 노래를 부르며 행군했다. 아버지의 얼굴이 떠오르더니 예루살렘 성전이 가슴을 파고들었다. 기필코 로마군을 몰아내고, 다윗의 영광을 되찾으리라. 그러나 단꿈은 오래 가지 않았다.

행군 대열 안으로 병사 너댓 명이 들이닥치더니 순식간에 그를 체포했다. 그는 얼떨결에 포박을 당하고, 쇠창살로 된 감옥에 갇혔다. 황소 두 마리가 수레 위에 얹힌 쇠창살 감옥을 끌고 갔다. 그는 용변조차도 그 안에서 해결해야 했다. 호위대 백인대장인 카이레아가 수레 위로 올라왔다.

"네가 아르미니우스를 구해 주고 도망치게 했나?"

"어떤 병사가 말 밑에 깔려 있기에 구해 준 것은 맞습니다."

"솔직하게 말해라. 그래야 내가 너를 도와 줄 수 있다. 그가 아르미니우스라는 걸 알고 그랬나?"

"예, 알고 구해줬습니다."

"허, 이유를 말해 보라."

"용사가 허무하게 죽는 걸 모른 척할 수 없었습니다."

"그를 생포했으면 우리의 전쟁도 끝날 수 있었다. 네가 무슨 일을 했는지 생각해 보라."

"지금이라도 그자를 생포하라면 할 수 있습니다."

"허, 이걸 어쩐다?"

유다는 눈앞이 캄캄했다. 병사 몇을 죽이고 탈출하는 건 어렵지 않으나, 그 후가 문제다. 출세하기 위해 로마에 왔는데 그럴 수는 없다. 하지만 그의 앞에 놓여 있는 것은 군법이고, 그것이 그를 처형할 것이다. 죽으면 모든 것이 끝나기에 탈출할 수밖에 없다.

며칠 후 카이레아가 감옥을 다시 찾아와 명령서를 전했다. 게르마니쿠스는 유다에게 실종된 칼리굴라를 수색하는 별동대에 합류하라고 명령했다.

유다는 그때까지 게르마니쿠스의 가족에 대하여 아는 것이 없었다. 칼리굴라[54]는 그의 막내아들이었다. 그런데 전쟁 중에 그가 주둔지에서 사라졌다. 주둔지를 지키던 호위대장은 수사 결과 게르만족이 그를 납치한 것이라고 판단했다. 게르마니쿠스의 아내인 아그리피나는 호위대장에게 밤낮으로 달려가서, 최고사령관에게 보고라고 명령했다.

게르마니쿠스는 열 명으로 수색조를 편성하고, 카이레아에게 지휘를 맡겼다. 그때 카이레아가 유다를 석방하여 수색조에 합류시켜야 한다고 말했다. 게르마니쿠스는 유다 없이는 수색을 못 하느냐고 호통을 쳤다. 카이레아는 아르미니우스가 전쟁터에서 죽었더라면, 칼리굴라는 이미 죽음을 당했을 거라고 말했다. 그러니까 아르미니우스를 도와준 적이 있는 유다가 수색조와 같이 가야 한다고 말했다.

수색조는 게르만 전사의 복장으로 갈아입고, 게르만족이 사용하는 방패를 들었다. 카이레아는 아르미니우스가 어디에 있는지 수소문하며 게르마니아로 깊숙이 들어갔다. 겨울이 다가오면서 날씨가 추워졌다. 길이 눈으로 덮여 숱한 고생 끝에 아르미니우스가 있는 곳을 알아냈다. 카이레아는 유다에게 정식으로 아르미니우스를 방문하라고 명령했다.

통나무집 안에서 흥겨운 노래와 웃음소리가 흘러나왔다. 유다는 문을 밀고 들어갔다. 넓은 홀에서 식탁마다 서너 명의 청년들이 술

---

54 정식 이름은 가이우스 카이사르 게르마니쿠스, 줄여서 가이우스다. 칼리굴라는 '작은 군화'란 뜻으로, 그의 어린 시절에 병사들이 군화를 만들어 신기고 붙여 준 별명이다. 병사들이 그를 얼마나 귀여워했는지를 알 수 있는 에피소드다. 그러나 당시의 로마에서는 그를 별명으로 부르지 않았고, 그 이후에도 그를 별명으로 기록한 문서는 없는 것으로 알려져 있다.

을 마시면서 지껄이고, 30대 중반으로 보이는 남자가 홀로 식탁 하나를 차지하고 있었다. 바로 그자가 아르미니우스였다. 유다는 쇠몽둥이로 바닥을 치면서 소리 질렀다.

"아르미니우스, 내가 왔다."

그들은 고개를 들어 일제히 그를 쳐다보았다. 아르미니우스가 자세를 고쳐 앉으며 말했다.

"너는 누구냐?"

"유다다. 나를 벌써 잊었단 말이냐?"

"오호, 유다!"

그는 벌떡 일어나서 유다를 끌어안았다. 청년들이 손뼉을 쳤다.

"게르마니쿠스가 보내서 왔구나."

"네가 그의 아들을 납치했구나."

"하하하, 내가 그 아이를 죽였다면 어떻게 할 거냐?"

"살아있으면 산 채로, 죽었으면 시체라도 가져가야 한다."

아르미니우스는 그를 데리고 홀을 나갔다. 그들은 다른 방으로 들어가 탁자를 사이에 두고 마주 앉았다.

"그때 나를 죽였으면 큰 상을 받았을 텐데, 너는 나를 구해줬다. 이유가 뭔가?"

"용사가 허무하게 죽는 걸 모른 척할 수 없었다."

"내가 어떻게 해 주기를 바라는가?"

"대가를 받고 칼리굴라를 풀어 줘라. 너도 어린아이 하나를 죽이는 것보다는 돈을 받아 무기를 장만하는 게 좋을 거다."

"지금 불리한 한 쪽은 게르마니쿠스다. 내가 거절하면 어떻게 할 작정이냐?"

"너와 네 부하를 죽이고 칼리굴라를 구출할 거다."

"하하하, 좋은 배짱이다. 하지만 게르마니쿠스의 아들이 죽을 텐데."

"최고사령관 입장에서는 아들이 인질로 잡혀 있는 것보다는 죽는 게 낫다."

"허허, 게르마니쿠스가 좋은 부하를 뒀구나. 내일 저녁까지 기다려라. 이 일은 부족회의를 열어 봐야 한다."

게르마니쿠스가 유다를 집무실로 불렀다.

"네가 없었더라면 칼리굴라가 살지 못했을 거라고 하더구나."

"저 또한 마르켈루스 극장에서 최고사령관님이 없었으면 목숨을 잃었을 겁니다. 은혜를 조금이라도 갚은 것 같아 마음이 뿌듯합니다."

"나는 명령을 내렸을 뿐이지만, 너는 목숨을 걸고 내 아들을 구했다. 네 소원을 말해라. 내가 할 수 있는 일이면 무엇이든 들어주겠다."

"30세가 되기 전에 제대하길 원합니다."

"그거야 내가 허락하면 된다. 서른 살이 되기 전에 제대하려는 이유가 뭔가?"

"유대인은 서른 살이 돼야 사람들로부터 인정을 받습니다. 서른 살이 되면 유대 땅으로 돌아가고 싶습니다."

"소원이 겨우 그거란 말이냐?"

"그것이면 됩니다."

"좋다. 네가 귀향할 때 네 머리에 왕관을 씌워 주마. 그동안 열심히 공부해라. 어리석은 자가 왕이 되면, 백성들이 고단하고 왕좌도 지키지 못한다."

새해 첫날 임명식에서 유다는 호위대의 백인대장으로 승진했다. 태어나 처음으로 대장이 되어 병사들을 지휘하는 꿈을 꾸고 있는데, 날벼락 같은 소식이 날아왔다. 황제가 게르만족과의 전쟁을 끝내 버렸다는 것이다. 그는 고지 게르마니아와 저지 게르마니아를 총지휘하던 총사령관직도 폐지해 버렸다.

그러나 게르마니쿠스는 엄연히 황제와 함께 최고사령관이었다. 그는 자신의 호위대를 300명으로 정예화하고, 호위대장과 세 명의 백인대장을 두었다. 카이레아는 호위대장으로 승진하고, 유다는 수석 백인대장과 칼리굴라의 무술 사범을 맡았다.

로마 시민의 열렬한 환호 속에서 개선식이 거행되었다. 그도 행진 대열에 참가했다. 황제는 게르마니쿠스를 로마 제국 동부의 최고통수권자로 임명하고, 시리아 속주로 파견했다. 그는 아내와 칼리굴라를 데리고, 시리아 속주의 수도인 안티오키아를 향해 출발했다.

동부의 최고통수권자인 게르마니쿠스가 할 일은 아르메니아 왕국[55]의 새 왕인 아르탁시아스의 머리에 왕관을 씌워 주고, 파르티아 제국과 우호조약을 체결하는 것이었다. 그는 두 가지 임무를 훌륭하게 마무리하고 안티오키아에 머물렀다.

그런데 생각하지도 못한 일이 벌어졌다. 시리아 총독인 피소가 게르마니쿠스에게 사사건건 대든 것이다. 그의 아내도 만만한 꼴을 보았는지, 게르마니쿠스의 부인인 아그리피나에게 버릇없이 굴었다. 유다는 몇 번이고 피소를 죽이려고 했지만, 그때마다 카이레

55 로마 제국과 파르티아 제국 사이에 위치하여, 로마는 아르메니아를 동맹국으로 대우했다.

아가 말렸다.

게르마니쿠스는 알렉산드리아를 방문하고, 나일강을 여행한 후에, 다시 안티오키아로 돌아왔다. 그와 시리아 총독의 관계는 더 나빠졌다. 그런 와중에 게르마니쿠스가 병이 들었고, 그의 침실 마루에서 저주문 같은 괴상한 물건들이 발견됐다. 피소가 의심을 받았지만, 사실 그것들은 칼리굴라가 장난을 친 것이었다. 유다는 진상을 알고도 말할 수 없었다. 게르마니쿠스가 먹는 음식에 피소가 독을 탔다는 소문까지 돌자, 최고사령관은 피소를 해임하고 시리아를 떠나라고 명령했다. 피소는 배를 타고 떠났다.

자신의 죽음을 예감한 게르마니쿠스는 카이레아와 유다에게 가족을 지켜 달라고 부탁했다. 부하들이기도 한 친구들에게는 자기를 위해 복수해 달라고 했다. 그는 죽었고, 그의 유해는 불태워졌다. 차기의 황제로 공인되어 있었던, 그토록 훌륭한 성품을 지닌 인물이 겨우 33세의 나이로 생을 마감했다.

아그리피나는 자녀들과 함께 배를 타고 로마로 향했다. 카이레아는 게르마니쿠스의 유골을 안았고, 유다는 호위대를 지휘했다.

로마에서 그를 기다리고 있는 것은 정신 나간 드루수스와 음험한 세야누스다. 그는 탈영을 생각해 봤다. 하지만 탈영자는 살아갈 곳이 없다. 그 옛날 로마를 두려움에 떨게 만들었던 한니발도 로마의 집요한 추적으로 은신처가 발각되자, 스스로 목숨을 끊었다.

아그리피나가 이탈리아 본토에 상륙하자, 수많은 사람들이 몰려와 게르마니쿠스의 죽음을 애도했다. 황제가 보낸 근위대 3개 대대가 게르마니쿠스의 유골을 로마까지 호송했다. 도중에 드루수스 총사령관이 임지로부터 달려와서 호송 대열에 합류하고, 로마까지 동행했다.

티베리우스 황제는 게르마니쿠스의 장례식에 참석하지 않았고, 드루수스가 모든 예식과 절차를 집전했다. 그의 유골은 아우구스투스 영묘에 안장됐다.

게르마니쿠스의 부하들이 피소를 고발하여, 원로원에서 재판이 시작됐다. 로마 시민들의 관심은 온통 피소 재판에 쏠려 있었다. 별의별 추측과 소문이 퍼져 나갔다. 티베리우스 황제가 피소 총독을 시켜, 게르마니쿠스를 독살한 것이라는 추측이 가장 많이 나돌았다.

유다는 게르마니쿠스의 저택에 머물며 아그리피나를 경호했다. 그러던 중 세네카가 생각나 휴가를 내어 그의 집을 찾았다. 5년 전 플라미니우스 경기장 대기실에서 그를 본 후 처음 만난 것이다. 그들의 화제는 끔찍했던 검투사 경기대회에서 게르마니쿠스로 옮아갔다. 세네카는 그 대회를 '너죽고 나살기' 대회라고 명명했다. 황제는 대회를 주최한 드루수스를 사람도 아니라며 질책했고, 덩달아 게르마니쿠스도 심한 꾸지람을 받았다고 한다. 게르마니쿠스는 죽었고, 시민들은 황제가 그를 독살했다고 의심의 눈초리를 보내고 있다. 유다는 비번일 때마다 세네카를 찾았고, 그들은 호형호제하는 사이가 됐다.

필라투스가 명령서를 갖고 유다를 찾아왔다. 드루수스가 그에게 황궁으로 오라는 명령이었다.

"지금 몇 살인가?"

"스무 살 된 지 얼마 안 됐습니다."

"적당한 나이군. 지금 어디에서 복무하고 있나?"
"게르마니쿠스 님 저택에서 아그리피나 님을 경호하고 있습니다."
"어허, 게르마니쿠스의 호위대를 잊고 있었구나. 세야누스, 어떻게 된 일인가?"
"저도 재판에 정신이 팔려서 거기까지 생각하지 못했습니다. 당장 호위대를 해체하겠습니다."
"우리가 그녀를 핍박한다는 말을 듣지 않도록 절차를 제대로 거쳐라."
"알겠습니다, 총사령관님."
드루수스는 다시 유다를 바라보며 말했다.
"게르만 부족이 황제 폐하에게 편지를 보내왔다. 우리가 독극물을 보내 주면, 그들이 아르미니우스를 독살하겠다고 제안했다. 하지만 우리는 그렇게 할 수가 없다. 피소가 게르마니쿠스 독살 혐의로 재판을 받고 있기 때문이다. 이해하겠는가?"
"예, 총사령관님."
"아르미니우스는 10여 년 전에 로마군 3개 군단을 전멸시켰고, 4년 동안 게르마니쿠스와 싸웠다. 게르마니쿠스가 세상을 떠났으니, 아르미니우스도 죽어야 한다. 하지만 군대를 진격시킬 수는 없으니 어떻게 하겠는가? 그래서 자네를 불렀다. 자네가 암살 임무를 맡아 성공하면 100만 세스테르스를 상금으로 주겠다. 어떤가?"
"게르마니쿠스 님을 위해 아르미니우스를 저세상으로 보내겠습니다. 다만, 한 가지 요청이 있습니다."
"말해 보라."
"게르마니쿠스 님이 제게 한 약속이 있습니다. 30세가 되면 저를 제대시켜 주겠다고 했고, 유대로 돌아갈 때는 저의 머리에 왕관을 씌워 주겠다고 했습니다."

"제대 문제는 자네의 요청대로 해 주겠다. 하지만 유대의 왕위는 약속할 수 있는 문제가 아니다."

"제대 문제를 문서로 남겨 주신다면 흔쾌히 임무를 맡겠습니다."

"내가 문서로 남기겠다." 세야누스가 말했다.

"언제까지 죽이면 됩니까?"

"착수금으로 30만을 줄 테니, 2년 안에 임무를 완수하라."

아르미니우스 암살을 황제가 지시한 것일까? 유다는 고개를 저었다. 플라미니우스 경기장에서 열렸던 '너죽고 나살기' 대회, 999명의 검투사가 참살당한 그 대회 후에, 황제는 드루수스뿐만 아니라 게르마니쿠스도 호되게 질책했다고 한다.

드루수스 같은 놈만이 고안할 수 있는 그 대회처럼, 아르미니우스 암살도 드루수스 홀로 생각해 낸 작전일 것이다. 게르마니쿠스가 죽었으니 아르미니우스도 죽어야 한다는 것은 드루수스 같은 놈만이 생각할 수 있는 논리다. 아니 그것은 논리가 아니라 순전히 감정적인 것이다. 여하간에 암살 작전이 성공하면, 황제에게 칭찬을 받을 테고, 실패해도 황제가 모르면 그만이다.

아르미니우스를 살해한 후에는 도주해야 한다. 지금은 늦가을이고, 조금 있으면 게르마니아 지역에서는 눈이 내리기 시작할 것이다. 눈길에서는 극히 작은 실수로도 치명상을 입을 수 있다. 유다는 아를 농장에서 책을 읽으며 봄을 기다렸다.

필라투스에게서 편지가 왔다. 피소 총독이 자살했다는 소식이었다. 사형 판결이 나면 재산이 몰수되기 때문에, 그의 아들들이 상속을 받게 하기 위해 자살한 거라고 했다.

그는 3월 초순에 게르마니아를 향해 길을 떠났다. 암살 임무는 단독으로 수행하는 것이 여러 모로 편한데, 마티아가 펄쩍 뛰며 따라 나섰다. 3월 말에 그들은 아르미니우스의 숙영지에 들어갔다.

"내일부터 부족들의 연합 축제가 시작돼. 오전에는 제사를 드리고, 오후에 축제를 벌일 거야."

"이 좁은 곳에 부족 사람들이 다 모이는 건가?"

"대표들만 모이지. 게르마니쿠스가 죽었다니 애석한 일이야. 적장이었지만, 그는 훌륭한 지휘관이었어."

"너도 그에 못지않아."

"그런데 이 먼 곳까지 나를 만나러 온 목적이 무엇인가?"

"너를 죽이러 왔지."

"하하하." 아르미니우스는 웃음을 참지 못해 눈물까지 흘렸다. "너 혼자 나를 죽이러 왔다고? 너 지금 게르만 전사들을 모욕한 거야."

유다는 가슴 한편에 통증이 와, 손으로 가슴을 문지르며 말했다.

"게르만 전사들은 위대하고 훌륭하지. 난 너만 죽이면 돼."

"배짱은 여전하구나. 누구의 명령인가?"

"나 스스로 왔어. 게르마니쿠스가 죽었으니 너도 죽어야 해."

"내가 게르마니쿠스를 죽인 것이 아닌데, 왜 내가 죽어야 하느냐?"

"그건 너무 복잡해서 설명할 재간이 없어."

"이거야 원, 어쨌든 축제 기간에는 참아라. 날 죽이고 도망치려면 잘 먹어 둬야 할 거야."

연회가 토루 한가운데에서 열렸다. 게르만 전사들이 원형 탁자 삼십여 개에 다섯 명씩 둘러앉았다. 아르미니우스는 유다에게 자기의 옆에 앉으라고 했다. 그가 연설을 끝내자, 게르만 전사들이 맥주통을 굴려서 가져왔다. 그들은 마치 순번을 정해 놓은 듯, 두 명씩 다가와 아르미니우스와 유다에게 술을 권했다.

"이 사람들이 왜 나한테까지 술을 먹이는 거야?"

"영웅과 함께 술을 마시는 게 영광이라고 한다."

그들은 혀가 꼬부라질 정도로 마셨다. 유다는 숙소로 들어가기 전에 먹은 것을 토해 버렸다.

다음 날 아침, 하녀가 중년의 남자를 데리고 숙소로 들어왔다. 아르미니우스가 부른다고 하여 유다는 그를 따라갔다. 그는 토루 안으로 들어가 2층으로 올라갔다.

침상에 벌거벗은 남자가 등에 칼을 박은 채로 엎어져 있었다. 유다는 그의 머리를 젖혔다. 아르미니우스였다. 다섯 명의 전사가 그를 노려보고 있었다.

"당신은 이 일과 상관없으니 조용히 이곳을 떠나시오." 그들 중 하나가 말했다.

"아르미니우스의 머리를 내게 주면 그렇게 하겠습니다. 나는 그의 머리를 로마 황제에게 가져가야 합니다."

"죽었으면 됐지, 목이 왜 필요한가?"

"그가 죽었다는 걸 보여 줘야 하니까."

"의논해 볼 테니 조금 기다려라."

유다는 새 족장이 황제 앞으로 보내는 편지를 읽어 봤다. 아르미니우스가 로마에서 온 백인대장과 검술시합을 하다가 죽었다고 썼다.

"결국, 내가 아르미니우스를 죽인 게 됐군. 이렇게 하는 이유가 뭔가?"

"체면이라는 게 있는데, 어찌 게르만의 영웅이 친족들에게 살해당했다고 쓰겠는가? 당신이 때를 잘 맞춰 왔다."

"내가 귀환하는 길에 게르만 전사들이 복수한다고 달려들지 않겠는가?"

"그들에게 문서를 보여 줘라. 당신이 죽이지 않았다고 써 주겠다."

숲길은 거의 다 녹았다. 유다와 마티아는 완전무장을 하고 길을 떠났다. 낮에는 길을 가고, 밤에는 천막에서 자며 번갈아 보초를 섰다. 길을 떠난 지 나흘 만에 30여 명의 적을 만났다. 불시에 나타나 화살을 쏘아 댔기 때문에, 족장의 문서는 보여 줄 기회조차 없었다. 마티아는 말과 노새를 지키고, 유다 홀로 적들과 싸웠다. 사상자가 절반을 넘자, 적들은 물러갔다.

첫 공격 이후 적게는 30여 명, 많게는 50여 명의 적이 그들을 습격했다. 길이 덜 녹아서 적들을 상대하기가 여간 까다롭지 않았다. 예고가 없는 잦은 공격에 그는 짜증이 났지만, 자신이 생각해도 놀라운 자제력으로 적들을 물리치며 길을 갔다. 마티아는 도끼에 등을 찍히고도 살아났고, 삼손은 화살을 무수히 맞고도 죽지 않았다. 하지만 삼손의 어미인 드보라는 투창을 맞고 죽었다.

그들은 마침내 마인츠 주둔지가 보이는 언덕에 이르렀다. 어스름이 숲을 덮자, 그들은 천막을 치고 모닥불을 피웠다. 딱딱한 빵과 육포를 씹으며, 그동안 마시지 못한 포도주를 실컷 마셨다. 대취한 그가 먼저 잠을 자고, 덜 취한 마티아가 보초를 섰다.

"대장님! 불났어요!"

캄캄한 밤에 산 밑에서 불길이 혀를 날름거리며 올라오고 있었다. 말들과 노새가 겅둥겅둥 뛰며 울부짖었다. 유다는 말에 오르며 소리쳤다.

"칼과 방패만 들고 따라와라."

유다는 바람을 맞으며 내달렸다. 우연히 일어난 화재라면 갑자기 온 세상을 불바다로 만들 수 없다. 그렇다면 이 길은 함정으로 연결되어 있을 것이다. 그는 말을 멈춰 세웠다. 달빛 속에 거대한 바위들이 성벽처럼 우뚝 서 있는 것이 보였다. 그는 말 머리를 돌려 그곳으로 달려갔다.

그는 짐승들을 놓아주고, 아름드리 소나무 위로 올라갔다. 가까운 숲속에서 셀 수 없이 많은 적이 다가오고 있었다. 숲의 오른쪽에 불타 버린 들판이 보였다. 소나무에서 내려오는 그를 마티아가 손으로 받쳐 주었다.

"너는 이곳에서 삼손을 지키고 있어라. 나는 들판으로 가서 싸우겠다."

유다는 쇠몽둥이를 비껴들고 적들을 향하여 뛰어갔다. 적들은 불타고 있는 나뭇가지들을 밟으며 달려들었다. 그는 선두를 공격하는 척하다가 들판으로 달아났다. 뒤에서 창들이 날아왔다. 그는 들판 한가운데에서 멈춰 섰다.

적들은 떼거리로 달려들었다. 그는 적들의 목을 치고 방패를 부쉈다. 창과 도끼가 날아가고, 잘린 팔들이 무기를 잡은 채 땅에 떨어졌다. 무기들이 서로 부딪치는 소리가 신경을 긁고, 단말마의 비명이 숲을 울렸다. 적들은 한 무리가 죽으면 주춤했다가 다시 덤벼들었다. 그의 눈은 적의 속임수를 간파했고, 그의 귀는 적이 그의 뒤를 공격하며 내는 소리를 들었다. 시간이 흐를수록 그는 온몸에 힘이 넘쳤다. 시체가 쌓여 언덕을 이룰 때마다, 그는 전장을 옮겼다. 적들은 동료들이 살해당하는 것을 보고도 계속 공격해 왔다. 시체 더미들이 하나둘 늘어나더니 들판을 메워갔다. 누군가 고함을 지르자, 적들이 공격을 멈췄다. 적들은 한동안 그를 노려보다가 들판을 떠났다. 까마귀 떼가 몰려와 시체 더미 위에 앉았다.

필라투스가 존경하는 눈길로 유다를 바라보며 말했다.

"너와 아르미니우스를 한데 묶어 죽이려고 했는데 너만 살았구나."

"나를 죽이려는 게 드루수스야, 세야누스야?"

"둘 다라고 봐야 하지 않겠느냐? 드루수스는 너에게 적대감이 있는 것 같아."

"두 가지 일 때문이지. 하나는 내가 검투사일 때 그의 아내가 날 만난 일이고, 또 하나는 내가 999명의 검투사와 싸워 이긴 거야. 검투사 대회 때, 나는 뱀독을 바른 무기에 상처를 입고도 살아났어. 두 가지 사건에서 드루수스는 자존심이 상한 거야."

"놀라지 마라. 드루수스가 너를 자기의 비밀 경호원으로 임명했다. 그것도 근위대 대대장급[56]으로 대우해 주라고 했어."

"도무지 종잡을 수 없는 놈이군. 그것도 세야누스의 입김이 작용한 걸까?"

---

[56] 근위대 대대장은 일반 대대장과는 비교가 안 될 정도로 급여가 높았다.

"세야누스는 자기 사람 말고는 특혜를 주지 않아. 더군다나 너는 그의 예상을 번번이 뛰어넘었어. 수천 명의 게르만 전사들을 혈혈단신으로 물리칠 줄 누가 상상이나 했겠느냐?"

"그런데도 나를 비밀 경호원으로 임명한 이유가 뭘까?"

"황제 폐하 때문일 거다. 아르미니우스 암살에 성공했다고 황제 폐하에게 보고하면서, 너에 대한 보상을 말하지 않을 수 없었겠지."

"아하, 나폴리 대회 때, 황금이 든 주머니를 내게 준 자가 지금의 황제야."

"이제야 무슨 꿍꿍이인지 알겠구나. 황제 폐하가 지켜보고 있으니, 너를 표나게 죽일 수 있겠느냐? 너를 비밀 경호원으로 임명한 것은 게르마니쿠스가 너를 호위대에 입대시킨 것을 모방한 거야."

"허, 앞으로는 황제에게 충성을 바치는 시늉이라도 해야겠구나."

"확실하게 충성을 바쳐야 그놈들이 너를 어쩌지 못한다. 아무튼 넌 수천 명의 게르만 전사들을 홀로 물리쳤어. 도대체 너의 한계가 몇 명이냐?"

"나도 그걸 모르겠어. 힘이 빠져 지치면 더 이상 싸울 수 없겠지."

"너의 무력은 군단의 전력과 맞먹는 것 같아. 휴, 나를 공격할 일이 생기면 말로 해라. 즉시 항복할 테니까."

갈리아에서 반란이 일어나 유다는 드루수스의 명령서를 갖고 마인츠 주둔지로 달려갔다. 실리우스 총독은 명령서를 읽어 본 후, 그에게 정예대대 하나를 맡겼다. 그의 임무는 철갑으로 무장한 1천여 명의 검투사 부대를 격파하는 것이었다. 그는 철갑 기둥을 수백 개 만들어 놓고 대대를 집합시켰다. 병사들은 도끼로 투구를 쪼개고, 곡괭이로 가슴팍을 찍는 훈련을 했다.

양편의 군사들은 평원에서 만났다. 반란군은 철갑 부대를 전면에 세우고 맞섰다. 유다는 병사들에게 철갑 부대를 공격하라고 명령했다. 철갑을 입은 적들은 몸이 둔하여 도끼와 곡괭이 공격에 형편없이 무너졌다. 철갑 부대의 양옆에서 경무장 보병들이 치고 나왔다. 로마군에서는 보조 부대가 그들을 맞아 싸웠다. 마침내 적의 철갑 부대가 전멸했다.

실리우스 총독은 대승을 거두었다. 반란군의 괴수는 외딴 성으로 도망쳤고, 성이 함락되자 도주하다가 자결했다. 전쟁은 끝났고, 유다는 즉시 로마로 귀환했다.

드루수스는 집정관에 호민관 특권까지 누리고 있었다. 한 몸처럼 붙어있던 세야누스가 어쩐 일로 그의 집무실에 없었다.

"자네 몇 살이라고 했던가?"

"스물두 살입니다."

"한 가지 묻겠다. 자네가 리빌라의 연인이라는 말을 들었는데 해명을 해 봐라."

"얼토당토않은 말씀입니다. 나는 유부녀와 사귀지 않습니다."

"무슨 뜻인가?"

"유대교 율법은 유부녀와의 간통을 금하고 있고, 나는 유부녀에게는 욕망을 느끼지 않습니다. 세상에는 예쁜 아가씨가 널려 있고, 돈만 주면 여자 노예를 얼마든지 살 수 있는데, 유부녀와 사귈 일이 있겠습니까?"

"타크파리나스가 아프리카에서 또 반란을 일으켰다. 좀도둑에 불과한 놈이 이번에는 황제 폐하에게 정착지와 평생의 안전을 요구했다. 아프리카로 가서 총독을 도와 그놈을 생포해라."

유다는 쇠몽둥이로 길바닥을 텅텅 치면서 아그리피나의 저택으로 갔다. 리빌라가 거기에 있었다. 그녀는 드루수스의 아내이자 게르마니쿠스의 여동생으로, 아그리피나의 시누이다. 그는 갈리아 반란을 진압한 일을 그럴싸하게 이야기해 주고, 곧 아프리카로 떠날 것이라고 했다. 리빌라가 아그리피나와 유다를 번갈아 쳐다보며 말했다.

"반란 괴수를 생포하더라도 로마에 오지 말아요. 드루수스가 아버님 뒤를 이어 황제가 되면, 모두 목을 조심해야 할 거예요."

"그런 식으로 말하지 마라. 아우구스투스 신은 게르마니쿠스를 후계자로 세웠어. 그가 죽었으니, 후계자는 그의 장남이 돼야 하는 거야." 아그리피나가 말했다.

"아버님이 드루수스를 공동 집정관으로 세우고, 호민관 특권까지 주었잖아요. 원로원과 시민들에게 다음 황제는 드루수스라고 선언한 거예요."

"내가 살아있는 한 어림도 없다."

유다는 벌떡 일어나서 침실로 들어가, 침상에 드러누웠다. 리빌라가 코맹맹이 소리를 내면서 가겠다고 했다. 아그리피나가 조금만 더 있다 가라고 했지만, 그녀는 쿵쾅거리며 떠나갔다. 아그리피나가 씩씩거리면서 침실로 들어왔다.

"리빌라 님이 따라 들어올 줄 알았는데, 왜 가 버렸을까요?"

"무례하고 뻔뻔한 놈."

그녀가 손을 들어 그의 뺨을 때렸다. 하지만 그녀는 그에게 손을 잡히며 침상에 쓰러졌다. 그는 두 손으로 그녀의 뺨을 잡고 부드럽게 키스했다. 그를 밀어내며 안간힘을 쓰던 그녀가, 거친 숨을 몰아쉬며 그의 목을 끌어안았다.

0032년 가을에서 겨울까지

"썩어 없어질 것들을 추구하면,
누구나 방황하게 된다."

• • •

마티아가 갈릴리에서 벌어진 전투를 보고했다. 안티파스의 졸개들이 스승님을 체포하러 왔다가, 요나단의 별동대에게 패주했다. 30여 명 중 절반이 쓰러지자, 병사들은 투구와 방패를 버리고 도망쳤다. 마하보 전사들이 10 대 30의 전투에서 승리한 것이다.

유다는 예루살렘에 상주하는 별동대와 함께 갈릴리로 달려갔다. 안티파스가 수치를 당했으니 보복할 것이 틀림없고, 보복전에는 서너 개의 백인대를 투입할 것이다.

요나단은 티베리야스에서 멀리 떨어진 호숫가 숲속에 머물고 있었다. 유다는 대원들을 훈련시키면서 안티파스의 동태를 살폈다. 그는 마티아에게 자기의 별동대를 맡기고, 자신은 전투를 총지휘했다.

다볼산 못 미친 곳에서 34명의 마하보 전사와 300여 명의 안티파스 병사들이 대치했다. 백인대장 네 명만이 말을 탔는데, 수석 백인대장으로 보이는 자가 말 위에서 소리쳤다.

"너희는 뭣 하는 놈들이냐, 그 꼴로 감히 우리와 싸우겠다는 거냐?"

그의 말이 끝나자마자, 쇠몽둥이가 유다의 몸과 함께 그를 향해 날아갔다. 그의 목이 몸통에서 분리되고, 투구를 쓴 머리가 땅에 떨어졌다. 유다는 닥치는 대로 찌르고 베면서 나아가 적진을 관통했다. 적들이 우왕좌왕하는 틈에, 그는 쥐엄나무로 올라가 전장을 지켜보았다.

적들이 활을 들자, 바라빠가 단검! 하고 외쳤다. 여기저기서 빛이 반짝하면서 활을 든 적들이 쓰러졌다. 단검들은 계속 날아갔고 적들은 방패로 막았지만, 단검들은 빈틈을 찾아 들어갔다. 전사들은 수중의 단검을 모두 던진 후에 거북대형을 만들었다.

그러나 거북대형은 오래 가지 않아 흐트러졌고, 백병전이 시작됐다. 바라빠의 도끼는 녹슬지 않았고, 마티아의 창 솜씨는 볼 만했다. 요나단은 용감하게 잘 싸웠다. 무기들이 부딪치며 내는 쇳소리와 적들의 울부짖는 소리가 들판을 덮었다.

적들이 무기를 버리고 항복했다. 두 발로 서있는 적들은 백인대장 하나를 포함하여 스물다섯 명에 불과했고, 여기저기에서 적들이 널브러져 신음하고 있었다.

유다는 쥐엄나무에서 내려와 마하보 전사들을 살펴보았다. 상처를 입은 대원들이 그제야 주저앉았다. 서 있는 전사가 스물여덟이고, 죽은 자는 없었다. 34 대 304의 싸움에서 이긴 것이다.

살아남은 적들은 구덩이를 파고, 시체들을 묻었다. 마하보 전사들은 그들마저 살해하고, 구덩이에 묻었다. 303명이 매장되고, 백인대장 하나만 죽음을 면했다.

"너를 살려주는 것은 내 말을 전할 자가 필요하기 때문이다. 내가 불시에 안티파스의 목을 자르러 가겠다고 전해라. 또 예수를 건드리지 않으면, 그의 목이 몸뚱이에 붙어있을 거라는 말도 함께 전해라."

요나단은 부상자들과 함께 카나의 집으로 향하고, 마티아는 예수를 찾아 떠났다. 유다는 승전가를 부르며 예루살렘으로 돌아왔다. 그곳에서는 더 기쁜 소식이 그를 기다리고 있었다. 살로메가 아기를 가진 것이다. 그는 단숨에 베다니로 달려갔다.

"살로메가 아기를 가졌다니 기쁘다만, 마리아가 집을 나간 건 괘씸하다. 힘 좋은 내 아들이 첩을 하나 두었기로서니, 그게 집을 나갈 이유가 된단 말이냐? 돌아오면 아예 이혼 증서를 써 줘라."

"그렇잖아도 마리아가 이혼 증서를 달라더군요. 하지만 그녀가 누구입니까? 예수의 동생입니다. 좀 더 기다려 봐야죠."

"예수는 무슨 일을 하려는 거냐, 민중들을 선동해서 반란이라도 일으키려는 거냐?"

"그러면 오죽이나 좋겠습니까? 그러나 그럴 사람이 아닙니다."

"그는 결국 돌로 쳐 죽임을 당할 텐데, 너는 어쩔 작정이냐?"

"그에게 무슨 죄가 있다고 죽입니까? 저는 가만있지 않을 겁니다."

"대제사장 가문과 좋게 지내 왔는데, 예수 때문에 금이 갔다. 네 앞길을 생각해 잘 판단해라."

"제가 어쩌면 좋겠습니까?"

"알렉산드리아로 가라. 다시 공부를 시작해서 학자가 돼라."

하누카[57] 축제가 시작됐다. 집집마다 등을 밝히고, 백성들은 야자수 가지를 들고, 노래를 부르며 행진했다. 예수가 예루살렘에 왔고, 성전에서 '나와 하느님은 하나'라고 설교했다. 서기관과 바리사이

---

57 셀레우코스 왕조가 예루살렘 성전을 더렵혔고, 유다 마카비가 이방인을 몰아내고 성전을 정화하여 재건했다. 기원전 164년에 유다 마카비는 하누카 축일을 제정했고, 축제는 8일 동안 계속됐다.

파 사람들은 그 말을 '예수가 곧 하느님'이라는 뜻으로 해석했고, 어떤 자들은 나사렛 예수를 '악마에 사로잡힌 미치광이'라고 했다.

니고데모가 다락집으로 찾아와서, 대공회가 예수에게 유죄 평결을 했고, 재판장은 돌로 쳐 죽임의 형을 선고했다고 알려 주었다. '나와 하느님은 하나'라고 선언한 것이 결국 사형 선고의 결정타가 된 것이다.

징글맞은 사울이 또 유다를 만나러 다락집에 왔다.

"다 끝나 버린 마당에 무슨 일로 왔나?"

"갈릴리에서 서기관들이 예수의 강론을 글로 적어 보냈는데, 무슨 뜻인지 몰라서 왔습니다."

"사형 선고를 받았는데, 그의 강론이 무슨 의미가 있다고 알려 하느냐?"

"에즈라 이후 예수만큼 신비한 인물은 지금까지 없었습니다. 그가 한 말이 무슨 뜻인지 아는 것은 의미가 있는 일이지요."

"말해 보라."

"포도원 주인이 일꾼들에게 일을 시키고 나서 품삯을 주었는데, 아침부터 일한 자나 정오부터 일한 자나 오후에 일한 자나 똑같이 한 데나리온을 받았습니다. 아침부터 일한 자가 주인에게 따졌습니다. 오후에 와서 일한 자보다 더 받아야 하는 것 아니냐고. 주인은 '하루 품삯을 한 데나리온으로 약속하지 않았느냐, 내 것을 가지고 내 마음대로 하는데 네가 무슨 상관이냐? 너는 네 것이나 가져가고, 다시는 포도원에 들어오지 마라.'라고 했습니다. 예수는 무슨 말을 하고 싶은 건가요?"

"자네는 어떻게 생각하는가?"

"주인은 자비하기에 많이 일한 자나 적게 일한 자나 똑같이 대접한다고 생각했습니다만, 어쩐지 그런 뜻은 아니라는 생각이 들었습니다."

"여기에 등장하는 주인을 예수의 하느님으로 봤는가?"

"역시 날카롭군요. 일을 많이 한 자나 적게 한 자나, 능력이 월등한 자나 열등한 자나 똑같이 받는 곳이 예수의 하느님 나라가 아닙니까?"

"오해가 지나치군. 똑같이 받는 나라가 아니라, 가진 자가 가난한 사람들을 돕는 나라다. 일꾼을 매몰차게 내쫓는 주인을 자비하다고 할 수 있는가?"

"바로 그 부분을 납득할 수 없습니다."

"갈릴리에 포도원이 어떻게 생겨났는지 생각해 보라. 부자들이 농민들을 착취하여 쫓아내고, 곡식을 재배하던 농지에 포도나무를 심었다. 곡식보다는 포도주가 이익을 더 내기 때문이다. 또 일꾼들을 자기 마음대로 부릴 수 있어야 막대한 인건비를 줄일 수 있다."

"인건비를 줄이려고 일찍 온 자나 늦게 온 자나 품삯을 똑같이 줍니까?"

"그게 바로 주인이 일꾼을 얽어매기 위해 꾸민 올무다. 그걸 모르는 일꾼이 올무에 걸렸고, 주인은 불평분자를 색출하여 쫓아낸 것이다."

"일꾼들에게 너희도 쫓겨날 수 있다고 경고한 것이군요."

"바로 말했다. 가난하고 힘없는 자들은 그런 식으로 억압을 받아 고분고분하게 되고, 결국에는 착취를 당하게 된다. 그렇지 않은가?"

"예수는 부자를 비판하기 위해 궤변 같은 이야기를 만들어 내고 있습니다. 나는 그가 옳다고 볼 수 없습니다."

"부자의 편에 서 있는 자네가 가난한 자의 입장에서 말하는 예수를 이해할 수 있겠는가? 자네는 지금 포도원 품꾼처럼 성전 당국의 올무에 걸려 있다. 율법을 연구하는 자네가 그들이 독사인 것을 모르니, 내가 얼마나 답답하겠는가?"

"이제 그만하시고 예수를 넘겨주시지요."

"자네 지금 무슨 말을 했나? 마치 내가 그를 감춰 놓고 있는 것처럼 말하는구나."

"카이아파스 각하가 유대 총독에게 병력을 지원해 달라고 요청했는데, 조건부로 지원해 주겠다고 했답니다. 유다가 병력을 지휘하는 조건으로 말입니다."

"내가 무슨 자격으로 유대 총독의 병력을 지휘하나?"

"각하도 '그가 무슨 자격으로 당신의 병력을 지휘합니까?'라고 물었더니, 그건 유다에게 물어보라고 했답니다. 당신은 그게 무슨 말인지 알 거 아닙니까?"

"나는 정말 모르겠다."

유다는 안토니 요새로 필라투스를 찾아갔다.

"카이아파스는 네가 안티파스의 군대를 궤멸시킨 걸 모르고 있더구나."

"총독의 첩보원들이 나까지 감시하는 거야?"

"안티파스를 감시하다가 알게 된 거니까 오해하지 마라. 그놈은 수백 명의 병사를 잃고도 내색조차 하지 않더구나."

"병력을 출동시켜 달라는 카이아파스에게 형이 엉뚱한 말을 했다고 들었어. 내가 유대 총독의 병사들을 지휘해야 한다니, 그게 무슨 뜻이야?"

"예수를 체포하면 네가 지켜보고만 있겠느냐? 나는 누구처럼 300명씩이나 잃을 순 없다. 그랬다가는 당장 황제가 나를 소환할 거야."

"그게 그런 말이었군."

"예수가 지금 성전을 들락날락하고 있는데, 카이아파스는 뭘 하는지 모르겠어."

"나도 그 작자의 속을 모르겠어."

"교활한 놈들이야. 자기들 손에 피를 묻히지 않겠다는 거지. 세례자 요한이 성전에 대하여 얼마나 심한 말을 해 댔느냐? 그러나 그를 체포하여 죽인 건 안티파스였어."

"난 형이 힘만 센 줄 알았는데, 머리도 꽤 잘 돌아가네. 결국 저들은 언제까지나 예수를 지켜보기만 할 거라는 말이지?"

"너 지금 형을 놀린 거야. 너야말로 싸움 잘 한다고, 그러면 못쓴다."

"하하하. 나 농담한 거 아냐. 무장 폭동이 일어났을 때, 총독이 지켜보고만 있으면 어떻게 될까?"

"그렇게 할 수야 없지. 내 관할지에서 폭동이 일어나면 난 개입할 수밖에 없다."

마티아가 다락집에서 서성거리고 있었다. 유다는 안토니 요새에서 마신 포도주에 정신이 알딸딸했다.

"주인님, 큰일 났어요."

"형이 잡혀가기라도 했단 말이냐?"

"작은 여주인님이 간통죄를 범했단 말입니다. 그녀는 간신히 죽음을 면하고 하스몬 궁전으로 피했어요."

그는 정신이 번쩍 들었다.

"그게 무슨 말이냐? 자세히 말해 보라."

"서기관과 바리사이파 사람들이 작은 여주인님을 붙잡아 스승님 앞에 데려왔어요. 간통한 여자라고요. 백성들이 양손에 돌을 들고 스승님과 그녀를 둘러쌌습니다. 서기관 하나가 스승님에게 물었어요. 모세의 율법에는 간통한 여자를 돌로 쳐 죽이라고 했는데, 선생님은 어떻게 할 거냐고요. 스승님은 쭈그려 앉아서 잠시 꼼지락거리다가, 여러분 중에서 죄 없는 자가 먼저 돌로 치라고 했죠. 그런데 신기한 일이 벌어졌지 뭡니까? 누군가 돌을 땅바닥에 내려놓고 떠나자, 사람들이 그를 따라 한 겁니다. 그 자리에는 돌무더기가 생겼고, 돌을 든 사람은 하나도 없었어요. 스승님은 그녀에게 다시는 죄를 짓지 말라 하고, 당신의 집으로 돌아가라고 했죠. 저는 그녀를 하스몬 궁전으로 데려다줬어요. 그녀의 어머니가 거기에 와 있거든요."

"알았다. 그만하고 스승님에게 가 봐라."

그는 머리를 감싸고 주저앉았다. 하늘이 무너지고, 땅이 뒤집히는 것 같았다. 도대체 어떤 놈이야? 그는 머리를 세차게 흔들었다. 그걸 알아서 뭘 어쩌려고?

작업복을 입은 그녀의 모습이 떠올랐다. 일은 서툴렀지만, 그녀에게는 가난한 사람을 불쌍히 여기는 마음이 있었다. 마음은 얼굴에 나타나는 법이라, 걸인들도 그녀를 좋아했다. 눈이 소복소복 내리더니, 다락집 마당이 온통 하얘졌다. 그는 다락집을 나가 정처 없이 걸었다.

마리아의 분노와 고통을 알고 있으면서도, 예수는 살로메를 용서했다. 그녀의 죄가 사함을 받았고, 그 증거로 하얀 눈이 세상을 덮고 있다. 그는 겟세마네 동굴을 보고 안으로 들어갔다. 등잔불 여러 개가 어둠을 밝힌 가운데, 예수의 목소리가 쩌렁쩌렁 울리고 있었다.

"여러분을 고발하여 속옷을 빼앗으려 하는 자에게는 겉옷까지도 내어 주고, 여러분에게 강제로 오 리를 가자고 하면 십 리를 동행하고……"

유다는 머리를 흔들며 동굴에서 나왔다. 상한 마음을 달래려고 예수를 만나러 왔는데, 저따위 말을 하고 있다. 그러니까 남편 있는 여자가 간통해도 용서하는 거다.

예수가 홀로 동굴에서 나와 유다에게 다가왔다. 별동대원들이 올리브나무 아래에 자리를 마련하고, 모닥불을 피웠다. 예수는 그들에게 동굴에서 음식과 포도주를 내오라고 했다. 모닥불에 비친 예수의 얼굴에 지친 기색이 역력했다.

유다에게도 오늘은 인생 최악의 날이었다. 사랑하는 아내가 간통하다 붙잡혀 죽을 뻔했다. 아침을 함께 먹은 것이 그녀를 마지막으로 본 것이었다. 아마 다시 만날 일은 없을 것이다. 예수와의 관계도 여전히 평행선을 달리고, 나아질 조짐이 없다. 그가 눈앞에 있는데 멀게만 느껴졌다.

"포도주로 괴로움을 풀자."

"고마워, 형이 살로메를 살려 줬어."

"시간이 흐르면서 괴로움도 사라질 거다. 그리고 너에겐 마리아가 있다."

"관심 없어. 이제부턴 여자 없이 살 거야. 형도 오늘은 힘겨운 것 같아."

"처음에는 나사렛에서 반대하더니, 이제는 가버나움에서조차 그러고 있다. 휴! 제자들까지 하나둘 떠나가고 있어."

"형은 많이 달라졌어. 처음에는 민중들을 부드럽게 이끌었는데, 지금은 강제로 끌고 가고 있어."

"처음에는 내가 그들을 어떻게 이끌었는지 말해 봐라."

"무거운 짐에 허덕이는 사람들아, 다 내게 오라. 내가 편히 쉬게 해 주겠다."

"고맙구나. 때가 가까워 오니, 나는 민중들을 자유롭고 너그럽게 보살펴 줄 거다. 너도 마음을 다잡고, 씩씩하게 살아라."

예루살렘의 주민들은 대체로 예수의 이야기에는 고개를 끄덕였지만, 하느님 나라에 대해서는 냉담했다. 예수를 비웃고 조롱하는 자들도 있었다. 도처에 붙은 전단들이 그에 대한 혐오감을 부추겼다. 그것들의 상단에는 나사렛 예수의 죄목과 현상금이 큰 글자로 쓰여 있고, 나머지에는 마술사라고 조롱하고, 사기꾼이니 조심하라는 글이 빼곡하게 들어찼다.

살로메가 다락집에 들렀다. 아기를 유산한 후 몸을 추스르느라 늦었다며, 유다의 얼굴을 마지막으로 보고 싶어 왔다고 했다. 그는 그녀를 가볍게 안아 주었다. 그녀는 죄송하다는 말을 남기고 떠났다.

유다는 다락집을 나와 대장간으로 걸어갔다. 오랜만에 바라빠와 포도주를 마셨다.

"안나스의 피붙이가 수레를 타고 가는 것을 유심히 봤는데, 호위 병사들이 꽤 됐어. 금은보화가 가득 실렸을 거야."

"어쩌자는 거야?"

"그건 우리 마하보 전사들에게 맛있는 먹잇감이야. 함정을 파 놓고 숨어 있다가, 단검을 던지며 공격하면, 우리 전사들은 상처 하나 입지 않고, 그들을 해치울 수 있어. 저번처럼 시체들을 땅속에 묻어 버리면 그만이야."

"저들은 나를 의심할 텐데?"

"우리가 일하는 동안, 대장은 도성에서 이곳저곳을 돌아다니면서, 총독과 성전 나부랭이들을 만나고 있으면 되지."

"흐음, 나 없이 할 수 있겠느냐?"

"열 배나 되는 병사들을 무찔렀는데, 그것 하나 못할까?"

유다는 필라투스를 자주 찾아가고, 아버지와 형을 만나고, 얼굴을 이곳저곳에 보여 줬다. 그러다가 솔로몬과 사울도 만났다. 전령이 달려와서 작전이 성공했다고 보고했다.

바라빠는 필로테리아를 지나 티베리아스로 가는 길에서 수레를 습격했다. 호위하던 병사들 대부분이 단검을 맞고 쓰러졌다. 결국 성전 경비대 50명이 몰살했다. 수레에 실려 있던 것은 금 10달란트, 보석, 비단, 향료 등이었다. 요나단은 전리품을 다볼산으로 옮기고, 바라빠는 시체를 구덩이에 묻었다. 그것으로 작전을 완료했다. 전사들은 지금 다볼산에서 대장의 명령을 기다리고 있다.

유다는 명령서를 보냈다. '돈을 보내니 음식과 포도주로 승전을 자축하라. 바라빠와 두 개의 별동대는 돌아오고, 나머지 전사들은 요나단과 함께 다볼산에 요새를 건설하라. 마하보에 있는 전사들을 보내 건설을 돕게 할 것이다.'

성전 경비대원의 가족들이 안나스의 저택 앞에 모여들더니, 남편을 찾아내라고 외치고, 아들을 돌려 달라고 부르짖었다. 솔로몬이 그들을 진정시켜 돌려보내려 했지만, 그들은 더욱 더 거세게 소리쳤다. 성전 경비대가 예수를 체포하러 갔다가 몰살당했다는 소문이 퍼졌다.

유다는 식은땀을 흘리며 고개를 절레절레 흔들었다. 태어나서 지금까지 그렇게 멍청한 짓을 해본 적이 없었다. 무모하고 덤벙대는 바라빠, 그러나 책임은 대장인 유다에게 있다. 하필 살로메와 영원히 작별한 날, 그날 바라빠의 말을 들었다. 울적하고 허전한 마음에 별생각 없이 결정해 버린 것이다.

바라빠가 기세등등하게 다락집으로 들어와 전말을 자화자찬하며 보고했다.

"수고했다. 무엇보다 전사들이 아무도 다치지 않아서 다행이다."

"옛, 대장님."

"당분간은 뭘 낚으려 하지 마라."

"옛, 대장님."

"지금 당장 마하보의 전사들을 모두 다볼산으로 이끌고 가서 요새 건설을 돕도록 해라. 그리고 넌 즉시 돌아와서 대장간 일에 전념해라."

"옛, 대장님. 근데 말투가 좀 이상하다. 내가 뭐 잘못한 거라도 있나?"

"그런 거 없어. 넌 대장간 일만 하라는 거야."

그는 바라빠가 씩씩거리며 다락집을 나서는 것을 바라보며 가슴이 아렸다. 그렇다. 네게는 아무 잘못이 없다.

성전 당국이 나사로를 체포하여 감옥에 가뒀다. 나사로의 누이들이 다락집으로 찾아왔다.

"오빠가 끌려갔는데 어디에 가뒀는지 알 수가 없어요. 성전 경비대장은 만날 수가 없고, 아무도 말해 주지 않아요. 우리 오빠를 구해 주세요." 마르다가 말했다.

"일이 어떻게 된 건지 자세히 말해 봐라."

"경비대원들이 집으로 들이닥쳐 오빠에게 이것저것 캐물었어요. 오빠는 당당하게 말했어요. 예수는 내 친구고, 나는 하누카 축제 이후 집에만 있었다. 그들이 뭣 때문에 젊은 사람이 집에만 있었느냐고 물었어요. 오빠는 당신들이 그것까지 알 필요는 없다고 말했어요. 그러자 그들이 오빠를 때리고, 밧줄로 묶어 끌고 갔어요."

"내가 방법을 찾아볼 테니 집으로 가서 기다려라."

유다는 안나스의 응접실에서 솔로몬을 만났다.

"나사로의 가족들이 면회를 원하고 있습니다."

"저번에는 예수를 변호하더니, 이번에는 나사로 사건에 개입하는구나. 사사건건 성전 당국에 맞서는 이유가 뭔가?"

"나는 성전 당국에 맞선 적 없습니다. 무슨 혐의로 나사로를 체포했습니까?"

"성전 경비대 50명이 갈릴리 부근에서 사라졌다. 그곳은 예수의 활동무대고, 나사로는 그의 친구다."

"죄가 드러나든 무죄로 방면되든, 그때까지 가족이 면회할 수 있도록 해주십시오."

"내게 그런 권한이 있다고 생각하는가?"

"알겠습니다. 앞으로 무슨 일이 있든 나를 찾지 마시오."

유다는 자리를 박차고 일어났다. 그제야 솔로몬이 면회할 수 있도록 힘써 보겠다고 했다.

나사로의 누이들이 오빠를 면회하고 다락집에 들렀다. 오빠가 매를 얼마나 심하게 맞았는지 몸을 잘 가누지도 못한다고 했다.

그해 겨울은 춥고 길었다. 예루살렘 주민들은 집에 틀어박혀 거의 나다니지 않았다. 성전 경비대원들의 실종으로 촉발된 시위도 인원이 점점 줄더니, 결국에는 흐지부지되었다.

마하보의 전사들은 별동대만 남고 모두 다볼산으로 간 지 오래됐다. 요새 건설도 이제 완공될 때다. 문제는 구덩이에 파묻은 시체들이다. 언 땅이 녹으면, 짐승들이 냄새를 맡고 땅을 파헤칠 것이다. 유다는 요나단에게 전령을 보내 대책을 마련하라고 지시했다.

나사로의 누이 마르다가 다락집으로 찾아왔다. 오빠가 석방되어 집에 있는데, 곧 죽을 것 같다고 했다. 그는 의사를 불러 마르다와 함께 가마를 타고 오라 이르고, 베다니로 달려갔다. 나사로는 넋이 나간 사람 같았다. 의사가 나사로의 몸을 살펴보고 약을 발라 주었다.

"신체가 많이 훼손됐습니다. 외상이니만큼 고약을 바르는 것 외에 다른 치료 방법은 없습니다. 매일 미지근한 포도주로 상처 부위를 씻기고, 뜨거운 물로 찜질하면 치료에 도움이 될 것입니다."

"유다야, 고맙다. 너를 보지 못하고 죽는 줄 알았어."

"나보다는 예수를 더 보고 싶었겠지. 그 친구는 잘 있으니까 네 몸을 신경 써라."

"날이 저물었으니 우리 집에서 주무세요, 유다 님." 마르다가 말했다.

나사로는 잠들었다가 비명을 지르며 깨어나고, 다시 잠들었다가 비명을 지르며 깨어나는 일을 반복했다. 유다는 마치 자기 자신이 고문받는 것처럼 오금이 저렸다.

성전 관리는 나사로에게 예수와 공모한 것을 실토하라고 했다. 무엇을 공모했다는 거냐고 묻자, 그들은 알면서 모른 척한다고 두들겨 팼다. 굴욕적인 심문이 계속됐다. 그러다가 그들은 그의 눈을 가리고, 어디론가 끌고 갔다.

로마군 병사 둘이 그를 심문했다. 그들은 성전 경비대 50명의 실종 사건을 말해 주고, 예수와의 공모를 실토하라고 했다. 도무지 아는 것이 없다고 말하자, 고문이 시작됐다. 얼마나 고통스러운지 뭔가를 알고 있다면, 다 털어놓고 죽기를 바랐다. 비몽사몽간에 그들이 고개를 젓는 것을 보고 정신을 잃었다.

얼었던 땅이 녹고 나뭇가지에 새싹이 돋아나기 시작했다. 유다는 자기가 미행당하고 있다는 것을 알았다. 미행은 두 명이었고, 솔로몬의 부하 같았다. 그는 겟세마네에서 그들을 붙잡았다. 그들의 팔을 하나씩 부러뜨리고, 그들의 주인에게 전하라고 했다. 미행하다 다시 걸리면, 그들의 주인을 죽이겠다고.

솔로몬이 홀로 다락집으로 찾아왔다. 유다는 그를 아트리움으로 데리고 갔다.

"무슨 일로 온 겁니까?"

"흠, 단도직입적으로 묻겠다. 성전 경비대 50명의 실종 사건에 대하여 자네는 아무것도 모르나?"

"나사로를 고문하더니, 이제는 내게까지 혐의를 두는 겁니까?"

"자네는 예수와 나사로의 친구고, 자네가 그들을 돕는다면 근사한 이야기가 된다."

"나나 그들이나 성전 경비대를 공격할 이유가 없습니다."

"성전 경비대는 금괴와 보물들을 운송하고 있었다."

"나는 노상에서 금품을 탈취해야 할 정도로 궁색하지 않습니다. 큰돈이 필요하면, 성전 금고나 황제의 금고를 털 겁니다. 나를 얕잡아보지 마시오."

"성전 금고는 그렇다 치고, 황제의 금고를 털 수 있단 말인가?"

"반란을 일으키기는 어렵지만, 대장부라면 황제의 금고 정도는 털 수 있어야 하지 않겠습니까?"

"반란이나 황제의 금고 털기나 모두 어려운 일 아닌가?"

"반란은 많은 병사를 필요로 하지만, 황제의 금고는 혼자서도 털 수 있습니다. 실패하여 붙잡혀도, 혼자만 죽으면 되니까요."

"허 참, 황제의 금고 털기라니, 이야기가 어떻게 이리 되었나? 안나스 각하가 자네를 데려오라고 했다. 지금 갈 수 있겠는가?"

안나스는 응접실에서 홀로 유다를 만났다. 그는 마치 할아버지처럼 인자한 눈으로 유다를 바라보았다.

"자네는 언제 봐도 당당하구나. 성전에는 할 일이 많은데, 자네 같은 인재가 없어. 로마에서 돌아온 지 얼마나 됐는가?"

"2년 정도 됐습니다."

"체다카를 크게 하고 있다는데, 무슨 생각으로 그런 일을 하는가?"

"굶주리고 있는 사람들이 많습니다. 성전 당국과 부자들이 도와주고는 있지만 부족합니다. 나는 많은 것을 누리고 있으니, 당연히 그들을 먹여야지요."

"자네가 예수라는 자를 변호하면서 카이아파스를 면목 없게 만들었다고 들었다. 카이아파스는 공정한 사람이야. 그는 내게 자네가 틀린 말은 한마디도 하지 않았다고 했어."

"……."

"예수라는 자가 절기 때마다 성전에 와서 백성들을 미혹시키더니, 얼마 전에는 성전 경비대 50명이 감쪽같이 사라졌어. 아무리 수소문을 해봐도 알 수가 없구나. 엘리야[58]처럼 하늘로 올라갔을 리는 없으니, 땅속에 묻힌 게 분명한데, 안 그런가?"

"그렇군요."

"자넨 누가 그랬다고 생각하는가?"

"이 땅에 비적들이 얼마나 많습니까? 성전 경비대가 귀한 물건들을 운송하고 있었다면, 그들의 공격을 받았을 것입니다."

"나는 예수의 무리가 저지른 일이라고 판단했네만, 자네 생각은 어떤가?"

"그의 무리에 대해서는 아는 게 없지만, 예수는 그런 일을 할 사람이 아닙니다."

"예수의 제자들만큼은 범인일 가능성이 있다는 말이군. 나는 예수를 용의자로 보고, 그의 친구인 나사로를 체포해서 심문해 보았다.

---

58 기원전 9세기경 북이스라엘에서 활동했던 예언자. 과부의 죽은 아들을 살려 내고, 바알의 선지자들과 대결하여 승리한 후 그들을 모두 죽였다. 엘리사를 후계자로 세우고, 회오리바람에 실려 하늘로 올라갔다. 구약성서 열왕기 상, 하 참조

하지만 그에게선 아무 단서도 얻지 못했어. 내 생각에 나사로는 그런 일을 하고도 남을 사람인데, 자네는 그를 어떻게 생각하는가?"

"나사로는 내 이웃이자 친구이기도 합니다. 그는 성품이 올곧아 말이 다소 격하지만, 나는 그가 폭력을 쓰는 걸 보지 못했습니다."

"어렸을 때 이 땅을 떠난 자네가, 그동안 그가 얼마나 변했는지 어떻게 알겠나? 나사로는 세례자 요한의 후계자로 한 무리를 이끄는 지도자요, 예수는 민중들을 선동하는 자야. 만일 그들의 세력이 서로 힘을 합쳤다면, 성전 경비대가 어찌 당해낼 수 있었겠는가?"

"예수는 온유하고 나사로는 곧은 사람이라, 그들은 함께 일을 도모하지 못합니다. 그 때문에 그들은 따로 살림을 차린 겁니다. 그들에게서 공통점을 찾는다면, 성전 경비대 실종 같은 사건은 일으키지 않는다는 것입니다."

"브엘세바에서 다마스쿠스에 이르기까지, 두 사람 말고는 그 사건을 일으킬 만한 사람이 없어. 사실 성전 경비대장은 자네에게까지 공모 혐의를 두었었지. 하지만 나는 자네의 가문이나 인품으로 보아, 그런 범죄를 저지를 사람이 아니라고 했다."

"그 친구가 내게 혐의를 두고 있다니 황당하군요. 대제사장님이 저를 변호해 주셨으니 감사를 드립니다."

"솔로몬에게도 그럴 만한 이유가 있었지. 시리아 총독의 부관이 자네를 지목했거든. 자네가 로마군에 복무할 때 있었던 일들을 말하며 그렇게 주장하니까, 솔로몬이 의심했던 거야. 예수를 체포해 주게. 간곡히 부탁하네."

"……."

"예수의 과격한 언행으로 예루살렘뿐만 아니라 나라 전체가 위험해졌어. 나는 성전을 지켜야 하고, 제사장들을 보호해야 해. 나를 도와주게."

"나사로를 체포했듯이 예수를 체포하면 그만인데, 내가 그 일과 무슨 상관이 있습니까?"

"군중들이 많아 성전 경비대로는 그를 체포할 수가 없어. 그래서 카이아파스가 유대 총독에게 병력을 지원해 달라고 요청했는데, 유다 자네가 병력을 지휘하는 조건이라야 들어주겠다고 말했다는구나."

"……."

"도대체 말도 안 되는 조건이라, 카이아파스는 황제에게 보고하겠다고 총독에게 엄포를 놓았어. 그러나 필라투스는 마음대로 하라고 하며 화를 냈다고 하는구나. 그래서 카이아파스가 자네에게 유대 총독의 병력을 지휘해 달라고 부탁했는데, 자네가 거절했다고 들었다."

"맞습니다."

"내 말을 더 들어 보게. 우리는 필라투스가 제시한 말도 안 되는 조건이 무슨 의미인지 그에게 캐물었다. 그런데 터무니없는 대답이 돌아왔어. 예수를 체포하면, 유다가 가만있지 않을 거다, 당신들은 그의 무력을 모른다, 그는 혼자서 군단 병력과 싸워 이길 수 있는 자다, 내 병력은 3개 대대로 3천에 불과하다, 나는 황제의 병사들을 사지로 내몰 수 없다, 이랬다는 거야."

"……."

"사실은 시리아 총독의 부관이 먼저 자네에 대해 그와 비슷한 말을 했었지. 그때는 그게 무슨 말인지 몰랐었는데, 필라투스의 말을 듣고서야 알았어. 그게 사실인가? 도무지 믿을 수가 있어야지. 삼손이 다시 살아났나? 뭐라 말 좀 해 보게."

"유대 총독은 허풍이 센 사람입니다. 죄송하지만 제게 이 자리가 어색하고 불편하게 됐습니다. 이만 돌아가겠습니다."

유다는 솔로몬이 허둥대며 응접실로 들어가는 것을 봤다. 응접실에서 그의 목소리가 흘러나왔다. '저 대단한 사람은 어찌 되는 겁니까?' 안나스의 목소리가 들렸다. '그가 유대의 왕이 된다고 한들 무슨 상관인가? 자네는 예수를 어떻게 체포할지나 궁리해라.'

유다는 겟세마네 동산에 올라 성전과 안토니 요새를 바라보았다. 성전 당국은 로마 제국의 힘을 등에 업고, 백성들을 억누르고 있다. 그들은 나사로를 다짜고짜 잡아다가 고문했다. 그들의 목표는 눈엣가시인 예수를 세상에서 없애는 것이다. 이런 상황에서 뭔가를 해야 하는데, 당최 할 수 있는 일이 없다.

갑자기 등에 소름이 끼쳐 뒤를 돌아보았다. 쥐엄나무 위에서 미카엘이 그를 내려다보고 있었다.

"두 가지 지시가 남아 있었구나. 그것 때문에 찾아왔나?"

"먼저 말을 꺼내 줘서 고맙다. 이번에도 한 가지만 지시한다."

"말해라."

"유대 총독의 병력을 지휘하여 예수를 체포해서 안나스에게 넘겨줘라."

"……."

"그러면 너의 방황도 끝날 것이다."

"나의 방황이라니, 무슨 말이냐?"

"썩어 없어질 것들을 추구하면, 누구나 방황하게 된다."

"내가 예수를 찾아가서 도망치라 하고, 그가 인도까지 도망치면 안 되나? 그러면 체포할 일도 없다."

"그가 너의 말을 듣고 도망친다면, 두 번째 지시를 이행한 것으로 하지. 그렇지 않으면, 너는 예수를 체포하여 넘겨야 하고, 다시 구출하면 안 돼."

"대제사장들이 그를 돌로 쳐 죽일 심산인데, 내 몸으로 돌들을 막아내도 되나?"

"그러면 너도 죽을 텐데, 그처럼 아름다운 일을 누가 막겠나?"

"내가 이깟 일을 하자고, 로마 놈들의 무수한 창검들을 피하여 살아남았군. 한 가지 물어봐도 되겠나?"

"한 가지만 물어 봐라."

"이스라엘은 어떻게 되나, 내 손으로 독립시킬 수 있겠는가?"

"네 손이 아니라, 너처럼 굴하지 않는 자들이 이스라엘을 독립시킬 거야. 하지만 지금 네가 할 일은 예수를 체포하여 안나스에게 넘기는 거야."

하늘이 노랗게 보였다. 유다는 어지러워서 동굴로 들어가 바닥에 누웠다. 예수가 어떤 존재이기에 미카엘까지 그를 죽이려 하는가?

예수는 자기 자신을 아버지와 하나라고 했다. 미카엘은 야훼의 대천사이다. 야훼가 자신의 대천사에게 명령을 내려, 자기 아들을 죽음으로 내몰고 있다. 도대체 무엇 때문에 그런 일을 하는가?

야훼는 어떤 존재인가? 그는 모세에게 자기 자신을 '스스로 있는 자'라고 했다. 항상 살아 있고, 영원하고, 전능한 만군의 하나님, 그러한 존재가 무엇 때문에 자기 아들을 죽음으로 내몬단 말인가?

유다는 몰려드는 질문과 회의에 동굴을 떠날 수가 없었다. 별동대원이 하루에 두 번 음식을 갖다주었다. 그는 자신이 가장 원하는 것이 무엇인지 생각해 보았다. 이스라엘의 독립? 그건 그 혼자만의 바람이 아니다. 권력과 돈? 그것도 아니다. 그럼, 무엇을 원하는가? 살로메의 얼굴이 떠올랐다. 그녀와 함께 아무도 없는 곳으로 가서 살고 싶다. '한심한 놈, 넌 구제 불능이야.'

다락집 경영을 당분간 마르크에게 맡기고, 그는 겨우내 명상에 매달렸다. 예루살렘과 갈릴리를 오가며 소식을 전하던 마티아도 그를 만나기 위해서는 겟세마네 동굴로 와야 했다.

예수, 아버지, 야훼가 어떤 존재인지는 둘째 문제다. 중요한 것은 유다가 어떤 존재냐는 것이다. 그는 유다라는 자를 성전 뜰에 놔두고, 안토니 요새에 올라가 유다를 내려다보았다. 그는 매 순간을 치열하게 살았고, 어떤 난관도 헤쳐 나갔다. 그러나 유다라는 자는 지금 지쳐 있다.

그는 헷갈리지 않기 위해 자기의 이름을 두 가지로 부르기로 했다. 마치 야곱이 개명하여 이스라엘이 된 것처럼, 안토니 요새에서 유다를 내려다보고 있는 존재를 요하난[59]이라 불렀다.

알렉산드리아에서도 로마에서도 예수를 생각하지 않고 지나간 날이 하루도 없었다. 그러나 지금 그는 자기 인생에서 예수가 없어졌으면 좋겠다고 생각했다. 그러다가 고개를 흔들었다. 갑자기 자기 자신이 함께 없어지는 느낌이 들었다.

무엇보다 그는 자기 자신을 알아야 했다. 그는 진정한 자기를 찾

---

59 '하느님은 자비로우시다.'라는 뜻

는 데 몰두했다. 안토니 요새에서 내려다본 유다는 진정한 자기가 아니었다. 그는 환멸이나 좌절에 빠질 수 있는 약한 남자였다.

겨울이 지나 봄의 문턱에 들어섰나 싶더니 진눈깨비가 구질구질 내렸다. 유다는 서재의 창문을 통해, 비에 흠뻑 젖은 마티아가 다락 집에 들어서는 것을 봤다. 그는 옷을 갈아입고 서재로 들어왔다.

"지금 어디에서 오는 길이냐?"

"요르단강 건너편 베다바라에서 출발했죠. 스승님은 지금 어디에 있는지 몰라요."

"그동안 있었던 일을 말해 봐라."

"스승님은 예루살렘에 가서 대제사장들에게 잡힐 거라고 했어요. 그러면 그들이 스승님을 돌로 쳐 죽일 거라고 했습니다."

"제자들은 뭐라고 하더냐?"

"베드로가 그러면 안 된다고 했다가 호된 꾸지람을 받았죠. 스승님이 '사탄아, 물러가라. 너는 하느님의 일이 아니라 사람의 일을 생각한다.'라고 했거든요."

"그래서 어떻게 됐느냐?"

"제자들이 수군거렸습니다. 이제 이스라엘을 회복할 때가 온 것 같다고요."

"새로운 강론은 없었느냐?"

"무슨 뜻인지 모르지만, '건축자가 버린 돌이 모퉁이의 머릿돌이 될 것이다.'라고 했어요. 그게 무슨 뜻이죠?"

"휴, 글쎄다."

"혹시 대제사장들이 스승님을 돌로 쳐 죽인다는 말과 관계가 있나요?"

"잘 보았다. 대제사장들이 스승님을 내버리겠지만, 스승님은 하느님 나라의 머릿돌이 될 거라는 뜻이다. 네 덕택에 머릿돌이 무슨 뜻인지 알았다."

"아하! 그게 그렇군요. 주인님이 가끔 요하난을 부르는 소리를 들었는데, 그는 어떤 사람인가요?"

"허허허, 주인을 닮아서 귀가 밝구나. 네가 알렉산더와 마티아라는 두 개의 이름을 가진 것처럼, 요하난은 나의 다른 이름이다."

유다는 대장간에서 바라빠를 만났다.

"얼마가 될지 모르나 한동안 예루살렘을 떠나 있을 테니, 일을 벌이지 마라. 별동대원들이 위험에 처하지 않도록 매일 주의를 주어야 한다. 내가 도성을 떠나 있을 때는 항상 그렇게 해라. 이건 친구가 아니라 대장으로서의 명령이다."

"명령을 따르겠습니다, 대장님. 그런데 갑자기 어디로 가나?"

"예수를 만나려고 갈릴리로 간다."

"예쁜 마누라를 찾으러 가는 것이 아니고?"

"실없는 소리 하지 마라."

"다볼산에 들르면 전사들이 좋아할 거야."

"내가 정말 정신이 없구나. 다볼산 요새를 둘러보고 장기 계획을 마련해야겠다."

"마누라를 둘이나 잃어버렸으니 정신이 나갈 만도 하지. 30을 넘은 지가 언제냐? 네게 자식 하나 없는 것이 나까지 허전하게 만든다."

"인생은 결국 홀로 사는 것이다."

유다는 아버지의 집으로 가서 옷을 갈아입고, 나사로의 집으로 갔다. 한낮인데도 그는 이불을 덮고 있었다. 마르다가 그를 일으켜 앉혔다. 초췌한 모습이지만, 안색은 불그레하고 눈빛은 매서웠다.

"예수 형을 만나러 가는 길에 들렀어. 아직도 많이 아프지?"

"대제사장 놈들을 때려죽이는 상상을 하면서 견디고 있어. 내 삶이 이렇게 허망하게 끝날 줄 몰랐다."

"조금씩 움직여라. 그러면 몸에 힘이 생기고, 기운을 되찾게 될 거야."

"끝없는 고통에 심신이 지쳤어. 차라리 감옥 안에서 죽었더라면 좋았을 것을."

"모든 일이 마음먹기에 달린 것 아니냐? 나와 함께 독립을 위해 싸우자."

"우리가 독립을 쟁취한다고 뭐가 달라지지? 그저 통치자만 바뀌는 거야. 메시아가 와서 악을 몰아내고, 도탄에 빠진 백성들을 구원해야 해."

"이렇게 답답할 수가 있나. 너도 예수처럼 하늘만 바라보고 있으니, 죽는다는 말을 쉽게 하는 거야."

"너 같은 악동이 선생님과 어울리는 게 신기하다. 아무튼 선생님에게 이 말을 꼭 전해라. 잡히면, 참을 수 없는 고통을 당하니까 멀리 도망가라고."

"네 말을 전하고 즉시 돌아오마. 그때까지 살아 있어야 한다."

"선생님이 여기 있었으면, 오빠가 이렇게 되지 않았을 거예요. 그분이 와서 오빠를 낫게 해 주면 좋겠어요." 마르다가 말했다.

"네 말도 전해 주겠다."

유다는 저녁이 다 되어 베다바라에 도착했다. 그곳은 일찍이 세례자 요한이 세례를 베풀던 곳이고, 빚을 갚지 못해 농토를 잃은 사람들이 몰려와 사는 곳이다.

예수는 기쁜 얼굴로 그를 맞이했다. 실로 오랜만에 보는 쾌활한 모습이었다. 유다는 그를 따라 한적한 곳으로 갔다. 그들은 나뭇등걸 위에 앉았다.

"스승님께 기쁜 소식과 슬픈 소식을 전하러 왔습니다."

"너의 말투가 예사롭지 않구나. 기쁜 소식부터 듣자."

"안나스가 나더러 유대 총독의 병력을 지휘하여 형을 체포하라고 했어."

"과연 기쁜 소식이구나. 슬픈 소식은?"

"나사로가 보름 만에 풀려났는데, 고문 후유증으로 죽어 가고 있어. 그를 문병하고 오는 길이야. 그의 누이들은 형이 와서 고쳐주길 바라고 있어."

"저런! 나사로가 안됐구나. 안나스가 너더러 나를 체포하라는 이유가 무엇이냐?"

"카이아파스가 필라투스에게 병력을 지원해 달라고 요청했는데, 필라투스는 내가 병력을 지휘하는 조건으로 내주겠다고 한 거야."

"수건돌리기를 하는 거냐? 사실 내가 자세한 걸 알 필요는 없지. 하지만 네가 로마군 병사들을 지휘하여 나를 체포한다고 생각하니 끔찍하구나."

"흐흐흐. 그게 수건돌리기야? 아무튼 난 그런 일은 안 해."

"이제야 알겠구나. 그것이 바로 아버지의 뜻이야."

"뭔 뜻이 그렇게 개좆같아?"

"아버지에게 속된 말을 하지 마라. 네게 맡긴 소명을 받아들여야지, 네 마음에 안 든다고 불평해서야 되겠느냐?"

"내 소명은 이스라엘 독립이니까 딴말 하지 마. 나사로의 말을 전해 줄게. 잡히면, 참혹한 고통을 당할 테니까 멀리 도망가라고 했어."

"세례자 요한이 참수당했을 때, 나는 죽기로 결심했다. 지금까지 피해 다닌 것은 제자들이 깨달음에 이르지 못했기 때문이야."

"그럼, 지금 제자들이 깨달음에 이르렀다는 거야? 그들이 깨달았다면, 그거야말로 기적이다."

"메시아 환상에 사로잡혀 있는 한, 누구도 진리를 깨닫지 못해. 하지만 내가 죽고 나면, 메시아 환상에서 깨어나 진리를 깨달을 거야."

마티아가 모닥불을 피우는 동안, 그는 예수를 노려보기만 했다. 마티아가 헛기침을 두어 번 하고는 물러갔다.

"형이 죽고 나서 제자들이 깨달음에 이른다고 치자. 그러나 형의 뒤를 이어 하느님 나라를 전파하려는 자들이 얼마나 되겠어, 제자 중에 권력과 재물을 탐하지 않는 자들이 있어? 그들은 뭔가 대단한 걸 얻으려고 형을 따른 거야."

"무엇 때문에 나를 따랐든, 그들은 진리를 깨닫게 될 거야."

"허참, 진리가 도대체 뭐야?"

"다시 한 번 확인해 보자. 지배 체제는 우리가 가난하고 병들게 된 것을 하느님의 징벌이라고 가르친다. 그러나 하느님은 징벌하지 않아. 그는 우리가 뉘우치기도 전에 용서하는 분이야."

"잠깐! 뉘우치기도 전에 용서한다는 말이 무슨 뜻이야, 우리에게 애당초 죄가 없다는 거야?"

"바로 말했다. 제자들이 너만큼 빨리 깨달으면 얼마나 좋겠느냐? 죄는 백성들을 억압하기 위해서 모세와 같은 지도자들이 만들어 낸 거야."

"다 좋은데, 죄는 형이 말하는 것처럼 허상이 아니라 실상이야."

"무슨 말을 하는 거냐? 잘 생각해 봐라. 저들이 말하는 죄란 사실 저들이 가장 많이 저지르고 있어. 도둑질하지 말라고 하는 자들이 더 많이 훔쳤고, 살인하지 말라고 외치는 자들이 사람들을 더 많이 죽였어. 백성들이 짓는 죄를 모두 합쳐도, 저들이 짓는 죄에 비하면 아무것도 아니야."

"우리에게 애당초 죄가 없다면서 그런 말을 해?"

"저들이 우리에게 뒤집어씌운 죄를 말한 거야."

"형은 살로메에게 다시는 죄짓지 말라고 했어. 그건 무슨 죄야?"

"그녀가 자기의 행위를 스스로 죄라고 여겼기 때문에 그렇게 말했지."

"허 참, 형은 지금 간통이 죄가 아니라고 말하고 있어."

"간통은 가족을 무너뜨리는 행위기 때문에 공동체의 징벌을 피할 수 없어. 하지만 하느님은 간통보다 더한 행위라도 정죄하지 않아."

"여자를 보고 음욕을 품은 자는 이미 간음한 것이라고 말한 게 누구야? 그건 형이 간음을 죄라고 선언한 거야."

"허허, 오해하지 마라. 동침을 해야만 간음이냐? 음욕을 품은 것 자체가 이미 간음이야. 하지만 나는 간음이 죄라고 말한 적은 없다."

"간음이 죄가 아니라는 말이야?"

"세상에서는 간음을 죄로 다스릴 수밖에 없지만, 하느님은 정죄하지 않아. 어떤 죄든, 그것은 권세 있는 자들이 만들어서 백성들에게 뒤집어씌운 거야."

"그럼, 회개는 뭐야, 죄를 뉘우치고 다시는 죄짓지 않는 것 아냐?"

"다시 말하는데, 죄는 하느님이 아니라 지배 체제가 만든 거야. 우리는 거짓된 교리를 배우고, 거짓된 세상을 살아왔어. 회개란 거짓된 세상에서 뛰쳐나와, 하느님 나라로 들어가는 거야."

"지배 체제는 백성들이 그 나라로 들어가는 것을 허락하지 않아. 그래서 그 나라의 왕인 형을 잡아 죽이려는 거고, 왕이 죽으면 그 나라도 끝장이야."

"하느님 나라에는 왕이 없어. 백성들 하나하나가 모두 왕처럼 살아가는 곳이야. 내가 죽어도 그 나라는 멸망하지 않아."

"지금 그 나라가 어디 있어? 그 나라는 형의 환상 속에만 있어. 형의 제자들은 아무도 그 나라를 믿지도 않고, 원하지도 않아. 그러니까 그들이 형을 떠나는 거야."

"내게는 네가 있고, 마리아도 있어. 도마는 빨리 깨닫고, 베드로는 성실하지."

"형이 죽으면 아무것도 이루어지지 않아. 아브라함이 이삭을 죽이지 않았기 때문에 야곱[60]이 태어난 거야."

"내가 죽어야 그들이 깨닫는다."

"세례자 요한의 제자들을 보라고. 스승이 죽어 버리자, 그들은 형의 위세에 눌려 쪼그라들었어. 후계자인 나사로까지 죽어 가고 있고. 단언하는데 형이 죽으면, 하느님 나라도 함께 죽어."

"진리가 쉽게 받아들여지겠느냐? 그랬다면 지금까지 감추어져 있지 않았을 거다. 내가 죽으면, 나를 따르는 자들이 계속 나타날

---

60 아브라함은 야훼의 명에 따라 외아들인 이삭을 죽여 제물로 바치려고 했다. 하지만 천사가 나타나 그것을 제지했다. 야곱은 이삭의 아들이니, 이삭이 죽었으면 야곱도 태어날 수 없었다는 말이다. 창세기 22장 참조.

것이고, 그러면 진리가 온 세상에 전파될 거야."

"형은 바보 천치에다, 완전히 고집불통이야. 형 마음대로 해."

베다바라에서 다볼산으로 가려면, 요르단강을 동쪽에서 바라보며 올라가 필로테리아까지 북상하고, 거기에서 남서쪽으로 가야 한다. 강을 구불구불 감싸고 있는 열곡을 지나고, 샛강들을 건너면서 유다는 겨우 화를 가라앉혔다.

예수는 성전 당국을 비난하고 공격했지만, 그들은 꿈쩍도 하지 않았다. 그가 모욕과 조롱을 퍼붓자, 그제야 그들은 그를 죽이려고 나섰다. 예수는 어떻게 생겨먹은 인간이기에 죽자고 지배 체제에 머리를 디미나? 어떻게든 예수와 연합하여 이스라엘의 독립을 쟁취하려 했는데, 그야말로 번지수를 잘못 짚었다.

독립 전쟁을 시작도 하지 않았는데, 벌써 많은 사람이 죽었다. 안티파스의 300군사와 성전 경비대 50명이 영문도 모른 채 죽었고, 나사로도 그렇게 죽어 가고 있다. 마하보 전사들은 어느새 냉혹한 살인 기계가 되어 있었다. 무술 고수인 그들은 앞으로도 많은 사람들을 죽일 것이다.

그는 요새를 찾아 다볼산을 샅샅이 뒤졌다. 한참 만에 동굴 입구를 발견했다. 보초병이 창을 들어 그를 제지하려다가 자세를 바로 하며 인사했다. 그는 전사를 격려하고, 동굴 안으로 들어갔다. 연단에서 요나단이 전사들을 향하여 훈시하고 있었다. 연단 뒤쪽에는 거룩한 두루마리가 탁자 위에 놓여 있었다.

다음날 요나단이 그를 밭으로 데리고 갔다. 안티파스의 300군사와 성전 경비대 50명의 시체를 묻은 땅을 사들이고, 밭으로 만들었다고 했다. 돌담을 쌓아 울타리를 만들고, 밭 한 귀퉁이에 창고를 들였다.

요나단이 금 10달란트로 농지와 어선을 사들이고, 도적질을 그만두자고 했다. 농지에서 곡물을 재배하고, 갈릴리 호수에서 물고기를 잡아 전사들의 식량을 마련하자는 것이다. 그는 요나단의 제안을 받아들이고, 더 이상 사람을 죽이지 말자고 했다.

나사로의 집은 밖에서부터 초상집 냄새가 풍겼다. 홀로 집에 있는 마리아가, 사흘 전에 오빠가 숨을 거두어, 오늘 장례를 치렀다고 했다. 유다는 마리아를 따라 무덤으로 갔다. 널빤지 위에 수의를 입은 시신이 누워 있었다. 그는 무슨 말로 마리아를 위로해야 할지 몰라 멍하니 시신만 쳐다보았다.

요하난이 나사로는 너 때문에 죽은 거라고 말했다. 네 말이 맞다. 독립운동을 계속할 거냐? 그거 말고는 할 일이 없다. 세상에는 독립운동 말고도 할 일이 얼마든지 있다. 예수가 죽든 말든, 이스라엘이 독립을 하든 말든, 알렉산드리아로 훌쩍 떠나버리면 어떨까? 공부를 다시 시작하는 것도 나쁘지 않다. 그런데 왜 살로메 얼굴이 또 떠오르는 거야? 살로메는 요조숙녀이자 방탕한 여인, 한마디로 이상적인 여성이니, 자꾸 떠오르는 게 당연하다. 그녀를 다시 맞아들이라는 말이냐? 정신 차려라! 그런 여자는 세상에 널려 있다.

예수와 몇몇 제자들이 무덤으로 들어왔다.

"선생님이 여기 있었으면 오빠는 죽지 않았을 거예요. 오빠는 선생님 대신 죽은 거예요." 마리아가 말했다.

"미안하다, 마리아. 원통하구나, 나사로." 예수는 가슴을 치며 울었다. "메시아 환상에서 벗어나지 못하고 죽으면 어쩌란 말이냐? 나사로야! 일어나라, 일어나 걸으란 말이다."

유다는 걷잡을 수 없는 회한에 입술을 깨물었다. 성전 경비대 50명을 건드리지 않았더라면 나사로는 죽지 않았다. 그가 죽은 것은 바로 유다 자신 때문이었다. 그는 한숨을 쉬며 널빤지 위의 시신을 바라보다가 기절초풍했다.

"형! 저길 봐. 시체가 움직이고 있어."

0023년에서 0030년까지 아프리카 그리고 카프리섬에서

"우주가 처음 생겨날 때 당신이 없었다면,
지금도 있을 수 없습니다.
그렇지 않습니까?"

• • •

아프리카 속주의 블라이수스 총독이 반란군을 진압했다. 유다가 반란군의 괴수를 생포했으나, 사로잡힌 자는 타크파리나스가 아니라 그의 동생이었다.

타크파리나스는 로마군 보조 부대에서 군무를 익힌 후, 사막 민족을 선동하여 반란을 일으켰다. 거기까지는 게르만족의 아르미니우스와 비슷하지만, 그는 로마군에게 한 번도 승리한 적이 없었다.

유다는 비로소 클라우디우스를 만날 수 있었다. 그가 알렉산드리아를 떠난 후 거의 10년 만에 만난 것이다. 그는 아프리카 제1 군단에서 백인대장으로 복무하고 있었다. 아무 연고가 없는 아프리카에서 유다는 옛 친구를 만난 것이 그렇게 반가울 수가 없었다.

황제는 블라이수스에게 반란군을 진압한 공로로 개선장군현장을 수여했다. 필라투스에게서 편지가 와, 권력의 정점에 있었던 드루수스가 죽었다는 소식을 전했다.

유다는 휴가를 내 아를 농장에 다녀왔다. 그곳에서는 빌라 건축이 한창이었다. 필라투스의 권유로 고급 빌라를 건축하게 된 것이다. 공사 감독에게는 마르크라는 조수가 있었는데, 그는 그리스 사람으로 천애고아였고, 마티아는 그를 양자로 삼았다.

블라이수스는 로마로 불려 갔고, 대신 돌라벨라가 왔다. 타크파리나스가 아직 제거되지 않았는데도, 황제는 아프리카에서 제 2군단을 철수하여, 도나우강 유역으로 보냈다.

유다는 세야누스로부터 사적인 편지를 받았다. 자네를 믿고 1개 군단을 철수했으니, 돌라벨라를 보필하여 아프리카 속주를 잘 지키라는 내용이었다. 그러면 장래에 중요한 일을 맡게 될 거라고 했다.

로마군의 병력이 1개 군단으로 축소되자, 타크파리나스는 부족들을 회유하기 시작했다. 그렇게 해서 긁어모은 병력이 2만여 명에 달했다. 그 정도면 로마군과 맞붙을 수 있다는 듯, 그는 또다시 반란을 일으켰다. 그는 군사 요충지인 비스크라를 포위하고 공격했다.

돌라벨라는 1개 군단과 보조 부대 병사들을 이끌고 비스크라로 갔다. 중무장한 군단병이 6천 명이고, 보조 부대인 기병대가 3천 기로 총병력은 9천이었다. 유다는 기병대를 지휘했다. 타크파리나스는 도시의 포위를 풀고 로마군과 대치했다.

유다의 기병대가 반란군을 급습했다. 반란군이 갈팡질팡하는 사이에 군단병들이 그들을 덮쳤다. 타크파리나스는 말을 타고 도주했다.

돌라벨라는 전투를 중지하고, 격전지에서 멀리 떨어진 요새에 진영을 설치했다. 반란군은 죽기 살기로 로마군을 공격해 왔다. 백병전이 벌어져 로마군도 많이 죽었다. 유다의 기병대가 타크파리나스를 발견하고, 그의 호위병들을 죽이면서 쫓아갔다. 그는 기병대에게 포위되자, 창으로 목을 찔러 자살했다. 이로써 반란은 완전히 진압되었다.

돌라벨라가 개선장군현장을 요청했는데, 황제는 그것을 허락하지 않고, 유다를 누미디아 지역의 총독으로 임명한다는 명령서를 보냈다. 그는 유다에게 사막 부족들을 통일해서 로마의 동맹국으로 만들라고 했다.

명예최고사령관인 블라이수스가 필라투스와 함께 카르타고에 왔다. 블라이수스는 누미디아 귀족들을 군단 주둔지로 초청하고, 그들이 지켜보고 있는 가운데 누미디아 총독 즉위식을 거행했다. 필라투스는 유다에게 세야누스의 편지를 전해 주었다. 그는 유다의 공로를 치하하고, 주변의 부족들을 병합해서 백성들을 잘살게 해 주라고 했다.

"스물네 살에 벌써 총독이라니 유대인으로서는 엄청난 출세다. 기분이 어떠냐?"

"로마의 속주가 아닌 땅에 파견된 총독이야. 군단 병력은커녕 대대 병력조차 주지 않고, 나 혼자 행정과 군사 일을 모두 하라는 건데, 무슨 일을 어떻게 해야 할지 모르겠어."

"우선 행정 관청 건축을 시작해라. 다음에는 병사를 선발하여 정예 군단을 창설하면 된다."

"대단하군. 난 형에게 그런 면이 있을 줄은 생각도 못 했어. 그런데 아직도 백인대장이야?"

"여기에 오기 전에 대대장으로 승진했어. 내 능력에 비하면 나쁘지 않은 속도라고 생각한다만."

"나 때문에 형의 승진이 늦어진 거 아냐?"

"심복에게는 일을 만들어서라도 진급을 시켜 주는 게 세야누스야. 더구나 드루수스가 죽은 후에는 도량이 더 넓어졌어. 나만 그렇게 생각하는지 모르지만, 그는 다음 황제를 노리는 것 같아."

"그래서 그놈이 마치 황제인 것처럼 나한테 편지를 썼구나."

"그는 지금 황제나 마찬가지야. 도대체 팍스 로마나가 어찌 될지 모르겠어. 너도 가끔 그에게 선물을 보내라."

유다는 누미디아 귀족들을 따라 비스크라로 갔다. 그들의 대표는 이름을 보밀카르라고 했다. 비스크라는 전쟁 통에 죽은 누미디아 왕이 통치하던 곳으로, 귀족들 대부분이 그곳에 살았다. 보밀카르는 유다를 왕궁에 모시고, 자물쇠로 잠긴 방을 보여 주었다. 침이 꿀꺽 넘어갈 만큼, 금괴와 은화와 동전이 산더미처럼 쌓여 있었다.

비스크라에는 알렉산드리아에 있는 마레오티스 호수만큼 거대한 호수가 있었다. 호수 주변의 땅이 비옥하여 올리브와 무화과가 많이 생산되고, 겨울에는 밀과 보리가 잘 되는 곳이었다. 북쪽에는 높은 산맥들이 북동쪽에서 남서쪽으로 늘어섰고, 남쪽에는 완만한 구릉들이 이어졌다. 그곳에서 유목민들이 양과 염소를 방목했다.

그는 보밀카르에게 인구조사를 하고, 행정 관청을 건축하라고 지시했다. 그러고는 100명의 병사를 선발하여 총독을 호위하도록 했다. 왕궁 앞에 2층 건물이 완공되자 인구조사도 끝났다. 누미디아 인구는 대략 7만 명이었다. 15만에 달하던 인구가 전쟁을 치르면서 반 이상 줄어든 것이다. 그는 관리를 선발하여 임명하고, 로마식 군단을 창설했다.

보밀카르가 부족 통합 전략을 건의했다. 총독이 직접 누미디아 지역의 부족들을 찾아가, 족장들에게 충성 서약을 받아 내라는 것이다. 그들이 받아들이면 그들의 딸과 혼인하고, 불응하면 토벌해야 한다고 했다. 족장들은 무장한 군단의 위세에 눌려 충성 서약을 하고, 황금과 그들의 딸을 바쳤다.

필라투스가 세야누스 덕택에 유대의 총독으로 부임하게 됐다고 편지를 보냈다. 편지 말미에 유다도 그에게 잘 보이면 좋겠다고 썼다.

그는 서쪽의 마우레타니아 왕국과 동남쪽의 가라만테스 왕국과 동맹 조약을 체결했다. 그것이 꼬박 2년이나 걸렸다. 마우레타니아 왕은 그에게 표범 두 마리를 선물로 주었고, 그는 그것을 로마로 보내 세야누스에게 바쳤다.

누미디아 지역은 점점 안정되어 갔다. 전쟁이 없어지니 백성들의 살림이 풍족해졌다. 그는 사막 아래의 민족과 무역을 하여 큰돈을 벌었다. 그들은 금덩어리와 피부가 검은 미녀를 누미디아의 암염과 바꾸었다. 사람은 금덩어리가 없어도 살지만, 소금 없이는 살 수가 없다. 그는 큰 부자가 됐고, 네 명의 아내를 두었다.

새벽에 일어나 쇠몽둥이를 휘두르면 온몸이 상쾌해진다. 양젖을 마시고, 말에 올라 초원을 달린다. 호위대가 음식을 나눠 싣고 뒤를 따른다. 농민과 어부와 목동을 만나, 음식을 먹으며 그들의 이야기를 듣는다. 오후에는 업무를 처리하고, 저녁에는 아내들과 식사하고 잠자리에 든다.

그러던 어느 날, 그의 아내들이 디오니소스 축제[61]에 가게 해 달라고 했다. 전쟁 때문에 축제가 열리지 못하다가, 누미디아 총독이

---

[61] 포도주의 신인 디오니소스를 기리는 고대 그리스의 축제로, 로마 제국에 와서는 금지된 때도 있었다. 축제는 비밀의식을 행하기 위해 한밤중에 거행됐다. 신도들은 대부분 여자였고, 포도주를 마시며 노래를 부르고 춤을 추었다. 때로는 짐승을 갈기갈기 찢어서 날고기를 먹었다고 한다.

부임한 후에 사제들이 2년에 한 번 꼴로 축제를 열기 시작했다. 그의 아내들은 디오시소스 신도였고, 이번에 못 가면 다시 2년을 기다려야 하니, 꼭 보내 달라고 했다.

축제는 호수 북쪽에 위치한 높은 산 중턱에서 열렸다. 그는 아내들을 수레에 태우고, 축제가 열리는 곳으로 갔다.

축제는 어둠 속에서 횃불을 밝히며 시작됐다. 무대 위에서 잘생긴 소년이 종이를 들고 알아듣지 못할 언어로 읽었다. 무슨 장치를 했는지, 지팡이를 든 사내가 한 여인의 손을 잡고 무대로 미끄러져 들어왔다.

기도인지 주문인지가 끝나고, 피리와 북 소리에 맞춰 신도들이 노래를 부르며 제물을 그 사내에게 바쳤다. 그가 뭐라고 소리를 지르자, 남자 몇몇이 거대한 항아리를 들고 나타났다. 그들은 항아리 마개를 열고, 커다란 그릇에 포도주를 따랐다.

디오니소스로 분장한 사내가 항아리를 들어 포도주를 벌컥벌컥 마신 후, 지팡이를 흔들며 뭐라고 외쳤다. 그것이 본격적인 축제의 시작이었는지, 신도들이 포도주가 가득 담긴 그릇을 하나씩 집어 들고, 고개를 뒤로 젖히며 마셨다. 분장한 남녀가 춤을 추자, 대부분이 여자인 신도들도 머리와 엉덩이를 흔들기 시작했다. 피리와 북 소리가 점점 커지며 템포가 빨라졌다. 신도들의 춤도 격렬해졌다. 그들은 머리를 풀어 헤치고, 가슴을 드러내고, 괴성을 질러 댔다. 한편에서는 여자들이 남자에게 떼로 달려들어 뒹굴었고, 다른 한편에서는 채찍질 소리가 들렸다.

유다는 그런 놀이에 끼어들 생각이 없었다. 고개를 저으며 그곳을 벗어나려는데, 머리를 풀어 헤친 여자 서너 명이 그에게 달려들었다. 그는 사양한다는 의사 표시로 점잖게 뿌리쳤다. 하지만 오산이었다. 짧은 순간 그의 팔에서 살점이 떨어져 나갔고, 피가 분수처럼 솟아올랐다. 그는 뒷걸음치다가 몸을 돌려 달아났다.

그러나 대여섯 명의 여자들까지 합세하여 달려드는 통에, 그걸 피하다가 나뭇등걸에 걸려 넘어졌다. 여자들이 몸뚱이째로 그를 덮쳤다. 숨이 막히고 기가 막혔다. 그는 발버둥 치며 여자들을 밀어내고 일어섰다. 그러고는 냅다 산 위쪽으로 도망쳤다. 여자들이 괴성을 지르며 쫓아왔다. 모두 죽여버리고 싶었지만, 그들 중에 자기의 아내가 있는지 분간할 수가 없었다.

그는 가쁜 숨을 몰아쉬며 고목에 등을 기대고, 자신의 몸뚱이를 손으로 더듬어 보았다. 살점이 떨어져 나간 곳이 한두 군데가 아니었다.

보통 사람으로서는 감당하기 어려운 위기를 얼마나 많이 겪었던가. 하지만 한낱 여자들의 공격에 반격 한번 제대로 못 해 보고 당했다. 발이 빨랐기에 망정이지, 하마터면 개죽음을 당할 뻔했다. 디오니소스에 신들린 여자들은 힘이 무지막지해서, 한창나이의 장정들도 당할 수 없다고 읽었는데, 과연 사실이었다. 아내들의 소행이 괘씸했다. 자기들끼리 축제에 참여하든지, 아니면 이런 일들이 있을 거라고 미리 말해 주든지 했어야 했다. 왕궁에 돌아가면. 아내들을 혼내 주리라 다짐했다.

그때 갑자기 정적이 찾아왔다. 피리 소리도 북 소리도 들리지 않았다. 노랫소리와 신들린 여자들의 괴성도 멎었다. 모든 것이 정지한 것 같았고, 시간조차 멈춘 듯했다. 유다는 축제 현장으로 가 보려고 일어서다가 미카엘을 봤다.

"아이코, 깜짝이야. 여기에서 뭘 하는 것이냐?"

"첫 번째 지시를 한다. 총독 자리에서 물러나 유대 땅으로 돌아가라."

"……."

"너는 수많은 고난을 겪었고, 죽을 고비도 여러 번 넘겼다. 하지만 5년 동안 권력과 쾌락을 누려 봤으니, 그것으로 보상이 됐을 것이다. 네 아버지가 너를 애타게 부르고 있다."

카프리섬에서

유다는 근위대 대대장 복장에 쇠몽둥이를 비껴들고, 로마시의 일곱 개 언덕 중 하나인 팔라티노에 들어섰다. 길거리에서 그와 마주치는 사람들이 서둘러 길을 비켜 주었다. 세야누스는 황궁 접견실에서 30대 중반으로 보이는 사람과 이야기를 나누고 있었다.

"오호! 누미디아의 통치자여, 어서 오라. 자네는 내가 기대했던 것보다 훨씬 잘했다. 하지만 제대 신청서를 낼 줄은 몰랐다."

"제대 기념으로 포도주 삼백 항아리를 가져왔습니다."

"허허허, 많이도 가져왔군. 고맙게 받겠다. 황제 폐하가 자네를 카프리섬으로 데려오라고 했다."

"나를 몰라보겠나? 아프리카에서 권력 맛을 보더니 친구조차 몰라보는구나."

30대 중반으로 보이는 사람이 소파에서 일어나며 말했다. 그제야 그는 세네카를 알아보았다.

"로마의 현자를 몰라봤군요. 요양차 알렉산드리아에 머무는 줄 알았는데, 언제 돌아왔습니까?"

"건강이 좋아져서 돌아왔다. 아무리 현자라도 제국의 수도를 떠나서 무슨 일을 할 수 있겠나, 집정관님, 이제 유다를 앉게 하는 게 어떻겠습니까?"

"어허, 내가 누미디아 왕께 결례했구나. 어서 앉게."

"유다는 제대한 후에 유대 땅으로 갈 사람인데, 황제 폐하가 유다를 부른 이유가 뭘까요?"

"폐하의 심중을 누가 헤아릴 수 있겠나? 모레 오후에 황제 전용선이 나폴리에서 출발한다. 카프리섬으로 가는 배는 그것밖에 없으니까, 늦지 않도록 해라. 참, 자네가 선물한 포도주를 황제 폐하에게 바치는 것으로 하겠다."

유다는 마티아 부자에게 항아리들을 나폴리 항구로 가져가라고 했다. 세네카가 그를 자기의 집으로 데려갔다.

"세야누스가 집정관이면, 다른 하나는 누굽니까?"

"황제와 세야누스가 내년 집정관으로 선출됐다. 휴! 로마 시민들은 다음 황제가 세야누스라고 생각할 것이다."

"티베리우스 황제가 학문적 소양이 매우 뛰어난 사람이라고 들었습니다."

"로도스섬에 칩거하면서 8년 동안이나 그리스 철학을 공부했으니 뛰어날 수밖에. 그건 그렇고, 내가 알렉산드리아에 있을 때 필로를 만나 봤다. 현자라고 불려도 손색없는 분이 자기의 모든 지식과 깨달음을 아우님에게 전해 주려 했는데, 아우님이 뒤도 안 돌아보고 로마로 가 버렸다고 하더라. 내가 그 말을 듣고 얼마나 놀랐겠는가?"

"스승님은 매일 책을 쓰느라, 다른 일은 아무것도 못 했습니다.

학자는 아무나 하는 게 아니지요. 나는 그가 쓴 책을 읽기만 했습니다."

"그 외에 아우님이 무슨 책들을 읽었는지 말해 주겠나?"

"유대인들에게는 30여 가지의 거룩한 책들이 있습니다. 그것을 어릴 적부터 읽었고, 스승님이 100권을 선정해 읽으라고 해서 그 책들을 읽었습니다."

"이렇게 부러울 수가! 그게 어떤 책들이었나?"

"그리스 고전이 70권 쯤 되고, 키케로와 시인들의 저작이 15권이고, 나머지가 스승님의 저작이었습니다."

"자네처럼 체계적으로 독서를 한 사람은 거의 없을 거야. 내겐 그런 행운이 없어서 마구잡이로 읽었지. 아무튼 자네는 헬라어를 도통했을 테고, 라틴어도 수준급이겠는 걸. 그런 사람이 어떻게 검투사가 됐나?"

"그때는 생계 문제가 급했습니다. 하지만 사실은 검투사를 해보고 싶기도 했습니다. 황제가 섬에 은둔할 때 친구들이 동행했다고 들었습니다. 지금 거기에 어떤 자들이 있는지 알고 있습니까?"

"네르바와 베스틸리우스라는 사람이 있다고 들었는데, 네르바는 점성술가고, 베스틸리우스는 자칭 시인이지."

유다와 세네카는 황제 전용선을 타고, 오후 늦게 카프리섬에 도착했다. 세야누스는 병사들에게 포도주 항아리를 창고로 옮기라고 했다. 그는 유다와 세네카에게 테라스에서 기다리라고 했다.

태양은 서쪽 하늘에 매달려있고, 달은 동쪽 수평선으로 떠오를 준비를 하고 있었다. 푸르고 잔잔한 바다 너머에 나폴리 항구가 허허

로이 보였다. 11월 하순의 바람이 소금기를 머금고 불어와, 그의 뺨을 어루만졌다. 유다는 당장 아버지가 보고 싶었다. 가슴 속으로 그리움과 슬픔이 밀려들더니, 갑자기 대성통곡을 하고 싶었다. 아버지가 죽기 전에 말해 줘야 한다. 온 마음으로 당신을 사랑한다고.

"이곳보다 더 아름다운 곳이 있을까?"

"이처럼 아름다운 섬에 은둔한 황제가 어떤 종류의 인간인지 헤아리기 어렵군요."

"황제가 어떤 인간이든 우리와 무슨 상관인가? 사람은 누구나 자신이 어떤 사람인지가 중요하지."

하인이 그들에게 뛰어와 세야누스가 부른다고 했다. 그들은 빌라 요비스[62]로 갔다.

"내일 오후 다섯 시에 향연이 열린다. 주제는 '사후 세계'이다. 세네카는 강연을 준비해라. 식당에서 폐하가 기다리고 있다."

티베리우스 황제가 허리를 꼿꼿이 세우고 소파에 앉아 있었다. 그들은 황제에게 예를 다해 인사했다.

"다들 자리에 앉거라. 유다는 15년 만인가? 소년이 대장부가 됐군."

"예, 오랜만에 폐하를 뵙니다. 늘 건강하고 장수하길 빕니다."

"세네카, 자네가 스토아주의의 대가라고, 점성학에 대해서도 일가견이 있다고 들었다. 유다와 자리를 함께하게 됐는데 어떤가?"

"천학을 불러주니 감사할 따름입니다. 여기에 오면서 대화를 나누어 보았는데, 유다가 학문적으로 박식한 사람이라는 것을 알게 됐습니다. 더구나 그는 유대인이니까 유일신에 대하여 들을 게 있을 겁니다."

---

62 '유피테르의 빌라'라는 뜻으로, 티베리우스 황제가 거주하던 대저택이다.

"자, 이제 그만하고 만찬을 시작하자."

황제는 세야누스뿐만 아니라 자기의 친구들도 만찬에 초대하지 않았다. 그는 홀로 중앙 소파에 앉았고, 왼쪽 소파에는 유다가, 오른쪽 소파에는 세네카가 자리를 잡았다. 하인들이 소파들 사이로 탁자를 굴려서 가져왔다. 그들은 전채요리에서 음식을 조금씩 접시에 덜고 시식했다. 음식에 이상이 없음을 확인하자, 황제가 잔을 들었다.

"자, 위대한 로마와 천박한 원로원을 위하여." 그의 목소리에서 유쾌함이 묻어나왔다.

"황제 폐하를 위하여." 그들이 일제히 화답했다.

"유다, 나는 자네에게 왕관을 씌워 주려고 마음먹고 있었다. 그런데 느닷없이 제대를 신청하고, 유대 땅으로 가겠다고 하니, 이유를 말해 보라."

"아버지가 보고 싶고, 아버지가 건강한지 불편한지 염려가 되어 더는 참을 수가 없었습니다. 이제라도 전력을 다해 달려가면, 도착하기 전에 아버지가 죽는다고 해도, 후회할 일은 없을 겁니다."

"아름답구나. 부친은 어떤 분인가?"

"알렉산드리아 군단에서 백인대장으로 근무하다가 제대했습니다. 하지만 본래 우리 가문은 율법을 연구하는 집안입니다. 아버지는 제대 후에 예루살렘에서 대공회 의원으로 활동했는데, 지금은 무얼 하는지 모릅니다. 못 본 지 벌써 20년이 돼 갑니다."

그릇이 비면 하인들이 새로운 탁자를 굴려서 가져왔고, 그때마다 시식 절차를 거쳤다. 황제는 유다가 한때 필로의 제자였다는 말에 고개를 끄덕였다. 그는 물을 섞지 않은 포도주를 물 마시듯 했다. 유다는 그와 똑같이 마셨으나, 세네카는 포도주에 물을 타서 마셨다. 그러다가 세네카는 소파에 쓰러져 코를 골았다. 황제는 유다에게 그를 부축해 침실로 데려가라고 했다.

"우선 음식을 먹고 세네카의 강연을 듣기로 한다. 강연 제목은 사후 세계다. 강연 후에는 포도주를 마시며 토론할 것이다."

황제의 말이 끝나자, 그들은 자리에 앉았다. 로마의 귀족들은 비스듬히 누워서 먹는 것이 관습이었으나, 황제는 누울 생각이 전혀 없는 것 같았다. 그들은 포도주를 마시며 전채요리와 세 번의 전식을 먹었다. 다음에는 첫 번째 구이 요리가 나왔다. 음식이 바닥을 보이자, 세네카가 자리에서 일어났다.

연단은 황제의 자리가 정면으로 보이는 곳에 있었다. 세네카는 황제에게 예를 표하고 입을 열었다.

"사후 세계의 존재 여부는 논증이 불가한 물음이고, 영혼 불멸에 관한 물음도 마찬가지입니다. 이러한 물음에 대해서는 직관을 따를 수밖에 없습니다. 직관은 개인의 것이고, 집단의 직관이란 있을 수가 없는 것입니다. 그러나 종교는 사후 세계와 영혼 불멸에 대한 개인의 직관을 집단화했습니다.

처음 만든 자가 누구인지 알 수 없지만, 어떤 자가 지옥을 만들어냈습니다. 그때부터 사람들은 지옥에서 겪을 엄청난 고통을 두려워하게 됐습니다. 그 작자는 고문 기구보다 더 나은 발명품을 만들어낸 것입니다.

사람들은 대개 사후 세계와 영혼 불멸을 믿고, 지옥을 두려워합니다. 종교는 그들의 두려움을 없애 주고, 재물을 요구합니다. 그들은 교리를 진리로 받아들이고, 사제들에게 재물을 바칩니다.

통치자가 정치에 이용하는 것 중에 종교만 한 것이 없습니다. 그러나 현자는 종교인들을 경멸합니다. 지옥은 신의 섭리에 어울리지 않기 때문입니다. 다시 말해서 신에게는 지옥을 만들 이유가 없습니다."

"지옥은 고문 기구보다 더 나은 발명품이라? 참신한 발상이다."

"폐하의 칭찬에 생각의 흐름이 끊겼습니다. 다소 비약이 있더라도 이해하기를 바랍니다. 우주는 생성과 소멸을 끊임없이 반복하는데, 물질들이 파괴될 때 나라는 존재도 함께 파괴되겠지요. 그런데 파괴된 내가 다시 생성되는 우주에 참여할까요?

우주의 생멸과는 별개로, 개개의 인간은 태어나고, 기한이 차면 죽습니다. 한 인간의 죽음은 다음 세상에서 한 인간의 탄생으로 이어집니다. 즉 한 존재의 탄생은 죽은 자에게서 온 것입니다. 이와 같은 윤회는 한 존재의 영혼이 다시는 육신으로 들어가지 않고, 신 곁에 머물게 될 때까지 계속됩니다."

"당신 말은 결국 영혼이 불멸한다는 거군요. 맞습니까?" 네스틸리우스가 말했다.

"맞습니다. 우리는 대개 미래만을 바라보기에 사후 세계에만 관심을 가집니다. 로물루스가 로마를 건국할 때 우리는 어디에 있었습니까? 저는 우주가 처음 생겨날 때, 제가 태어났다고 생각합니다."

"처음 들어보는 말이군요. 그런 말이 어느 책에 나옵니까?" 네르바가 말했다.

"어느 책에도 없습니다. 하지만 잘 생각해 보십시오. 우주가 처음 생겨날 때 당신이 없었다면, 지금도 있을 수 없습니다. 그렇지 않습니까? 강연을 계속하겠습니다.

모든 사물과 인간은 자연법칙을 따릅니다. 모든 원인에는 결과가 따르고, 모든 결과에는 그 원인이 있습니다. 우연이라는 것도 사실은 법칙에 따라 일어난 것인데, 우리가 그것을 이해하지 못하는 것뿐입니다. 다시 말해서 우리의 운명은 정해져 있습니다.

우리는 물 위를 떠다니는 나무토막처럼 환경에 지배당합니다. 더욱이 자기보다 강한 타인의 욕망과 의지에는 저항하지 못하고 끌려다닙니다. 마치 주사위 놀이판 위에 놓인 말처럼 떠돌다가, 놀이가 끝나면 버려지는 것이 우리의 인생입니다.

그러면 이처럼 정해진 운명에 대하여 우리는 어떻게 살아야 합니까? 현자는 법칙을 깨달아 알기에, 천체의 움직임을 관찰하여 미래를 예측함으로써 환경을 지배할 수 있습니다. 그리하여 놀이판의 말이 아니라 주인이 되며, 결과가 아니라 원인이 될 수 있습니다.

그러나 현자라고 해서 정해진 운명을 벗어날 수는 없습니다. 법칙을 위반하면 고통을 받을 수밖에 없기 때문입니다. 현자는 다만 그의 지혜로 불행과 고통을 가능한 한 피해 갈 수 있을 뿐입니다. 하지만 아주 드물게 현자에게는 정해진 운명을 벗어나는 경우가 있습니다. 우리는 그러한 경우를 도무지 설명할 수 없기에 그것을 기적이라고 부릅니다. 아쉽게도 저는 현자가 아니라서, 제게 기적이 일어날 것을 기대하지 않습니다. 저는 제가 처한 운명의 상황에서 불행과 고통을 최대한 피하고, 즐겁고 안락하게 살고자 합니다."

"허, 인간의 운명이 그렇게 철두철미하게 정해져 있다는 것을 도저히 믿을 수 없습니다. 그러면 인간에게 자유의지란 아예 없는 것입니까?" 베스틸리우스가 말했다.

"생각해 보십시오. 당신은 지금 다른 데 있지 않고, 이곳에서 저의 강연을 듣고 있습니다. 인간에게는 오직 하나의 길만 있고, 우리는 그것을 운명이라고 부릅니다. 자유의지란 정해진 운명 안에서 작용하는 것입니다. 그것은 강물이 흘러 바다로 들어가는 것과 같은데, 강물은 흘러가면서 폭포를 만나고 범람도 하고 이러저러한 사건들을 겪지만, 결국에는 바다로 흘러 들어갑니다."

"자네가 지금 여기서 강연하는 것도 운명이라는 말인데, 내가 자네를 부른 것도 정해져 있었다는 말인가? 갑갑하군. 강연을 계속하라."

"예, 폐하, 인간에게는 정해진 운명이 있을 뿐만 아니라, 선과 정의가 부여되어 있습니다. 즉 사람에게 깃들어 있는 로고스[63]가 인간의 본성이며, 그것은 오직 도덕성을 향해서만 작용합니다. 그렇다면 악한 사람이 존재하는 이유는 무엇일까요?

연출가가 배우들에게 이런저런 배역을 맡기듯이, 신은 세계라는 연극 속에서 각 사람의 배역을 결정합니다. 선한 사람은 신에게서 부여받은 배역을 잘 수행하고, 현자는 자기의 역할이 무엇인지를 알고 그것에 불평하지 않습니다. 그러나 악한 사람은 자기의 배역이 주인공이 아니라고 불평합니다. 그래서 악한 사람은 비난과 공격을 일삼고, 그것이 결국에는 폭력과 전쟁으로 이어집니다.

아우구스투스라는 현자가 있었습니다. 그는 자기 자신이 배역을 잘 수행하고 있는지 점검하며 살았습니다. 임종 직전에 그는 아내의 품에 안겨서 '내 인생의 연극이 마음에 들었다면 손뼉을 쳐 주오."라고 말했습니다. 그는 우리에게 팍스 로마나를 물려주었습니다.

---

63 헤라클레이토스(대략 기원전 540~480)는 로고스란 우주 만물을 지배하는 원리로서, 세계 내에 있는 모든 사물과 인간의 내부에 존재한다고 보았다. 세네카는 그것을 신의 이성이라고 보았고, 알렉산드리아의 필로는 그것을 창조주라고 보았다.

현재 살아 있는 현자도 있습니다. 그는 원로원이 9월을 자기의 이름으로 바꾸자는 제안을 거부했고, 국가의 아버지란 칭호도 받지 않았습니다."

"세네카, 듣기 거북하니까 내 얘기는 하지 말라."

"예, 폐하. 현자의 예를 찾다가 그렇게 됐습니다만, 과대평가한 부분은 전혀 없습니다."

유다는 이스라엘에도 현자가 있었는가 생각해 보았다. 거룩한 책에 등장하는 인물들이 차례로 머리에 떠올랐다. 노아나 아브라함은 대단한 인물임에는 틀림없지만, 현자라고까지는 할 수 없다. 요셉이나 모세를 현자라고 할 수 있을까? 그는 고개를 끄덕였다. 솔로몬 왕을 아우구스투스 황제와 견줄 수 있을까? 그는 고개를 저었다. 중량감에서 너무 차이가 크다. 다시 세네카의 말이 들리기 시작했다.

"사람들은 대부분 삶의 목표를 세우지 못하고, 우왕좌왕하다가 죽음을 맞게 됩니다. 우리는 시간을 샘솟는 우물로 여기고, 평생 쓸 수 있는 것처럼 행동합니다.

어떤 사람은 끝없이 쾌락을 추구하고, 어떤 사람은 항상 술에 취해 삽니다. 어떤 사람은 명예욕에 삶을 바치고, 어떤 사람은 이익을 얻기 위해서 온 세상을 떠돌아다닙니다. 그러느라 정작 자기 자신을 바라볼 시간은 내지 못합니다.

신이 누군가에게 천 년의 삶을 허락한다 해도, 그의 인생은 일순간에 지나지 않습니다. 저는 지금까지 34년을 살아왔지만, 그 세월은 제가 지금 이 자리에서 강연하는 시간보다도 빠르게 지나가 버렸습니다. 시간은 그런 것입니다. 인간의 어리석음이 장구한 세월을 한입에 삼키는 것입니다. 그러면 우리는 어떻게 살아야 합니까?

로고스는 우리에게 가장 쉬운 일을 요구합니다. 그것은 바로 천성을 따라 사는 겁니다. 우리는 자신이 어떤 존재인지, 타고난 재능은 어떤 것들인지, 스스로 알 수 있습니다. 자기 자신의 기질이나 재능에 부합한 삶을 살아가는 사람은 행복합니다.

태어나는 것과 동시에 죽음 또한 시작됩니다. 저는 삶의 매 순간 그것을 인지하려고 애씁니다. 죽음과 그 후의 세계에 초연한 태도로, 자연법칙에 순응하여 살아가는 것, 그것이 제가 추구하는 삶의 태도입니다. 이상으로 강연을 마칩니다."

"석학의 연설을 들을 기회가 자주 있겠는가? 어서들 질문하라."

"신의 섭리가 세계를 다스리는데 왜 선한 사람들에게 나쁜 일이 생깁니까?" 베스틸리우스가 물었다.

"그것은 선한 사람들을 단련시키기 위해서 신이 부여한 시련이라고 봐야 할 것입니다. 따라서 우리는 나쁜 일을 겪더라도 좋게 받아들여야 합니다."

"자네는 결국 사후 세계가 있다고 말했는데, 그것을 어떻게 증명할 수 있는가?" 세야누스가 말했다.

"사후 세계가 없다면, 이승에서의 노력이 무슨 소용 있겠습니까? 그러면 세 살 때 죽거나, 예순 살 때 죽거나 아무런 차이가 없습니다. 사후 세계의 존재 여부는 그런 의미에서 따져 봐야 한다고 생각합니다."

"그러면 사후 세계라는 것이 천국과 지옥이라는 겁니까?" 네르바가 물었다.

"맞는 말씀입니다. 사람들은 사후 세계라는 말 자체를 천국과 지옥으로 인식하고 있습니다. 하지만 앞서 말씀드렸듯이, 천국과 지옥은 죽음을 두려워하는 누군가가 만들어 낸 것입니다. 죽은 후에 어떤 세계가 펼쳐질지 사람으로서는 알 수가 없습니다."

"뭔가를 이루기엔 인간의 수명이 너무 짧다고 생각하지 않는가? 알렉산더 대왕은 그나마 대제국을 건설하고 33세에 죽었지만, 게르마니쿠스는 아무것도 이루지 못하고 같은 나이에 죽었다." 황제가 말했다.

"예, 폐하. 수명이 짧다기보다는 우리가 시간을 낭비하는 것이라고 생각합니다. 알렉산더 대왕처럼 시간을 전체적으로 잘 배치하면, 위대한 업적을 이루는 데 충분합니다. 사람들은 재산을 지킬 때는 엄격하면서도, 시간을 낭비하는 일에는 너그럽지요."

"유다에게 묻고 싶습니다. 유대의 신은 사후 세계에 대하여 뭐라 합니까?" 베스틸리우스가 말했다.

"유대의 신은 오직 현실 세계를 말할 뿐, 사후 세계에는 관심이 없습니다. 그러나 지금 유대의 백성들은 대부분 사후 세계를 믿고, 지옥을 두려워하고 있습니다. 그것은 다른 종교의 영향을 받았기 때문일 것입니다."

"나도 유다에게 묻고 싶은데요. 유대의 신은 인간의 운명에 대하여 뭐라 합니까?" 네르바가 말했다.

"운명이란 것은 미래가 결정되어 있다는 것인데, 그것을 안다고 해서 바꿀 수 있겠습니까? 바꿀 수 있다면 운명이란 말 자체가 무의미하지요. 유대의 신이 뭐라 하든, 인간은 자기의 운명을 알 수 없습니다. 인간은 오이디푸스처럼 앞일을 모르고 살아가는 존재라고 생각합니다."

"허허, 유다도 세네카에게 못지않구나. 자, 수고한 강연자에게 박수를 보내자."

그들은 모두 황제를 따라 손뼉을 쳤다.

"다음 요리를 먹기 전에 잠시 산책하자."

황제는 세야누스에게 뭔가를 지시하고, 두 친구와 함께 건물 밖으로 나갔다. 유다와 세네카는 뒤에 처져서 그들을 따라갔다. 달빛 속에 황제의 꼿꼿한 척추가 그의 말투만큼이나 도드라졌다. 앞서가던 그가 혼자서 그들에게로 뚜벅뚜벅 걸어왔다. 넓은 어깨와 커다란 몸집이 달빛을 가렸다.

"내년 10월 10일에, 나폴리 항구에서 황제 전용선을 타고 이곳으로 와라. 이것은 특급 기밀이다. 이유를 묻지 말고, 아무에게도 말하지 마라." 황제의 목소리는 조용했지만 단호했다.

유다는 로마 은행에 들러 봉투를 내밀었다. 은행원이 봉인을 뜯어내자, 양피지 한 장과 또 다른 봉투가 나왔다. 양피지는 봉투를 소지한 자에게 100만 세스테르스를 지급하라는 황제의 명령서였고, 또 다른 봉투는 그에게 쓴 편지로 봉인되어 있었다. 황제는 다음과 같이 썼다.

자네가 공을 많이 세운 것만큼 고초를 겪은 것을 알고 있다. 공로금 겸 귀향 선물을 하사하니, 아버지에게 드릴 선물을 사라.

대제사장들과 마찰을 빚지 말고, 헤롯 가문의 영주들과 문제가 생기면, 유대 총독의 도움을 받아라. 그것으로 해결이 어렵거든, 시리아 총독에게 지원을 요청하라. 그곳에서 살기 어려우면, 이곳으로 와서 나와 함께 지내도 좋다.

유피테르가 자네와 함께하기를 빈다.

"총독님은 부자인데 황제의 섬에 가서도 돈을 벌었군요. 이제는 돈을 더 벌 필요가 없으니까, 예루살렘에 가서 독립군을 창설하면 되겠군요."

"총독 직을 떠난 지가 언제인데 여전히 총독이냐? 앞으로는 그렇게 부르면 안 된다. 그런데 흐음, 독립군 창설이라니, 그게 무슨 말이냐?"

"주인님이 중얼거리는 소리를 들었죠. 독립군 창설, 독립군 창설."

"하하하, 그렇게 하자. 물려줄 아들도 없는데."

유다는 황제에게서 받은 돈을 로마 은행에 예치하고, 지금까지 번 돈을 모두 안티오키아 은행으로 부쳤다. 포로 로마눔을 걸으면서, 그는 이런저런 생각으로 머리가 복잡했다. 100만 세스테르스는 로마 제국 원로원 의원이 갖추어야 할 액수다. 그 돈만으로도 평생 일하지 않고 살 수 있다. 황제의 속셈이 뭘까? 내가 누미디아에서 많은 돈을 벌었다는 걸 그가 모를 리 없다. 나의 손을 빌려 세야누스를 제거하겠다는 작정인가?

정처 없이 걷다가, 그는 아그리피나의 저택 앞에 와 있는 자신을 발견하고는, 정신이 번쩍 들었다. 문 앞에서 두 명의 보초병이 그를 노려보고 있었다. 대문에 길고 널따란 목재를 가위표로 못질해 놓은 게 보였다.

"당신들 여기서 무엇을 하고 있나?" 유다가 물었다.

"네가 뭔데 그런 말을 하느냐?" 병사가 말했다.

"내 이름은 유다다. 한때 아그리피나 님을 경호했다."
"그녀는 국가반역죄를 짓고 섬으로 귀양갔다."

0033년 봄

"구원이란 허상에 속지 않고,
실상을 보게 되는 거야."

• • •

유월절이 며칠 앞으로 다가왔다. 이스라엘 백성들은 1,500년 전[64]에 일어난 사건을 기념하기 위하여 예루살렘으로 모여들었다. 알렉산드리아와 바빌론, 심지어는 로마의 유대인들도 이때를 맞춰 길을 떠났다.

유다는 다락집 서재에서 책을 읽다가 필라투스에게서 안토니 요새로 와 달라는 전갈을 받았다.

"나사로가 죽었다가 다시 살아났다던데, 너도 알고 있느냐?"

"죽었다가 다시 살아났는지는 모르겠어. 장사를 지냈는데, 무덤에서 수의를 입은 채로 일어나서, 걸어 나온 건 사실이야."

"성전 경비대장이 찾아와서 한바탕 난리를 치고 갔어. '죽은 나사로가 부활했다는 소문이 퍼지면, 백성들이 모두 예수를 따르게 될 텐데, 그가 반란을 일으키면 어떻게 진압하겠느냐? 지금이라도 당장 체포해야 한다.'라고 하더라."

"형은 뭐라고 했어?"

"유대와 사마리아와 이두매에서 폭동이 일어나면 내가 진압하겠다고 했지. 그랬더니 그놈이 먼지 터는 시늉을 하고 가더구나. 그런

---

64 모세가 기원전 1592년에 출생했다는 설이 있다. 다만, 역사학계는 모세를 전설속 인물로 간주한다.

데 혹시 예수 바라빠라는 자를 아느냐?"

그는 가슴이 뜨끔했다.

"요 앞에 대장장이를 말하는 거야?"

"이름이 예수라 네 친구인 줄 알았다. 그 작자는 너를 모른다고 하더구나."

"나를 모를 수가 있나? 식칼을 벼리러 대장간에 드나든 것이 하루 이틀이 아닌데. 대장장이가 무슨 사고라도 친 거야?"

"로마의 귀부인들이 예루살렘을 관광하고 카이사레아로 가다가 습격을 받았는데, 그자가 괴수였어. 열은 죽고 셋이 살아남았지."

그는 가슴이 쿵쾅거리는 것을 억누르고 정신을 바짝 차렸다.

"그래서 나를 모른다고 했군. 나까지 잡혀갈지 모르니까."

"그 작자가 성전 경비대 실종 사건과 관련이 있을 것 같아서 심문했는데, 딴청만 부리더구나. 기술자가 고문을 했는데도 지금까지 입을 열지 않고 있어. 그 작자 말고 두 도적놈은 열일곱 살이나 됐을까, 완전히 초짜에 무슨 말을 해도 알아듣질 못하더구나."

"초짜들은 모르겠고, 그 작자가 문제군. 나 같으면 어차피 십자가에 못박힐 테니, 담벼락에 머리를 부딪쳐 죽어 버리고 말겠다."

"어허, 하마터면 큰일날 뻔했구나." 필라투스는 부관을 불러 죄수들이 자살할지 모르니까 단단히 묶어 놓으라고 지시했다. "어렵게 잡은 범인을 놓칠 뻔했구나."

"예수 바라빠를 범인이라고 단정하는 거야? 그놈은 겉모습만 그럴싸하지, 그렇게 엄청난 일을 할 만한 위인이 아냐."

"그놈이 뭔가를 감추고 있는 것 같아."

"그놈은 형처럼 뭔가를 감추는 일에 서툴러. 내가 그를 만나 볼 수 있을까?"

"좋은 생각이야. 성전 당국이 너를 의심하는 것 같은데, 이번 기회에 혐의를 벗자. 그놈을 살살 구슬려서 실토하게 만들어라."

바라빠는 독방에서 굵은 기둥에 묶여 있었다. 머리와 수염에 피딱지들이 엉겨 붙어 몰골이 말이 아니었다. 그는 유다를 알아보고는 핏발 선 눈을 내리깔았다.

"뉘신데 나를 찾아온 겁니까?"

"다락집 주인을 몰라보겠는가? 대장장이가 잡혀갔다는 말을 듣고 찾아왔다."

"허허허, 나같이 천한 사람을 찾아와 주다니 주인님이 쓸데없는 일을 했습니다."

유다는 보따리를 풀었다.

"물을 마시고 빵을 먹어라."

"고맙습니다, 주인님."

그는 물병은 쳐다보지도 않고, 포도주 항아리를 열고 벌컥벌컥 마셨다. 트림을 길게 하고는 빵을 우적우적 씹었다. 소가 물을 마시듯 포도주를 빨아들이고, 빵을 씹기를 한동안 계속했다. 그러더니 갑자기 무릎을 꿇었다. 유다는 그의 다리를 펴 주었다.

"무슨 일이 있었는지 말해 보라. 로마인에게는 못해도 내게는 사실을 말할 수 있을 거 아니냐?"

"수레를 털려다가 실패했습니다. 사실은 로마 놈들의 함정에 빠진 것 같습니다." 그는 나중 문장을 숨죽여 말했지만, 본래 목소리가 커서 소용없었다.

"속삭일 필요 없다. 크게 말해라."

"카이사레아 쪽으로 달려가는 수레를 추격했는데, 로마군 병사들이 멀찍이 떨어져 뒤쫓는 걸 몰랐습니다."

"로마군 병사들이 강하던가?"

"수레를 호위하던 로마군 병사 일곱 놈을 단검으로 처치했지만, 뒤에 나타난 로마 놈들의 투창에 당했습니다. 내가 풋내기 청년들을 보호하는 동안, 전사들이 모두 투창을 맞았습니다."

"휴! 풋내기 청년들이라니 그들은 누군가?"

"어렵사리 공부를 마쳤는데, 마땅한 일자리가 없어 대장간에 왔다가 신세를 망친 겁니다. 그들은 주인님도 모르고 아무것도 모릅니다."

"그들도 십자가에 못박혀 죽게 될 거다. 각오하고 일을 벌였나?"

"독립을 보지 못하고 죽는 것이 원통할 뿐입니다. 주인님이 왕위에 오를 것을 바라고 살아왔는데, 그러기 전에 죽게 됐습니다."

"고문을 받는다고 들었다. 솔직히 말해 보라. 성전 경비대 실종 사건이 자네와 관계가 있는가?"

"그처럼 큰일을 한 사람이 겨우 부인들 수레를 털겠습니까. 나는 좀도둑입니다."

"수레를 터는 게 좀도둑은 아니지. 하지만 유대 총독은 이번에 자네를 과대평가했어. 음식을 매일 보내 줄 테니, 포기하지 말고 끝까지 견뎌라."

유다는 솟아나오는 눈물을 꾹꾹 누르고, 안토니 요새를 나와 대장간으로 향했다. 술수라고는 모르는 필라투스가 이번에는 영악했다. 성전 경비대 실종이 갈릴리 쪽에서 일어났으니까, 필라투스는 그 반대 방향인 카이사레아 쪽에 미끼를 놓은 것이다. 바라빠는 그것을 덥석 물었고.

평생 이스라엘의 독립을 위해 살아 온 바라빠가 십자가에 못박혀 죽게 됐다. 어떻게든 그를 구출해야 한다. 그가 처형당하면, 마하보 전사들의 꿈도 함께 죽을 것이다. 독립에 대한 열망이 컸기에 공부를 중도에 포기했고, 어렵게 얻은 부귀영화도 흔쾌히 내던졌다. 그러나 이스라엘의 독립이 대체 나와 무슨 상관인가, 또 바라빠에게는 무슨 의미가 있단 말인가, 생명을 포기할 만한 것인가? 그는 고개를 흔들었다.

밖에서 바라보는 대장간은 문이 반쯤 열린 채로 고요하고 쓸쓸했다. 쇠붙이를 때리던 소리도, 풀무질하던 마하보 전사도, 이젠 모두 사라졌다. 화덕에 앉아 있던 시몬이 그를 보고 벌떡 일어났다.

"소식을 듣고 온 거겠지?"

"감옥에서 바라빠를 만나 봤어. 휴! 어떻게 수습해야 할지 방법이 떠오르질 않아."

"로마군 병사들이 와서 대장간을 이 잡듯이 뒤지고, 나를 체포해서 끌고 갔었어. 총독이 직접 나를 심문했는데, 네 친구라고 하니까 풀어주더군."

"다행이구나. 그러나 총독이 내 친구라도, 바라빠를 방면해 달라고는 못해. 로마군 병사들을 죽이면서까지 탈출시킬 수도 없고."

"기다려 보자. 방법이 있을 거야."

"그동안 조심해라. 네게 무슨 일이 있으면, 별동대원들이 즉시 내게 보고하도록 조치해 놓을게."

유다는 대장간을 나와 다락집을 향하다가 화들짝 놀랐다. 길거리에 늘어선 사람들 사이로 예수를 태운 나귀가 옷과 나뭇가지들이 널려 있는 길을 조심조심 걸어오고 있었다. 사람들이 야자수 가지를 흔들며 외쳤다.

"호산나! 주님의 이름으로 오시는 분. 복되다! 다윗의 나라가 다가온다. 호산나!"

"선생님, 사람들이 참람한 말을 하는데도 왜 꾸짖지 않습니까?" 무리에서 솔로몬이 나서며 말했다.

"이들이 입을 다물고 있으면, 돌들이 소리칠 것이오." 예수가 말했다.

솔로몬이 유다를 알아보고 다가왔다.

"사람들이 모두 그를 메시아로 여기고 따라간다. 하지만 지금 우리는 할 수 있는 일이 아무것도 없다."

"나와는 상관없는 일입니다. 난 식칼들을 가지러 왔다가, 대장장이가 잡혀가는 바람에 지금 정신이 하나도 없습니다."

"저 사람을 보라. 마치 폭동을 일으킬 태세다. 그런데 자네는 한가한 말로 나를 조롱하고 있다."

"허허허, 조롱할 리가 있습니까? 그를 따라가면서 과연 폭동이 일어나는지 지켜봅시다."

예수는 양의 문에 이르러 나귀에서 내렸다. 그는 제자들을 이끌고 성전으로 들어갔다. 군중들이 예수의 주변으로 몰려들었다. 포도원 주인이 어떻고, 참포도나무는 어떻고 하는 강론이 계속됐지만, 그는 바라빠 생각에 아무것도 들을 수 없었다. 해가 저물자, 예수는 제자들과 함께 성전을 떠났다.

아침 일찍 유다는 이방인의 뜰로 갔다. 희생 제물을 태우는 연기가 솟아오르자, 겁에 질린 짐승들이 울부짖었다. 갑자기 성난 목소리가 성전을 뒤흔들었다.

"사기 행각들을 당장 멈춰라!"

예수가 빳빳한 회초리를 휘둘러 짐승들을 위협했다. 양과 소들이 날뛰며 임시로 만들어 놓은 우리를 무너뜨리고 달아났다. 그는 뚜벅뚜벅 걸어가 고리대금업자들이 진을 치고 있는 가판대를 엎었다. 은전과 동전들이 소리를 내며 바닥으로 떨어졌다. 그는 빈 의자들을 일일이 발길로 걷어찼다. 그의 서슬에 상인들은 감히 저항할 생각을 못하고, 몸을 피했다. 여기저기에서 탁자들이 쓰러지고, 의자들이 넘어졌다. 그의 제자들은 눈을 부릅뜨고, 그 광경을 지켜보기만 했다.

"여러분은 사람과 하느님을 속이고 있습니다."

어느새 분노를 가라앉힌 듯, 그의 목소리는 부드러웠다. 솔로몬이 그에게 다가갔다.

"당신이 누군데, 무슨 권세로 성전을 난장판으로 만듭니까?"

"나는 나사렛에서 온 예수인데, 당신은 누구입니까?"

"성전 경비대장입니다. 다시 묻겠습니다. 무슨 권세로 이런 행패를 부립니까?"

"그럼 나도 한 가지 묻겠습니다. 우리가 로마 제국에 세금을 내는 것이 옳은 일입니까, 내지 않는 것이 옳은 일입니까? 이에 대답하면 내가 무슨 권세로 이렇게 하는지 말하겠습니다."

솔로몬은 잠시 뜸을 들이고 말했다.

"나는 잘 모르겠습니다."

"나도 당신의 물음에 대답하지 않겠습니다."

"제물을 미처 준비하지 못한 사람들을 위해서 시장과 환전소가 필요한데, 당신은 그것들을 엉망진창으로 만들었습니다."

"보시오, 솔로몬. 한 농부가 손수 기른 양을 제물로 바치려 하자, 심사관이 부정한 것이라고 퇴짜를 놓았습니다. 농부가 정성을 다해 키운 양이 시장에서 파는 것보다 부정하겠습니까? 그 농부는 시장에서 양을 비싸게 샀습니다. 성전이 강도의 소굴이 돼 버렸습니다."

"……."

"여러분에게 진실로 말합니다. 하느님이 강도의 소굴에 거주하겠습니까? 그분은 잠시라도 이곳에 거주한 적이 없습니다. 성전에 제물을 바치는 것은 강도들에게 바치는 것입니다."

군중들이 여기저기에서 '나사렛 예수가 옳다!'라고 소리쳤다. 유다는 솔로몬의 안색이 파랗게 질리는 것을 보았다.

"진실로, 진실로 말합니다. 포도나무 가지가 열매를 맺지 못하면 잘라 버림을 당하듯이, 사람도 제 역할을 하지 못하면 멸망당합니다. 어떤 사람이 제 역할을 하는 사람입니까? 로마 제국의 억압에 굴종하지 않고, 성전 당국의 착취에 가담하지 않는 사람입니다. 그는 그들을 떨쳐버리고 하느님 나라로 들어갑니다."

군중들이 귀를 쫑긋 세웠다.

"로마 제국과 성전 당국은 우리에게서 일용할 양식까지 빼앗아 갑니다. 그들은 높은 이자로 우리를 궁핍하게 만들고, 끝내는 땅을 빼앗아 갑니다. 그러나 하느님 나라에는 그런 일이 없습니다. 하느님은 모든 것이 충분한 세상을 만들었습니다. 우리가 할 일은 오직 나눔밖에 없습니다."

이방인의 뜰은 엄숙하고 조용했다. 이제는 짐승들의 울음소리도 들리지 않았다. 그는 고개를 저었다. 늘상 하던 말을 예수는 지치지도 않고 되풀이한다.

"로마 제국과 성전 당국은 우리를 정죄하고 죽이지만, 하느님 나라는 무한히 용서합니다. 진실로, 진실로 말합니다. 하느님은 우리가 죄를 뉘우치기도 전에 용서하는 분입니다. 여러분도 용서하십시오.

어떻게 하는 것이 용서입니까? 빚진 자에게 어서 내놓으라 하지 않고, 빚을 탕감해 주는 게 용서입니다. 어떤 제자가 일곱 번쯤 용서하면 되냐고 물었습니다. 나는 일곱 번씩 일흔 번이라도 용서하라고 대답했습니다.

악한 자들에게 폭력으로 대응하지 말고, 폭동을 일으키지 마십시오. 그들을 용서하고, 그들을 위해 기도하십시오. 용서하는 사람만이 하느님을 만날 수 있고, 하느님을 만나면 그와 하나가 됩니다."

다음날, 예수는 이방인의 뜰을 거닐고 있었고, 상인들은 어제의 일을 겪고도 장사하느라 바빴다. 바리사이파로 보이는 자가 그에게 다가갔다.

"선생님, 어제 선생님은 로마 제국에 세금을 바치는 것이 옳은가 옳지 않은가 하는 문제를 냈습니다. 우리는 그것을 밤새워 연구했지만, 답을 찾을 수가 없었습니다. 우리가 그 문제로 선생님께 되돌려 묻겠습니다. 우리가 카이사르에게 세금을 바치는 것이 옳습니까, 옳지 않습니까?"

"틈만 있으면 당신들은 나를 시험하는군요. 은전을 갖고 있습니까?"

그가 주머니에서 데나리온 하나를 꺼냈다.

"뒤집어 보시오."

그가 그것을 뒤집었다.

"은전에 새긴 형상과 글자가 누구의 것입니까?"

"카이사르의 것입니다."

"카이사르의 것은 카이사르에게, 하느님의 것은 하느님에게 바치시오."

"……."

제자들의 웃음소리가 이방인의 뜰에 울려 퍼졌다. 사람들이 그곳으로 모여들어 큰 무리가 되었다.

"내가 하는 이야기를 잘 듣고 판단하십시오. 한 사람이 포도원을 만들고 농부들에게 세를 주고 타국에 갔습니다. 수확 때가 되어 포도원 주인이 농부들에게 세를 받으려고 종을 보냈습니다. 그러나 그들은 그를 몹시 때리고는 빈손으로 돌려보냈습니다. 포도원 주인은 다른 종을 보냈지만, 그들은 그의 머리에 상처를 입히고 능욕했습니다. 그 후에도 포도원 주인은 종을 여러 차례 보냈지만, 종들은 번번이 얻어맞았고, 어떤 종은 죽기까지 했습니다.

포도원 주인은 외아들을 농부들에게 보냈습니다. 내 아들의 말은 들을 거로 생각한 것입니다. 그러나 농부들은 '유일한 상속자를 죽이면, 그 유산이 우리 것이 되리라.' 하고 그를 죽여 포도원 밖으로 내던졌습니다.

여러분에게 묻겠습니다. 포도원 주인이 어떻게 하겠습니까?"

"농부들을 모두 죽일 것입니다."

"포도원을 짓밟고 허물어뜨릴 것입니다."

그들이 잠잠해지자, 예수가 다시 말했다.

"그렇다면 포도원 주인은 누구입니까, 카이사르입니까, 하느님입니까?"

"……."

대답하는 사람이 아무도 없었다. 서기관들, 바리사이파 사람들, 그리고 군중들 모두가 예수를 뚫어져라 쳐다보고 있었다.

"포도원 주인이 카이사르라면, 그는 아들을 보낼 때 군대를 함께 보내, 농부들을 쫓아내거나 죽였을 것입니다. 그것을 잘 아는 농부들은 처음부터 카이사르의 종을 존대했을 것입니다. 농부들은 감히 카이사르의 종에게 손찌검하지 못합니다. 여러분, 잘 판단해서 행동하십시오."

"……."

"우리에게 필요한 건 억압과 착취에 대한 분노이지 폭력이 아닙니다. 폭력은 아무것도 해결하지 못합니다. 오히려 더 큰 폭력에 의해 진압되고, 그러면 살아갈 희망마저 꺾이어 버립니다. 가말라의 유다는 로마에 대항하여 봉기했지만, 어떻게 됐습니까? 수많은 사람이 살해당했고, 수천 명의 청년이 십자가에 못박혀 죽었으며, 여자들은 노예로 팔려 갔습니다. 아무리 분노가 끓어 넘치더라도 폭력을 사용하지 마십시오. 우리는 폭력 없이 싸워야 합니다."

로마 제국에 대항하여 폭동을 일으키는 것은 무모한 짓이라고? 지당한 말이다. 예수가 정신을 차렸나? 폭력 없이 싸우자고 하는 것을 보면, 그것도 아닌 것 같다.

"포도원 주인이 하느님이라면 어떻게 하겠습니까? 여러분! 대답해 보십시오."

"……."

"눈에 보이는 카이사르는 두렵고, 보이지 않는 하느님은 두렵지 않습니까? 나는 여러분이 지금까지 들어온 낡은 교리에 대하여 분노하게 하려고 왔습니다. 율법은 무엇이고, 복 있는 자니 형통이니 하는 말은 무엇입니까? 그런 말들을 하는 자에게 화를 내고 듣지 마십시오."

서기관들이 씩씩거리며 그곳을 떠나자, 바리사이파 사람들이 그 뒤를 따라갔다.

유다는 예수의 일행과 함께 베다니로 갔다. 아버지 집 별채에 그들을 쉬게 하고는 아버지를 보러 갔다.

"살로메로 인해 마음고생이 많을 텐데, 태연자약한 모습을 보니 안심이 되는구나."

"앞으로는 여자 없이 살겠습니다."

"그럴 필요까지야 있겠느냐? 무교절이 지나면 알렉산드리아로 가라. 공부를 다시 시작하고 신부를 구해라. 서른세 살이면 아직 젊으니, 공부도 결혼도 늦지 않았다."

"생각해 보겠습니다. 20여 년 전에는 아들이 제 발로 아버지를 떠났는데, 지금은 아버지가 아들을 내쫓는군요."

"대제사장들과 대립각을 세우고 예루살렘에서 무슨 일을 하겠다는 거냐? 여기에 있으면, 있는 날만큼 세월을 허비하는 것이다. 타고난 재능이 아깝지도 않으냐?"

"아버지가 너무 뛰어난 아들을 낳아서, 제가 이 고생을 하고 있습니다."

"이 녀석이 계속 농담만 할 거냐?"

"예수의 일을 마무리하고 나서, 아버지 말씀을 따르겠습니다."

아버지가 백번 옳다. 독립 열정이 식어 버린 마당에, 예루살렘에 더 이상 머물 필요가 없다. 그렇다고 공부를 다시 할 생각은 없다.

별채에서 마리아가 무릎을 꿇고, 자기의 머리카락으로 예수의 발을 문지르고 있었다. 집과 마당이 온통 향기로 가득했다.

"나드 향유를 저렇게 쓰다니 너무 아깝다." 레위가 말했다.

"마리아 님이 스승님에게 메시아 의식을 바치고 있는 것을 모르느냐?" 도마가 말했다.

"저것은 아마 300데나리온[65]보다 값이 더 나갈 것입니다. 그러나 병을 깨뜨려 버렸으니 어쩔 수 없지요. 마개를 열고 열두 방울만 써도 충분했을 텐데요." 베드로가 말했다.

"거참! 자기 향유를 자기 마음대로 쓰는데 뭐랄 것 없잖소?" 유다가 말했다.

"여러분, 어찌하여 마리아를 괴롭힙니까? 그녀는 나의 장례를 준비한 것입니다. 나를 생각할 때마다 마리아가 한 일을 기억하길 바랍니다." 예수가 말했다.

유다의 아버지는 예수와 제자들에게 음식과 포도주를 대접하고, 별채에서 그날 밤을 묵도록 했다.

예수와 유다는 별채를 나와 겟세마네 동산을 향해 걸어갔다. 마티아와 별동대원들이 포도주 항아리와 음식을 싸 들고 따라갔다. 그들은 동굴 안으로 들어가 마주 앉았다. 예수의 눈은 사랑으로 가득 차 있었고, 얼굴은 평온했다. 유다는 잔을 채우고 나서 말했다.

---

[65] 당시 품꾼의 일당이 한 데나리온이었으므로, 품꾼의 1년 수입(안식일에는 일을 하지 않는다)에 빗대어 말한 것이다.

"카이사르의 것은 카이사르에게, 하느님의 것은 하느님에게 바치라고 한 말은 무슨 뜻이야? 가말라의 유다처럼 카이사르에게 세금을 바치지 말라는 것으로 들리는데."

"허, 어찌 그럴 수가 있느냐?"

"세상에 카이사르의 것이라고 할 수 있는 게 조금이라도 있나?"

"그렇게 오해할 수도 있겠구나. 통치자가 있는 이상, 백성들이 세금을 바치는 것은 어쩔 수 없지 않으냐? 하지만 소작인들은 세금을 바치고 나면 먹고살기가 힘들어. 그런데도 성전 당국은 백성들에게 십일조와 봉헌물을 바치라고 한다."

"세상 모든 것이 하느님의 것이잖아?"

"그렇지만, 하느님은 세상 모든 것을 우리에게 주었다. 설마 굶주리는 백성에게서 도로 빼앗겠느냐?"

"카이아파스와 사울은 형의 말을 정반대로 받아들일 것 같아."

"내게 올무를 씌우려는 자들이 내 말을 듣고, '그게 그렇군요' 하며 받아들이겠느냐. 그건 그렇고 저들에게 가는 것이 그렇게 어렵더냐?"

"형이 스스로 저들에게 가서 날 잡으라고 해."

"그러면 아무 열매도 거두지 못해. 잡혀가서 죽어야 저들의 가면을 벗기고, 악을 드러낼 수 있지."

"그런데 그 일을 왜 내가 해야 해?"

"나와 함께 일할 자가 너밖에 없어."

"……."

"네가 저들에게 가는 것은 저들이 아니라 내 편에 서는 거야."

"무슨 말인지 모르겠어."

"너와 내가 협력하여 세상을 구원하는 거야."
"그것 참! 형은 지금 나더러 메시아라고 말한 거야."
"메시아가 무엇이냐? 세상을 구원하는 자가 메시아야."
"무슨 놈의 메시아가 다른 메시아를 체포해서 죽게 만들어? 형이 죽지 않아도 백성들은 살아갈 수 있어."
"그것은 거짓된 삶이야. 몇 번을 말해야 알아듣겠느냐? 진실한 삶이 곧 구원이고, 내가 죽어야 구원이 시작된다."
"백성들을 배불리 먹이면 그만이지, 더 이상 무엇을 구원하겠다는 거야?"
"구원이란 허상에 속지 않고, 실상을 보게 되는 거야. 대표적인 허상이 바로 몸인데, 사람은 배고픔과 욕망 때문에 실상을 보지 못해. 지배 체제는 그것을 이용해 백성들을 속여 왔고."
"휴! 형이 말하는 실상이 플라톤의 이데아와 닮은 것 같아."
"이데아라니 그게 무엇이냐?"
"이데아는 눈에 보이지 않는 본질이고, 현상은 본질이 개체를 통해서 나타난 모습이라고 해. 즉 현실의 모습은 이데아의 모방에 불과하다는 거야."
"놀라운 통찰이지만, 중요한 것은 그것이 세상을 구원할 수 있느냐는 거야."
"몇 번이나 형에게 물어보려고 한 게 있어. 형이 말하는 아버지와 야훼는 어떤 관계야?"
"너는 야훼를 어떤 존재라고 생각하느냐?"
"아하! 하느님의 이데아가 현상으로 나타난 거구나." 그는 무릎을 치며 말했다. "야훼는 하느님의 이데아를 불완전하게 모방한 거야. 그러니까 복을 주면서 화를 당하게 하고, 평화를 주면서 전쟁도 나게 하는 거야."

"좋구나. 무엇보다 내 아버지는 질투하는 신이 아냐."

"한 가지만 더 물어볼게. 오늘 성전에서 형이 한 말이 자꾸 생각나서 말이야. '보이지 않는 하느님은 두렵지 않습니까?' 결국 하느님을 두려워하라는 말인데, 이건 형이 하던 말과는 다르잖아."

"말이란 것이 참 어렵구나. 저들은 백성들에게 하느님을 두려워하라고 말하지만, 정작 자신들은 사람을 두려워한다. 나는 그 점을 지적한 거야."

"이제야 모세를 초극한 것 같아. 야훼는 제우스보다 조금 나은 존재야. 지상의 여인들과 성행위를 하지는 않았으니까."

"성행위야말로 허상이다."

"거참, 성행위를 통해서 인류가 생육하고 번성하는데, 그걸 허상이라고 하네. 괴로운 인생이지만, 그걸로 위안을 삼고 살아가는 사람도 있어. 아무리 생각해도 몸은 실상이고, 하느님의 영은 허상 같은데, 형이 착각하고 있는 거 아냐?"

"너 지금 농담한 거지? 그게 아니라면 회초리로 때려서라도 깨우칠 거야."

그는 놀라는 척하며 다리를 오므렸다.

"무슨 말을 하는지 알겠어. 하지만 왜 하필 형이 죽어야 해?"

"그러면 네가 죽겠느냐?"

"난 삼손처럼 원수들을 다 죽이고 나서 죽을 거야."

"그렇게 해서 얻을 것이 무엇이냐? 태초부터 지금까지 세상에는 복수와 적개심이 강물처럼 흐르고 있다. 폭력 다음에는 보복이 있고, 그것을 끊임없이 반복해 왔지. 이젠 그 악순환의 고리를 끊어야 해. 그래야만 세상에서 폭력과 전쟁이 사라져."

"형이 죽는다고 폭력과 전쟁이 없어져? 형만 죽고 마는 거야."

"잘 들어라. 밀알 하나가 땅에 떨어져 죽지 않으면 한 알 그대로 있고, 죽으면 많은 열매를 맺는다. 그 열매들 몇몇이 다시 땅에 떨어져 죽으면 더 많은 열매를 맺고, 그러한 일들이 끝없이 계속되면, 이 세상에 온전한 구원이 온다. 그 일을 너와 내가 시작하는 거야."

"아무튼 나는 형이 죽는 꼴을 볼 수가 없어."

"지금까지 네게는 말하지 않았는데, 사실 그들은 나를 죽일 수 없다. 그들이 나를 죽여도, 나는 3일 만에 다시 살아날 거야."

"거짓말하지 마. 나더러 그 말을 믿으라는 거야?"

"휴! 지켜보면 될 것 아니냐?"

그때 요하난이 할아버지의 말을 상기시켜 주었다. '유다는 잘못할 애가 아니다. 나는 내 손자가 잘못하는 걸 본 적이 없다.' 예수의 말대로 하란 말이냐? 그것이 네가 할 일이고, 이젠 더 이상 피할 방법도 없다.

"이젠 됐으니 더 말하지 마. 대제사장들이나 유대 총독에게는 뭐라 하지? 지금껏 거절해 왔는데, 그럴듯한 이유가 있어야잖아."

"조건을 두어 개 제시해라. 은 30개가 뭐냐? 거액의 대가를 요구하고, 나의 제자들은 건드리지 말라는 조건을 제시해라."

"많이도 연구했군. 그런데 언제 체포하지?"

"모레 이곳에 있을 테니, 늦은 밤에 체포해라. 그리고 한 가지만 약속해라."

"이제 약속이라면 겁이 나. 이 마당에 또 뭘 하라는 거야?"

"나를 위해 복수하지 마라."

"거참, 난 그런 약속은 안 해. 유월절 음식은 어디서 먹을 거야? 아직 정하지 않았으면 내가 준비할게."

"휴! 너의 다락집에 준비해 놓아라."

유다는 카이아파스의 저택으로 갔다. 그가 안나스를 불러 솔로몬까지 응접실에 모였다. 카이아파스가 눈에 기대를 잔뜩 담고 말했다.

"자네의 고집 때문에 일이 이 지경까지 왔다. 예수 한 사람이 죽음으로써 백성들이 살육을 면하게 된다면, 모두에게 유익한 일이 아니냐?"

"고민을 많이 했습니다. 그러나 현상금이 겨우 은 30개에 불과한데, 그건 이스라엘 백성을 모욕하는 겁니다."

"그것은 재판장이 정한 것 아닌가? 말해 보라. 얼마면 되겠는가?"

"금 열 개는 돼야 합니다."

그는 아차! 했다. 10달란트는 마하보 전사들이 안나스의 수레에서 강탈한 액수다.

"얼핏 계산이 안 되는데, 그게 현상금보다 얼마나 많은 건가?"

"은으로 60,000개니까 현상금의 2,000배가 됩니다," 사울이 말했다.

"그것은 예수의 코털 한 가닥에도 미치지 못하는 액수입니다."

"어허, 부자인 자네가 거액을 요구할 때는 다 이유가 있겠지. 각하, 괜찮겠습니까?"

"민란을 막을 수 있는데 그 정도는 지급해야지. 반드시 유월절 전에 체포해야 한다. 유다, 자네는 그저 병사들을 이끌고 가서 위협하기만 해라." 안나스가 말했다.

"잠깐, 유다가 직접 유대 총독의 병력을 지휘하여 그들을 체포해야 합니다." 솔로몬이 말했다.
"한 가지 조건이 있습니다. 예수만 체포하고, 그의 제자들은 건드리지 말아야 합니다."
"세심하군. 유다는 유월절 전에 유대 총독의 병력을 지휘하여 예수를 체포하고, 안나스 각하에게 넘겨준다. 성전 당국은 유다에게 10달란트를 지급한다. 단, 예수의 제자들은 건드리지 않는다. 사울, 계약서를 작성해라. 또 3달란트는 지금 지급하고, 나머지는 일이 끝난 후에 지급한다. 괜찮은가?"
"예수를 안나스 각하에게 넘겨주란 말입니까?"
"그렇게 해라."
"계약금을 7달란트로 하고 지금 지급해 주십시오."
"지독한 사람이야. 반반씩 하자."
사울이 계약서와 지급명령서를 작성하여 카이아파스에게 바쳤다. 그는 그것들을 살펴본 후, 유다에게 확인하라고 했다. 사울이 한 부를 필사하고, 쌍방이 계약서에 인장을 찍었다.

유다는 총독 관저가 있는 카이사레아로 갔다. 필라투스가 펄쩍 뛰며 말했다.
"예수가 제 발로 성전 당국으로 가서 잡히면 될 텐데, 왜 너를 끌어들인 것이냐?"
"그러면 아무 의미가 없어. 잡혀가서 죽어야 그들의 추악한 민낯을 드러낼 수 있지."
"무슨 말인지 모르겠다. 병력을 얼마나 내주면 되겠느냐?"

"300명만 빌려줘. 제대로 무장시켜서 그의 제자들이 겁을 먹고 도망치게 만들어야 해."

"왠지 숫자가 불길하다."

"나 지금 웃을 기분 아냐. 고스란히 돌려줄 게."

"언제 체포할 생각이냐?"

"내일 밤에. 갑옷과 투구는 물론이고 무기들을 박박 닦아서 광을 내도록 해 줘."

"나야 병사들만 빌려주면 되는 거 아니냐? 네 좋을 대로 해라."

다음날 그는 안토니 요새로 갔다. 지휘관에게 유대 총독의 명령서를 제시하고, 병사들을 인계받았다[66]. 그는 그들에게 무구를 빡빡 닦아 광을 낸 후 대기하라고 명령했다. 그들이 쭈그리고 앉아 투구에 광을 내는 것을 본 후, 그는 다락집으로 갔다.

저녁 무렵에 예수와 제자들이 다락집 마당으로 들어왔다. 마르크가 그들을 다락방으로 안내했다. 가운데에 예수가 앉고, 유다가 그의 왼편에 마리아가 그의 오른편에 자리를 잡았다. 그러고는 나머지 제자들이 빈자리를 메웠다. 예수가 무교병 하나를 둘로 쪼개며 말했다.

"세상은 이처럼 분열로 인하여 고통을 받고 있습니다. 모두 하나 될 그날이 속히 오도록 매일 기도합시다. 만찬을 준비한 유다에게 감사를 드립니다. 이제 먹고 마시며 이집트에서 탈출한 이야기를 나누기 바랍니다."

그들은 말없이 먹기만 했다. 계속 그러다가는 체할 것 같아 유다

---

66 당시에 유대 땅에 배치된 로마군 병사들은 대부분 용병이었다.

가 입을 열었다.

"내가 모세였다면 파라오를 공격하여 아예 나라를 빼앗았을 겁니다. 그러면 해마다 무교병과 쓴 나물을 먹지 않아도 됐을 겁니다."

"공격은커녕 파라오의 추격을 뿌리치느라 모세는 애를 먹었다. 탈출 이야기를 나누려면 진지해야지, 그것도 농담이라고 한 거냐?" 레위가 말했다.

"그렇게까지 면박을 줄 필요가 있느냐? 우리는 오늘 하루를 울적하게 보냈는데, 유다 덕분에 기분이 풀렸다, 안 그렇습니까?" 도마가 좌중을 둘러보며 말했다.

이야기는 그렇게 한동안 계속됐다. 잠자코 있던 예수가 자리에서 일어나, 겉옷을 벗고 수건을 허리에 둘렀다. 제자들의 눈이 일제히 그를 향했다. 그는 밖으로 나가 대야를 들고 왔다. 그러고는 유다의 발을 씻기고, 수건으로 닦아 주었다. 그는 마티아를 시작으로 다른 제자들에게도 그렇게 했다. 마지막으로 마리아 차례가 됐을 때, 그녀는 엉덩이 밑으로 발을 감추며 싫다고 했다. 그는 그녀의 발을 끌어당겨 씻기고, 수건으로 닦아 주었다.

"내가 여러분에게 한 일에 어떤 의미가 있는지 말해 보시오."

"……."

"어제 마리아는 내 몸에 향유를 끼얹고, 자기의 머리털로 내 발을 씻어 주었습니다. 진실로 말합니다. 하느님 나라에서는 위아래가 없습니다. 내가 아버지와 하나이듯이 여러분은 나와 하나입니다. 여러분은 나의 형제요 자매입니다. 아버지와 나와 여러분은 모두 하나이고, 모두가 위아래 없이 동등합니다. 마리아와 내가 한 일에서 깨닫기를 바랍니다."

제자들은 넋이 나간 듯 서로를 쳐다보기만 했다. 그는 유다에게 속삭이듯 말했다.

"이제 가서 네가 할 일을 해라."

유다는 마티아를 데리고 밖으로 나갔다.

"말 두 마리를 준비해 둬라. 식사 후 기도가 시작되면, 겟세마네로 가서 스승님을 기다려라. 스승님이 그곳에 도착하면 말들을 보여 드려라."

"스승님 말고 또 누가 말을 타죠?"

"너 말고 또 누가 있겠느냐? 하지만 말을 탈 일이 없을 수도 있다. 너는 스승님 분부를 따르면 된다."

그는 별동대원에게 예수가 성문을 나가면, 안토니 요새로 뛰어와 보고하라고 했다.

300명의 병사들이 안토니 요새 밖에 주둔하고 있었다. 유다는 그들의 복장을 점검하고, 요새 안으로 들어가 층계참에 등을 기대고 앉았다. 앞으로 일어날 일들을 생각하며, 그는 마음을 굳게 먹었다. 그러나 곧바로 회의가 들어 고개를 저었다. 나중에는 모든 일이 우스꽝스럽게 여겨졌다.

예수는 체포되어 돌에 맞아 죽을 것이다. 그의 아버지는 지금 무슨 생각을 하고 있을까? 아들이 죽는 게 아버지의 뜻이란다. 유다의 아버지는 어떤가? 둘째 아들이 잘못될까 노심초사하고 있다. 요하난이 말했다. 복잡하게 생각하지 마라. 야곱의 넷째 아들 유다가 동생 요셉을 상인에게 팔아넘긴 것처럼, 그 일을 해라.

별동대원이 헐레벌떡 뛰어와서, 예수의 무리가 성문을 나갔다고 보고했다.

요하난이 아직은 때가 아니라고 말했다. 그러면 언제? 그들이 겟세마네에서 자리를 제대로 잡을 때까지 기다려라. 내가 이 일을 꼭 해야만 하는가? 그것이 너의 운명이니 주저하지 마라. 야곱의 넷째 아들 유다가 요셉을 장사꾼에 팔아넘긴 것도 운명이었나? 물론이다. 아울러 다윗 왕이 유다의 후손임을 잊지 마라. 요셉은 그때 죽지 않았는데, 예수는 어떻게 되나? 안타깝지만, 예수는 지금 죽을 운명이다.

유다가 말했다. 그가 죽었다가 사흘 만에 다시 살아난다고 했는데 사실일까? 어떻게 되는지 두고 봐라. 죽은 자와 다시 살아난 자가 같은 존재인가? 죽은 자가 나귀로 태어나면, 둘은 같은 존재일 수 없다. 죽었다가 다시 살아나면, 다시는 죽지 않는가? 그래야만 다시 살아난 게 의미가 있을 것이다.

시간이 많이 흘렀다. 유다가 말 위에서 소리치고 앞으로 나아가자, 병사들이 그의 뒤를 따랐다. 그는 천천히 말을 몰았다.

마치 마중을 나온 듯, 예수가 동산 어귀에서 기다리고 있었다. 유다는 그에게 다가가 입을 맞췄다. 예수와 함께 있었던 날들의 기쁨과 그리워했던 세월을 자기의 입술에 담았다.

"네 입맞춤이 신비하구나."

"형이 여기에 없기를 간절히 바라고 기도했는데, 이젠 어쩔 도리가 없어."

"상심하지 말아라. 진리가 곧 너를 자유롭게 할 것이니, 믿고 기다려라."

병사들이 제자들을 포위하고, 창을 들어 그들을 겨누었다. 병사 하나가 밧줄을 들고 예수에게 다가갔다. 갑자기 그 병사의 머리 위로 장검이 떨어졌다. 유다는 몸을 날리며 쇠몽둥이를 들이밀었다. 장검이 쇳소리를 내며 두 동강이 났다. 베드로가 동강난 장검을 쥐고, 손을 부들부들 떨었다. 제자들이 모두 칼을 뽑았다.

"모두 칼을 거두고 이곳을 떠나시오. 각자 일터로 돌아가 나를 기다리시오."

예수의 목소리에 분노가 담겨 있었다. 유다가 소리쳤다.

"베다니 쪽으로 길을 터 줘라."

병사들이 움직여 한쪽으로 길을 냈다.

"스승만 체포하고 제자들은 놓아준다. 너희에게 피할 기회를 주겠다. 지금 모두 이곳을 떠나라. 그렇지 않으면 투창이 날아갈 것이다."

하지만 그들은 꿈쩍도 하지 않았다. 유다는 도마를 노려보며 눈짓했다. 그는 예수를 한 번 쳐다보고는, 칼을 거두고 베다니 쪽으로 걸어갔다. 곧이어 베드로가 부러진 장검을 내던지고, 도마의 뒤를 따라갔다. 나머지 제자들이 서둘러 그들을 쫓아갔다. 어둠 속에서 말 두 마리가 허연 김을 내뿜으며 나타났다.

"주인님, 스승님을 어디로 데려가는 겁니까?"

"안나스의 저택으로 간다. 스승님의 분부에 따른 것이니까 방해하지 마라. 말 한 마리는 내게 주고, 제자들을 따라가라."

병사들이 예수를 결박하자, 유다가 그를 말에 태웠다. 로마군 병사들은 예수를 앞뒤로 에워싸고 겟세마네를 떠났다.

자정이 지났는데도, 안나스의 저택은 대낮처럼 환했다. 유다는 예수를 안나스에게 넘겨주었다.

"성전을 공격하던 자가 드디어 잡혀 왔구나." 안나스는 유다를 쳐다보며 말했다. "자네가 할 일은 끝났다."

유다는 안토니 요새에 들러 병사들을 돌려주고, 다락집을 향해 걸었다. 가슴이 무너지는 듯하며 그리움이 밀려들었다. 자신의 내부에 있는 다른 존재가 뜨겁게 타오르며 그의 근육과 뼈를 녹였다. 다락집 앞에서 도마가 서성거리고 있었다.

"스승님을 체포하여 어디로 보낸 거냐?"

"안나스에게 넘겨줬다."

"너는 스승님의 친구이자 제자다. 네가 어찌 이런 짓을 했느냐?"

"스승님이 내게 그렇게 해 달라고 했다."

"스승님이 잡히더라도, 나는 네가 구출할 거라고 믿었다. 그런데 도리어 네가 스승님을 붙잡아 대제사장들에게 넘겼단 말이냐? 성전 나부랭이들과 붙어 지내더니, 결국 너는 우리를 배신했다."

"내가 무슨 말을 할 수 있겠느냐? 나는 지금 아무 일도 할 수 없다."

"나폴리 대회에서 네가 3관왕을 했을 때, 난 네가 메시아인 줄 알았었다. 내가 너를 얼마나 존경했었느냐? 이제 다시는 너를 보지 않겠다."

도마는 울음을 삼키며 떠나갔다. 유다는 멀어져 가는 그의 모습을 지켜보다가 다락집으로 들어갔다. 마르크를 불렀으나 대답이 없었다. 하인 하나가 하품하는 입을 막으며, 그가 예수를 따라갔다고 말했다. 유다는 양고기와 포도주 항아리 세 개를 가져오라고 했다.

그는 항아리 뚜껑을 열고 나발을 불었다. 양고기 넓적다리를 뜯어내 우적우적 씹었다. 항아리 하나가 금세 비었다. 항아리 뚜껑을 또 열었다. 또다시 나발을 불고 양고기를 뜯었다.

예수의 아버지는 아무 일도 안 했다. 기적을 바랐건만, 그 비슷한 일도 일어나지 않았다. 어떤 신이 참 신인가? 그는 강제하지 않고, 벌도 내리지 않는다. 그는 우리의 적에게도 빛을 비추고 단비를 내려 준다, 그렇다면 신에게 무엇을 해 달라고 기도할 필요가 있을까?

세 번째로 항아리 뚜껑을 여는데, 몸이 녹아내리는 듯하여 앉은 채로 고꾸라질 뻔했다. 그는 벽에 기대어 딸꾹질하다가 잠이 들었다.

악몽을 꾸었다. 베드로가 그에게 달려들며 스승님을 구해 내라고 소리쳤다. 그는 달아났다. 제자들 모두가 스승님을 살려내라고 소리치며 따라왔다. 베드로가 뱀으로 변신하더니, 모두가 블랙맘바로 둔갑하여 쫓아왔다. 올리브산을 넘고 요르단강을 건너자, 그제야 쫓아오는 자가 아무도 없었다. 그러나 이번에는 디오니소스 축제에서 달려들었던 여자들이 날카로운 손톱을 치켜들고 쫓아왔다. 그의 온몸에 소름이 돋았다. 그는 나사렛 마을로 날아가, 예수의 집으로 들어갔다. 안도의 숨을 내쉬는데 방안에서 마리아가 나왔다. '배신을 밥 먹듯이 하는 놈!' 하고 소리치며, 그녀가 그의 뺨을 후려갈겼다. 그는 얼얼한 뺨을 문지르며 잠에서 깨어났다. 커튼을 젖히고 창문을 열었다. 어스름 속에서 수탉의 울음소리가 들려왔다.

유다는 안나스의 저택을 향해 터덜터덜 걸어갔다. 별동대원이 뛰어와, 예수가 지금 하스몬 궁전에 있다고 했다. 유다가 고개를 갸우뚱하자, 그가 보다 자세하게 보고했다. 안나스는 예수를 점잖게 심문한 후 카이아파스에게 보냈다. 예수는 한동안 그곳에서 모진 심문을 받고, 총독이 거하는 헤롯 궁전으로 끌려갔다. 거기에서 총독과 성전 관리들 간에 다툼이 벌어졌다. 예수가 갈릴리 사람이라는 말에, 총독은 그를 안티파스에게 보냈다. 지금 그는 하스몬 궁전에서 안티파스에게 심문받고 있다.

유다는 하스몬 궁전으로 갔다. 그러나 예수는 거기에 없었다. 그곳에 있던 별동대원이 안티파스가 예수에게 자주색 옷[67]을 입혀 다시 필라투스에게 보냈다고 말했다. 그는 헤롯 궁전으로 뛰어갔다. 하지만 예수는 거기에도 없었다. 필라투스의 아내인 클라우디아가, 총독은 예수를 재판하기 위하여 안토니 요새로 갔다고 말했다. 그러고는 편지를 써서 주며, 재판이 끝나기 전에 남편에게 꼭 전해 달라고, 그래야만 총독이 의로운 사람을 잘못 재판하는 일이 없을 거라고 했다.

로마군 병사들이 안토니 요새 밖에 단상을 설치하고 있었다. 단상 좌우에 장창을 든 병사들이 보였고, 자주색 옷을 걸친 예수가 단상 앞에 서 있었다. 수백 명에 달하는 군중들이 단상을 반원형으로 에워쌌다. 필라투스는 유다의 별동대원이 바치는 편지를 받아들고 단상으로 올라가 앉았다. 그는 아내의 편지를 읽은 후에 예수를 바라보며 말했다.

"무슨 죄로 이 사람을 고발하는지 분명히 말하라."

"이 사람이 죄인이 아니라면, 왜 다시 끌고 왔겠습니까? 이 사람은 자칭 크리스토스이고, 스스로를 유대인의 왕이라고 했습니다."

"이름과 지위를 밝히고 말하라. 무고로 밝혀지면 네놈을 죽일 것

---

67 자주색 옷은 왕의 복장으로, 안티파스가 예수를 유대인의 왕이라고 조롱한 것이다.

이다."

"각하! 설마 저를 모른단 말입니까? 저는 대제사장의 명으로 성전을 수호하는 경비대장입니다."

"그렇다면 대제사장에게 도로 데려가서, 너희의 법으로 처리하라. 카이사르가 너희에게 사법권을 허락했으니, 너희의 법대로 하란 말이다."

"우리에게는 사형을 집행할 권한이 없는 것을 모릅니까?"

"자칭 크리스토스이고, 유대인의 왕이라고 한 것이 사형에 해당한단 말인가?"

"크리스토스는 세상에 단 한 분 아우구스투스 신 하나뿐이고, 유대인의 왕은 현재 총독 각하입니다. 그러나 피고인은 백성들을 선동하여 카이사르에게 세금을 바치지 말라고 했습니다. 그가 무슨 뜻으로 그렇게 말했겠습니까? 내가 유대인의 왕이니까, 카이사르가 아니라 내게 세금을 바치라는 겁니다. 그래서 유대인 법정은 피고에게 사형을 선고했고, 총독님에게 사형 집행을 요구하는 겁니다."

"피고를 요새 안으로 데려가라. 내가 직접 심문하겠다."

총독이 단상에서 일어나자, 유다는 재빨리 요새 안으로 들어갔다. 필라투스가 근엄한 얼굴로 의젓하게 걸어 들어오고, 병사들이 예수를 잡아끌며 그를 따라갔다. 병사가 의자를 요새 중앙에 갖다 놓았다. 필라투스가 의자에 앉으며 말했다.

"네가 유대인의 왕이냐?"

"그것은 당신의 말입니까, 아니면 다른 사람들의 말을 듣고 따라하는 말입니까?"

"너의 동족들이 너를 고발했는데, 무슨 일을 했기에 고발을 당했느냐?"

"나는 세상에 하느님 나라를 전파했습니다. 진리 편에 선 사람들은 내 말을 들었지만, 그렇지 않은 사람들이 나를 고발한 것입니다."

"지금 상황에서 진리가 무슨 소용인가? 내 말 한마디로 너의 목숨이 결정된다. 나와 논쟁하지 말고, 너를 위해 스스로 변호해 보라."

"……."

"유대와 사마리아와 이두메의 총독으로서 묻는다. 네가 유대인의 왕이냐?"

"내 왕국은 세상의 것이 아닙니다. 그렇지 않으면 나의 신민들이 나를 당신의 손에 넘어가지 못하게 했을 겁니다."

"허허, 네가 유대인의 왕이냐고 물었다."

"……."

"거참, 이상한 사내군. 여봐라. 이놈에게 매질을 단단히 해라."

필라투스는 요새 밖으로 나갔다. 예수는 험한 몰골로 서 있었다. 병사들이 그를 형틀에 묶고 매질을 시작했다.

"피고에게는 사형에 해당할 죄목이 없다. 유대인의 왕이 되려는 생각도 없고, 반란을 일으키려 하지도 않았다. 나는 그를 매질해서 방면할 것이다."

채찍질 소리를 뚫고 필라투스의 목소리가 유다의 귀에 또렸하게 울렸다. 이어서 군중들의 야유 속에 솔로몬의 목소리가 들렸다.

"총독님은 카이사르의 신하가 아닙니까? 왕을 참칭하는 자는 황제 폐하에게 반역하는 겁니다. 그런 자를 두둔하는 총독님은 도대체 누구의 편입니까?"

필라투스의 목소리가 군중들의 아우성 속에 파묻혔다.

요새 안에서는 매질이 끝나고, 예수는 형틀에 묶인 채로 움직이지 않았다. 겉옷은 찢어져 피투성이가 되었고, 뜯긴 살점들이 여기저기에 붙어 있었다. 유다는 몸서리를 치며 요새 밖으로 나갔다.

필라투스가 왼손을 높이 들자, 군중들이 잠잠해졌다.

"내게는 유월절에 죄인 한 사람을 풀어 줄 권한이 있다. 두 명의 죄수가 있는데, 하나는 예수 바라빠로 로마의 귀부인들을 습격했고, 로마군 병사 일곱을 죽였으며, 성전 경비대 실종 사건에 중대한 혐의가 있다. 다른 하나는 너희가 고발한 나사렛 예수다. 둘 중에서 어느 예수를 풀어 줄지 너희가 선택하라."

"예수 바라빠는 잡범이고, 성전 경비대 실종 사건에 대해서는 혐의만 있을 뿐입니다. 그러나 나사렛 예수는 반역죄를 범했습니다. 예수 바라빠를 방면하고, 나사렛 예수를 십자가형에 처해 주십시오," 솔로몬이 말했다.

"예수 바라빠는 살인자다. 그러나 나사렛 예수는 죽어가는 사람을 살린 자다. 그런데도 예수 바라빠를 방면하고, 나사렛 예수를 십자가에 못박으라는 것이냐?"

"나사렛 예수는 로마 제국과 성전 당국에 맞서 백성들을 선동해 왔습니다. 민란이 일어나면 총독 각하가 책임질 겁니까? 나사렛 예수는 반드시 십자가형에 처해야 합니다."

솔로몬의 말이 끝나자마자, 누군가 소리쳤다.

"예수를 십자가에 못박아라!"

그러자, 마치 약속이라도 한 듯 군중들이 일제히 연호했다.

"예수를 십자가에! 예수를 십자가에!"

필라투스가 양피지 다발을 단상 아래로 내던지며 말했다.

"여봐라. 대야에 물을 담아서 갖고 와라."

군중들은 고함을 멈추고, 일제히 총독을 바라보았다.

"전지전능하신 유피테르여, 이 사람의 죽음에 내가 책임이 없음을 당신께 고합니다. 불의를 저주하고 정의를 축복하는 유피테르여, 신성한 물로 내 손을 깨끗이 하고, 당신께 간청하오니……."

필라투스는 목청을 돋우어 기도를 시작했으나, 점점 작아지더니 나중에는 들리지도 않았다. 그는 대야에 손을 넣고 세 번 씻었다.

"예수 바라빠를 방면하고, 나사렛 예수를 십자가형에 처한다. '유대인의 왕, 나사렛 예수'라고 죄패를 만들어 가로대 위에 붙여라. 아람어로 쓰고, 그 밑에 작은 글자로 헬라어와 라틴어를 함께 적어라."

필라투스는 단상에서 내려와, 코에서 불을 뿜으며 요새 안으로 들어갔다.

유다는 하늘을 쳐다보았다. 다리에서 힘이 빠져나가 후들거렸다. 마티아가 울음을 터뜨리며 말했다.

"주인님, 스승님이 십자가에 못박히게 됐습니다. 어떻게든 구출해야 합니다."

"나의 손발이 묶여 있어 아무 일도 못 한다. 이를 어쩐단 말이냐!"

"주인님이 하지 못하는 일을 누가 할 수 있겠습니까?" 마티아가 고개를 떨구며 말했다. "나는 스승님을 따라가겠습니다. 시신을 거두어 장례를 치러야죠."

예수는 자주색 옷을 걸친 채 안토니 요새에서 끌려 나왔다. 누군가 로마군 병사들에게 가시나무로 만든 관을 바쳤다. 그들은 그의 머리에 가시관을 씌우고, '유대인의 왕이여, 평안히 가라.'라고 하며 조롱했다. 로마군 백인대장이 말을 타고 와서 그들을 꾸짖었다.

병사들은 예수에게서 자주색 옷을 벗기고, 어깨에 가로대를 올렸다. 예수는 가로대를 짊어지고 비틀거리며 걸어갔다. 가시에 찔린 머리에서 피가 솟아나와 얼굴로 흘러내렸다. 사람들이 가시관을 가리키며 조롱했다.

어디에 숨어 있었는지 지금까지 코빼기도 보이지 않던 사울이 유다에게 다가왔다.

"예상치 못했던 일이 일어났습니다. 나는 예수가 십자가형을 당할 줄은 생각도 못했습니다."

"나더러 네 말을 믿으라는 거냐? 결국 네놈의 집요한 핍박으로 예수가 십자가에 달리게 됐다. 네가 그 죄를 어떻게 감당할 셈이냐?"

"저 사람은 자신의 죄 때문에 죽는 것입니다. 더구나 그 사람은 애당초 죄라는 것은 없다고 가르쳤다는 말을 들었습니다만."

"네놈을 어떻게든 독사의 무리에서 빼내려 했건만, 그야말로 곡식과 함께 절구에 넣고 찧은[68] 꼴이 됐다."

유다가 쇠몽둥이로 돌바닥을 치자 텅텅 소리가 났다.

"왜 이러십니까? 카인을 죽이는 자가 일곱 배의 벌을 받는다면, 라멕을 죽이는 자는 일흔일곱 배의 벌을 받는다[69]고 했습니다."

"너 같은 놈이 섞여 있어야, 저들의 죄가 커질 테니, 네놈을 죽이지는 않겠다."

"휴! 유다 님께 감사를 드려야겠군요." 사울은 가로대를 지고 가

[68] 잠언 27:22에 '미련한 자를 곡물과 함께 절구에 넣고 공이로 찧어도 그의 미련은 벗겨지지 않는다.'라는 문장이 있는데, 유다가 이를 사울에 빗대어 말한 것이다.

[69] 유다가 사울을 죽이면, 유다는 사울보다 더 큰 벌을 받을 것이란 말이다. 창세기 4:24 참조.

는 예수를 한 번 쳐다보고 말했다. "대제사장님께 보고를 드려야겠기에, 나는 이만 가 보겠습니다. 휴!"

유다는 안토니 요새로 들어갔다. 필라투스가 그를 바라보며 말했다.
"나는 최선을 다했다. 그러나 그것이 그의 운명인 걸 어쩌겠는가?"
"대장장이나 풀어 줘. 대장간에 데려다 놓고 처형장으로 갈 거야."
"그놈을 매질해서 내다 버리라고 했는데, 어떻게 됐는지 모르겠다."
바라빠가 시체처럼 널브러져 있어, 유다는 그가 죽은 줄 알았다. 하지만 가슴팍이 가느다란 숨을 따라 오르락내리락하고 있었다.
"다행히 죽지는 않았구나. 대장간까지 데려가려면 사람들이 거치적거릴 거다. 병사들을 붙여줄 테니 인파를 헤치고 나아가라."
유다는 바라빠를 업고 요새 밖으로 나왔다. 병사들이 채찍을 휘두르며 길을 냈다. 별동대원들이 다가와 그의 뒤를 따라갔다. 그는 대장간으로 들어가 바라빠를 화덕에 눕혔다.
"여기가 어디냐, 내가 지옥에 와 있는 거냐?" 바라빠가 눈을 치뜨며 말했다.
"맞아, 지옥이야. 죽지 않고 살아있으니 지옥에 있는 거지."
"정말 미안하다." 그의 목소리가 가르랑가르랑했다. "나 같은 놈은 감옥에서 콱 죽어버렸어야 했다."
"나사렛 예수와 맞바꾼 목숨이야. 너마저 죽으면 안 된다."

처형장은 사람들로 북적였다. 여기저기서 예수를 조롱하는 소리가 들렸다. 이런 구경은 처음이라는 소리와 기적이 일어나는지 지켜보자는 소리도 들렸다. 그는 수다를 떨고 있는 군중들을 헤치고 나아갔다. 예수는 벌거벗은 상태로 가시관을 쓴 채 돌바닥에 엎어져 있었다. 가까운 곳에 서 있는 두 개의 십자가에서 사형수들이 비명을 질러 댔다.

"유다야, 어디에서 오는 거냐?" 키레네 시몬이 그에게 다가오며 말했다.

"네가 왜 여기에 있느냐?"

"시몬 님이 스승님의 가로대를 짊어지고 여기까지 왔습니다." 마티아가 말했다.

"아무 말 말고 지켜보도록 하자."

로마군 병사들이 예수의 팔을 가로대에 붙들어 매자, 시끌벅적하던 군중들이 잠잠해졌다. 그들은 그의 손목에 못을 박았다. 병사 하나가 자기의 얼굴에 튄 피를 닦으며 욕을 했다. 다른 병사 하나가 땅에 박혀 있는 빈 형틀에 받침목을 대고 못을 박았다. 그들은 사다리를 이용하여 예수가 못박힌 가로대를 기둥에 얹고, 엉덩이 부분을 받침목에 걸치게 했다. 십자가에 달린 사형수들의 비명이 그 순간 멈췄다. 형틀에 달린 사형수가 바라빠가 아닌 것을 보고 놀란 것 같았다.

병사들이 예수의 두 다리를 모으고, 한쪽 발을 다른 발 위에 포갰다. 병사 하나가 그의 발목에 못을 갖다 대고, 망치로 연거푸 내리쳤다. 못 하나가 살을 찢으며 들어가, 발꿈치들을 하나씩 통과하여 박혔다. 사형수들이 다시 비명을 지르기 시작했다. 병사들은 못을 박고 나서, 예수의 발밑에 받침목을 댔다.

예수의 손목에서 솟아나오는 피가 땅으로 뚝뚝 떨어지고, 발목에서 솟은 피는 받침목에 고였다가 기둥을 타고 흘러내렸다. 병사들은 그의 몸에서 벗긴 옷들을 바닥에 깔고 앉았다. 말을 탄 백인대장이 소리쳤다.

"제대로 하는 놈이 하나도 없구나. 모두 일어나라. 죄패를 기둥에 일직선이 되도록 가로대 위에 붙여라."

병사 하나가 사다리를 타고 올라가, 죄패를 가로대 위에 놓고 못을 박았다. 그제야 형틀이 십자 모양이 됐다. 그들은 백인대장을 곁눈질하며 다시 바닥에 앉았다. 그는 더 말하지 않았다.

"이 옷들을 누가 가질 건지 결정하자." 병사 하나가 주사위를 던지며 말했다.

"형편없이 찢어지고 피딱지가 덕지덕지 붙은 옷을 가져가서 뭘 해?"

"유대인의 왕이 입었던 옷이야. 나중에 이 사람이 유명해지면 비싼 값에 팔릴 거야."

십자가에 달린 예수는 고통을 겨우 참고 있는 듯, 얼굴을 일그러뜨리고 이를 악물고 있었다. 그의 양옆에 서 있는 십자가에서는 비명이 끊이지 않았다. 왼쪽에서는 로마군을 향한 욕설과 성전 당국에 대한 저주를 쉴 새 없이 퍼부어 댔고, 오른쪽에서는 어머니를 부르고 비명을 지르고 다시 어머니를 불렀다.

쟁반을 든 행상들이 소리를 지르며 돌아다니자, 군중들도 다시 수다를 떨기 시작했다. 그들은 음료와 말린 과일들을 먹으며 예수를 조롱했다. 어떤 자가 '남들을 구원하기 전에 너 자신부터 구원하라'라고 소리치자, 몇몇 사람들이 그를 따라 외쳤다. 어떤 자는 '광풍을 잠재우고, 물 위를 걷고, 죽은 자를 살리는 자여, 여기서도 기적을 일으켜 보라.'라고 소리쳤다. 몇몇 사람들이 '기적을 일으켜 보라!'라고 외쳤다.

어디에서 왔는지 파리 떼가 날아 와 십자가에 몰려들었다. 그것들은 사형수들의 몸으로, 못박힌 상처들로, 흘러내리는 피로 날아다녔다. 마티아가 나뭇가지로 예수가 달린 십자가에서 파리 떼를 쫓았다. 주인을 기다리고 있는 빈 형틀들 위에는 까마귀들이 앉아, 세 사람의 숨이 끊어지기를 기다리고 있었다.

솔로몬이 십자가 밑으로 다가갔다.

"죽은 자를 살리고 세상을 구원하는 자여, 이제 당신 자신을 구원해 보시오. 그러면 우리가 당신 말을 믿겠소."

그러자 사람들이 폭소를 터뜨리며 예수를 조롱했다. 예수의 얼굴은 고통으로 일그러져 있었지만, 눈빛은 부드러웠다.

"당신은 지금 자신이 무슨 일을 하고 있는지 모릅니다. 진리가 당신의 눈앞에 있습니다. 자신을 되돌아보고 세상을 살펴보시오."

"십자가에서 내려온 후에 말하시오. 당신의 능력을 보여 달란 말이오"

예수가 말이 없자, 그는 코웃음을 치며 유다에게로 갔다.

"나중에 나사로처럼 다시 살아나도 소용없다. 유죄판결을 받고 십자가형을 당한 자가 무슨 일을 할 수 있겠는가?"

유다는 쇠몽둥이에서 헝겊을 벗겼다. 햇빛이 창날에서 반사되어 솔로몬의 눈을 쏘았다.

"내 눈앞에서 꺼져라. 쇠몽둥이가 네 대가리를 부숴 버리자며 울고 있다."

솔로몬이 뭐라 말하려 하자, 유다의 주먹이 날아가 그의 코와 입 사이에 박혔다. 그는 맥없이 뒤로 나자빠졌다. 성전 경비대원 하나가 그의 손을 잡고 일으키려 했지만, 그는 꼼짝도 하지 않았다. 그는 성전 경비대원의 등에 업혀 처형장을 떠났다.

잿빛으로 어둑한 하늘 아래 날은 무더웠다. 사람들은 땀을 줄줄 흘리면서도, 십자가들을 바라보며 쉴 새 없이 지껄였다. 새파란 청년들이라 중년의 사내보다 참을성이 없구나, 저러다가 청년들이 먼저 숨을 거둘 것 같지 않으냐, 누가 제일 먼저 숨을 거둘지 내기할 사람 없느냐?

예수의 어머니는 마치 땅에 뿌리박은 나무처럼, 아들이 달린 십자가 밑에 서서 눈을 감고 있었다. 유다는 그녀에게 다가갔다. 그때 그녀의 곁에 있던 마리아가 그녀를 감싸 안았다. 마리아는 어깨를 들먹이며 울고 있었다. 그들 주위에는 그가 모르는 다른 여자들도 있었다. 하지만 예수의 제자들은 한 명도 보이지 않았다.

먹구름이 몰려와 태양을 완전히 가리고, 두려움이 함께 밀려와 군중들을 덮쳤다. 군중들은 명절을 준비해야 한다면서 처형장을 떠나기 시작했다. 저녁이 되면 바로 유월절이 시작된다[70]. 처형장이 한산할 정도로 많은 사람들이 빠져나갔다.

예수의 신음이 어둠을 뚫고 들려왔다. 유다는 십자가 밑으로 바싹 다가가, 그를 올려다보며 소리쳤다.

"형, 인제 그만 내려와. 죽었다가 부활하지 말고 지금 당장 내려오란 말이야."

예수는 눈을 감은 채 이를 악물고 있었다.

"하느님과 하나라고 했잖아. 어서 못을 뽑아 버리고 십자가에서

70 예수는 유월절 어린양으로, 유월절이 시작되기 전에 죽어야 했다. 반면에 대제사장들은 시체 처리를 위해 안식일 전에 예수가 죽어야 한다고 생각했다. 공교롭게도 그 해에 유월절은 안식일이었다.

뛰어내리란 말이야."

"유다야, 이제 그만하고 내 어머니를 보살펴 드려라. 지금 너의 집으로 데려다 드리고 오너라. 그때까지는 내 육신이 견뎌낼 거다."

예수의 어머니가 십자가로 다가가 그의 발에 입을 맞추었다.

"아들아, 얼마나 아프니?"

"며칠 후면 다시 나를 볼 수 있을 테니, 상심하지 말고 유다를 따라가십시오. 그래야 내가 편합니다. 마리아, 너도 함께 가라."

유다는 쇠몽둥이를 마티아에게 맡기고, 예수의 어머니를 부축했다. 그녀는 그에게 몸을 던지며 쓰러졌다. 그는 그녀를 등에 업었다. 별동대원들이 앞장서서 길을 내고, 마리아와 여자들이 뒤에서 따라왔다.

"제자들은 지금 어디에 있느냐?"

"뿔뿔이 흩어져 숨었어요. 스승님을 구출해야 한다고 했어요."

"그런 자들이 처형장에 코빼기도 안 보인단 말이냐? 그들을 만나면 다락집으로 가라고 전해라."

"나도 할 일이 있어요."

"이 상황에 무슨 할 일이 있다는 거냐?"

"스승님의 장례를 치러야지요."

먹구름이 물러가고, 서쪽 하늘 끝에서 태양이 구름을 뚫고 나왔다. 시몬과 마티아가 십자가에서 파리 떼를 쫓고 있었다. 처형장에는 그들 외에 로마군 병사들밖에 없었다. 예수는 신 포도주를 마시고 정신을 잃었다가 깨고, 다시 신 포도주를 마시고 정신을 잃고를 반복하고 있다고 했다. '유대인의 왕, 나사렛 예수'라고 쓴 죄패가 죽어 가는 그를 조롱하고 있었다.

유다는 십자가 밑에 털퍼덕 주저앉아 기둥에 머리를 기댔다. 그를 따라다니는 별동대원들은 청년들이 달려 있는 십자가 주변을 서성거렸다. 이제는 십자가에 달린 예수가 죽기를 기다리는 것밖에 할 일이 없었다.

"유다야, 너무 아프다. 허상에 불과한 몸이 왜 이리 아픈지 참을 수가 없구나. 제자들에게 전해 다오. 십자가 형벌만큼은 피하라고."

"형, 미안해. 내가 형을 죽게 만들었어."

"너는 아버지의 뜻을 잘 해냈다. 괴로워하지 말고, 나를 위해 복수하지도 말아라. 유다야, 목이 탄다."

병사 하나가 포도주 그릇에 담겨 있는 갯솜을 야자수 가지에 꿰고, 사다리 위의 병사에게 올려 줬다. 그가 그것을 예수의 입에 갖다 댔다. 예수는 그것을 입으로 빨아들이다가 기침을 했다.

"아버지여, 마침내 할 일을 마쳤습니다. 이제 나의 영혼을 당신께 맡깁니다."

예수는 한 번 크게 숨을 몰아쉬고 곧 잠잠해졌다. 그의 머리와 고개가 활처럼 휘어졌다. 유다는 피로 얼룩진 십자가를 두 손으로 붙잡고 눈을 감았다. 아무도 더 사랑하지 않았던, 누구도 덜 사랑하지 않았던, 사람으로서는 생각할 수조차 없는 경지에 이른, 유다로서는 도무지 이해할 수 없었던 인간이 마침내 세상에서 사라졌다.

다른 사형수들은 여전히 비명을 질러 댔다. 무수한 형틀들이 새로운 사형수를 기다리며 그들을 에워싸고 있었다. 어디선가 쉭쉭 하는 소리가 들려왔다. 다듬다 만 돌기둥 위에, 몸통 굵은 독사가 똬리를 틀고 있었다.

유다는 높이 뛰어올랐다가, 온 힘을 다해 쇠몽둥이로 돌기둥을 내리쳤다. 우르릉 쾅쾅! 땅이 갈라지고, 주변의 바위들이 터지며 파편들이 튀었다. 독사는 곤죽이 되어 먼지로 흩날렸다. 갑자기 앞이 보이지 않았다. 눈알 두 개가 밖으로 튀어나왔다. 그는 이를 악물고, 그것들을 도로 밀어 넣었다. 비릿한 피가 목구멍으로 올라왔다. 그는 캑캑거리다가 풀썩 쓰러졌다. 시몬이 달려와 주저앉으며, 그의 머리를 자기의 무릎에 뉘었다.

"울화가 치민다고 힘을 한꺼번에 써 버리면 어떻게 하니? 아꼈다가 적군과 싸우는 데 써야지."

"하느님의 아들이 죽으니까 놀라운 일들이 일어나는구나." 백인대장이 말했다.

금세 죽을 것 같던 유다는 차츰 기운이 났다. 세상이 다시 보이기 시작했다. 이제는 시신일 뿐인 예수의 곁에 남아 있을 이유가 없다. 저 밑에서 독사들이 조롱하는 소리가 들려왔다. '죽은 자의 장례는 죽은 자들에게 맡겨라.' 그는 안나스와 카이아파스를 떠올리고는 이를 갈았다.

성전은 이방인의 뜰에서부터 어린양들과 사람들로 붐볐다. 유다는 무리를 헤치며 니카노르 문으로 들어갔다. 제사장마다 그의 사나운 눈을 보고는 바로 눈길을 돌렸다. 성전에 있어야 할 카이아파스와 사울이 보이지 않았다.

그는 제사장의 뜰을 샅샅이 뒤진 후에 성소로 들어갔다. 제단에서 향이 타오르고, 메노라가 촛불을 밝히고 있었다. 그러나 사람은 하나도 보이지 않았다. 그는 제단 뒤의 휘장을 노려보았다. 지성소에 있을지도 모른다는 생각에 그는 공중으로 뛰어올랐다. 쇠몽둥이의 창날이 문인방을 치고, 휘장을 훑으면서 내려갔다. 찢어진 휘장이 둘로 나뉘어 펄럭거리다가 바닥으로 떨어졌다. 지성소 안이 훤히 들여다보였다. 그곳엔 아무것도 없었다.

유다는 지성소 안으로 들어가 널따란 바위에 앉았다. 온몸의 맥이 풀렸다. 안나스와 카이아파스를 만나서 뭘 어쩌겠다는 것인가? 예수는 복수하지 말라고 당부했다. 이제 무엇을 해야 하나? 그는 머리를 쥐어 뜯으며 울었다.

밖에서 웅성거리는 소리가 들리더니, 카이아파스가 몸을 뒤뚱거리며 뛰어왔다. 그는 유다를 성소로 끌어내면서 밖을 향해 소리쳤다.

"여봐라. 이리 와서 지성소를 가려라."

제사장들 20여 명이 달려와, 지성소를 향해 등을 돌리고 섰다.

"유다, 이게 무슨 짓인가?"

"대제사장님을 찾지 못해서 화가 났습니다."

"어허, 이 사람. 그렇다고 휘장을 찢는 사람이 어디 있나?"

카이아파스는 지성소 뒤로 가더니, 궤짝 하나를 낑낑대며 들고와, 성소 바닥에 놓았다. 그것을 열자 금을 입힌 휘장이 나왔다. 제사장들이 그것을 들고 사다리에 올라갔으나, 문인방이 부서져 매달 수가 없었다.

"못을 박아 끈으로 매달아 놓고, 안식일이 지난 다음에 제대로 해라."

사울이 숨을 헐떡이며 성소로 들어왔다.

"각하, 안나스 님이 응접실에서 기다리고 있습니다."

카이아파스는 성전에서 자기의 집에 이르는 좁고 긴 다리 위를 걸어갔다. 유다와 사울이 그를 뒤따라 갔다. 유다의 아버지가 대제사장의 응접실에 와 있었다. 안나스를 때려 죽이고 싶은 걸 유다는 가까스로 참았다.

"성소에서 난리가 났다더니 자네가 장본인인가?" 안나스가 말했다.

"유다가 지성소 휘장을 찢어서 못쓰게 됐습니다. 새것을 달려고 했는데, 문인방이 부서져서 대충 매달아 놓기만 했습니다." 카이아파스가 말했다.

"에휴, 솔로몬 왕 때부터 지금까지 지성소 휘장을 찢은 자가 있었는가? 오래 살다 보니 별일을 다 보는구나. 성전 경비대장은 얼마나 세게 맞았는지 불구가 됐고." 안나스가 말했다.

"유다 덕분에 민란을 막았으니 그걸로 만족해야 합니다." 카이아파스가 안나스에게 말하고는 유다를 쳐다보았다. "친구가 치욕적인 죽음을 당했는데 얼마나 원통하겠는가? 하지만 그렇다고 우리에게 화풀이하면 되겠는가!"

"당신은 술수를 써서 예수를 십자가에 못박았습니다."

"사울, 계약서를 가져와라."

"계약서를 들이대지 말고 그냥 말하시오."

"우리는 그의 제자들을 털끝 하나 건드리지 않았다. 일은 다 끝났는데, 계약 외의 일을 문제 삼으면, 우리더러 어떡하라는 건가?"

"당신은 모세의 율법이 아니라, 로마법에 따라 예수를 처단했습니다."

"냉정하게 생각해 보라. 만일 그를 모세의 율법에 따라 처형했다면, 백성들은 선지자인 그가 순교했다고 말할 것이다. 그러면 성전은 선지자의 무덤이라는 오명을 뒤집어쓸 테고, 더욱 더 거센 반항과 폭동이 일어날 것이고, 순진한 백성들까지 가담하면 민란으로 번질 수도 있다."

"……."

"우리는 로마법에 따라 그를 처단해야 한다고 판단했다. 그는 가말라의 유다처럼 로마 제국의 통치를 비난하고 공격했기 때문이다."

"……."

"그러나 요한의 경우는 다르다. 그는 오직 성전 당국만을 비난하고 공격했다. 그래서 요한을 체포하자고 했을 때 나는 반대했다. 문제가 있으면 성전도 비난받아야 마땅하기 때문이다."

"……."

"우리는 예수에게 경고 메시지를 끊임없이 보냈다. 그러나 그는 명절 때마다 성전에 나타나, 성전 당국을 비난했다. 며칠 전에는 로마에 바치는 세금 문제로 성전 당국을 곤란하게 만들었다. 그래서 성전 당국은 그를 총독에게 넘긴 것이다."

"처음에 사형선고를 누가 내렸습니까?" 유다가 핏발 선 눈을 부라리며 말했다.

"총독이 그에게 십자가형을 선고했고, 로마 병사들이 십자가형을 집행했다. 예수는 가말라의 유다처럼 로마 제국이 처형한 것이다."

"대공회가 유죄 평결하고, 재판장이 사형 선고를 하고, 유대 총독을 압박하여 예수를 십자가에 못박히게 해 놓고, 그 책임을 로마 제국에게 떠넘기는 겁니까?"

"과정이야 어떻든, 십자가형은 로마 제국이 결정하고 집행한 것이다. 자네가 알아야 할 게 있다. 서기관과 율법사 들은 예수의 하느님 나라와 비폭력 투쟁을 연구해 왔고, 지금은 거의 결론이 났다. 앞으로 하느님 나라의 이상과 비폭력 투쟁은 이스라엘 민족이 살아가는 방식이 될 것이다. 그러나 예수는 자기 자신의 이상을 실현하기 위해 성전을 무너뜨리려 했다. 자네가 성전을 지키는 자라면, 그것을 그냥 놔둘 텐가? 이렇게까지 설명해 줘도 계속 괴로워한다면 나도 방법이 없다."

"대제사장님이 자상하시군요. 그런데 휘장이 찢어져 못쓰게 된 것은 어떻게 변상해야 합니까?" 유다의 아버지가 말했다.

"여분이 몇 개 있으니까 신경 쓰지 마십시오. 참, 유다에게 약속한 돈을 줘야 하는데, 아버지가 대신 받겠습니까? 본인에게 그걸 내밀기가 뭣해서요."

바깥마당에서 유다는 쇠몽둥이로 바닥을 치면서 아버지를 기다렸다. 카이아파스는 노련했다. 네가 체포해 줬기 때문에 예수를 처단할 수 있었다고 말하지 않았다. 지성소 휘장을 찢은 것도 문제 삼지 않았다. 그것은 신성모독죄보다 결코 가볍지 않을 것이다.

예수가 어디까지 생각했을까, 대제사장들이 자기를 유대 총독에게 넘길 것이라고 예상했을까? 자신이 십자가에 못박힐 거라고는 상상조차 못했을 것이다.

아무튼 이제 예수는 세상에 없다. 갑자기 유다는 완전한 자유를 느꼈다. 그를 옭아맸던 마지막 밧줄이 끊어진 것 같았다. 이제 어떻게 살아가야 하나? 요하난이 네가 하고 싶은 대로 하며 살라고 했다.

유다의 아버지가 다가와 속삭이듯 말했다.

"휴! 얼마 전에 저들은 네가 한 일을 알고 말았다. 성전경비대 50명을 죽이고, 금은보화를 강탈한 것 말이다. 하지만 네가 두려워서,

알면서도 모른 척한 것이다."

"……."

"독립에 대한 미련을 버리고, 이 땅을 떠나라."

아버지의 눈에서 눈물이 쏟아질 것만 같았다.

"휴! 예수의 장례를 치르고 떠나겠습니다."

"낙담하지 마라. 예수는 살아 있다."

"그의 영혼이나마 내 마음속에 살아 있겠지요."

"영혼만이 아니라 육신도 죽지 않았다. 그러니까 장례를 치를 일도 없다."

"그게 무슨 말입니까?"

에필로그

"항상 깨어 있어,
진리를 도둑맞지 않도록 경계하십시오."

• • •

"시몬, 너도 예수가 죽은 걸 분명히 봤지?"

"봤고 말고. 청년들이 죽을 때까지 그는 미동도 하지 않더라."

유다와 시몬은 아리마태아 요셉의 무덤 안에서 포도주를 마시고 있었다.

"꿈인지 현실인지 분간이 안 되는구나. 예수가 살아 있다는 걸 언제 알았느냐?"

"너의 형이 백인대장에게 뭐라 했더니, 로마군 병사들이 모두 철수하더라. 손목과 발목에 박힌 못을 뽑는 게 가장 어려웠어. 하인들이 어쩔 줄 몰라 하기에, 내가 기둥을 톱으로 자르라고 했지. 못박힌 부분도 톱으로 잘랐어. 그때까지도 나는 예수가 죽은 줄로만 알았어." 그는 잔을 들어 포도주를 들이켰다. "하인들이 시신을 병자 다루듯 하는 게 이상해서, 너의 형에게 물어봤지. 그랬더니 예수는 신 포도주 덕택에 죽지 않았다는 거야. 지혈제와 수면제를 포도주에 탄 것 같아."

"마티아도 그런 광경을 모두 봤느냐?"

"로마군 병사들이 철수할 때, 너의 형이 마티아와 별동대원들을 쫓아 버렸어. 아리마태아 요셉이란 사람이 자기 무덤에 예수를 숨겨 놓자고 하더라. 그때 내가 대장간으로 가자고 했어. 무덤보다는 대장간이 환자를 치료하기가 편하다고."

"공부는 지지리도 못하더니, 머리는 기가 막히게 돌아가는구나. 안토니 요새가 지척에 있으니까 성전 나부랭이들이 얼씬도 안 할 거야."

"그나저나 새벽에 여자들이 여기에 온다고 하던데, 어떻게 해야 하냐?"

"제자 놈들에게 골탕 좀 먹이자. 천사처럼 흰옷을 입고 있다가, 여자들이 오면, 예수가 부활하여 갈릴리로 떠났으니, 제자들도 그리로 가서 만나라고 하는 거야. 처형장에 한 놈도 안 왔으니, 그놈들은 골탕 먹어도 싸다."

예수 바라빠는 걸음마 하듯 대장간을 오락가락하고, 나사렛 예수는 죽은 듯이 화덕에 누워 있었다. 유다는 바라빠를 수레에 태워 다락집으로 보내고, 홀로 예수를 보살폈다. 의사가 매일 들렀고, 별동대원들이 아침저녁으로 물과 음식을 가져왔다.

예수는 혼수상태로 마치 시체처럼 움직이지 않았다. 그러나 그는 분명히 숨을 쉬고 있었다. 그런데도 그가 그곳에 없는 것처럼 느껴졌다.

유다가 화덕을 지킨 지 나흘 만에, 예수는 처음으로 눈을 떴다. 그는 자기가 어디에 있는 거냐고 물었고, 말을 해 줘도 무슨 말인지 모르는 것 같았고, 다시 혼수상태로 돌아갔다. 그러기를 서너 차례 했다. 혼수상태로 돌아갈 때마다, 그의 영혼은 대장간을 떠나고, 깨어나면서 돌아오는 것 같았다.

예수가 왜 이렇게 아프냐고 말했다. 그런 후부터 정신이 조금씩 또렷해지고, 깨어난 상태가 오래갔다. 무교절이 끝나는 날, 마침내 그가 의식을 회복했다.

"내가 십자가에서 죽은 줄 알았는데, 어떻게 된 거냐?"

유다는 그동안 있었던 일을 말해 주었다. 예수가 한숨을 쉬며 말했다.

"쓸데없는 일을 했구나."

그는 죽을 두어 숟갈 먹고, 다시 잠들었다.

유다는 나사로의 장례식에 참석했다. 죽었다가 살아난 자가 다시 죽은 것이다. 장례식에 서기관들과 바리사이파 사람들이 참석했다. 그는 그들끼리 소곤거리는 소리를 들었다. 안나스가 나사로를 암살하자고 했을 때, 카이아파스는 더 두고 보자고 했다, 안나스는 산송장을 암살할 뻔했다, 죽음에서 부활한 나사로가 다시 죽었으니, 부활이 무슨 의미가 있느냐, 차라리 부활하지 않았더라면, 고통이 덜했을 것이다.

나사로의 누이들은 장례식 내내 평온하고 차분했다. 유다가 이 땅을 영원히 떠날 것이라고 말하자, 그들은 자기들도 데려가 달라고 했다. 살인과 폭동이 끊이지 않는 곳에서 여자의 몸으로 살아갈 자신이 없다고 했다. 그는 자매가 함께 자기의 아내가 될 수 있냐고 물었다. 그것은 농담이었는데, 그들은 정색을 하며 좋다고 했다.

유다는 돌아가는 길에 겟세마네에 들렀다. 이곳에서 예수와 우정의 언약을 맺었고, 여기에서 그를 체포하여 안나스에게 넘겼다. 저 멀리 사해에서 불어오는 바람이 올리브나무들을 흔들었다. 나뭇가지들 속에서 미카엘이 나왔다.

"성소의 휘장을 찢어 지성소를 활짝 연 것은 뜻밖에 얻은 수확이었어. 한 가지 일이 남았는데, 그것을 면제해 주겠다."

"그럴 필요 없어. 마지막 일이 무엇인지 말해라."

"팔레스타인을 떠나고, 이스라엘이 독립할 때까지 돌아오지 마라."

"이스라엘이 독립하든 말든, 나는 관심 없다."

"이제야 방황에서 벗어났구나. 대견하다."

"계약이 끝났는데 내 몸은 어떻게 되는 거냐, 앞으로도 삼손만큼 강한 힘이 유지되는 거냐?"

"네 몸에 붙어 있는 힘을 제거하려면 너를 죽여야 한다. 그럴 일은 없을 테니 염려하지 마라. 이 땅을 떠나면 어떻게 살아갈 셈이냐?"

"몸과 마음이 원하는 대로 살 거야. 노래하며 춤추고, 친구를 만나면 포도주를 마시고, 아름다운 여자를 보면 품에 안고, 이젠 쇠몽둥이를 쓸 일이 없으니 돌려주겠다."

"마침내 진리에 이르렀구나. 앞으로는 인류의 구원을 위해 살아라."

"도대체 넌 누구냐?"

"나는 네 양심 속에 있는 하느님의 영이다. 이제부터는 네가 나를 찾아라."

예수가 눈을 감은 채로 대장간 화덕에 앉아 있었다. 유다는 그를 가볍게 안아 주었다.

"나사로가 죽어서 장례식에 갔다 왔어. 혹시 죽은 나사로를 만나 봤어?"

"육신은 죽었지만, 그의 영혼은 아버지에게로 갔다."

"이곳은 안전하니까 몸을 움직이면서 활력을 되찾도록 해. 내게 다녀올 데가 있어. 오래 걸리지는 않을 거야."

유다는 시몬과 함께 바라빠와 별동대원들을 데리고 다볼산 요새로 갔다. 마하보 전사들이 훈련장에 집결했다. 유다는 전쟁 상황이 아니면 사람을 죽이지 말라고 연설하고, 그곳을 떠나왔다. 아버지와 형을 찾아가 작별 인사를 하고, 카이사레아로 갔다.

"곧 이 땅을 떠나 멀리 갈 거야. 그동안 여러 가지로 고마웠어."

"어디로 갈 작정이냐?"

"아는 사람이 하나도 없는 곳으로 갈 거야."

"친구를 잃은 슬픔이 컸구나. 예수가 부활하여 제자들 앞에 나타난다는 소문이 돌고 있는데, 네 앞에는 나타나지 않았느냐?"

"죽었으면 그만이지, 지옥 같은 세상에 무슨 미련이 있다고 돌아오겠어? 제자들이 스승을 그리워하다가 환상을 본 거겠지."

"예수가 부활한 모습을 보지 못했구나. 어디에 있든 내 생각이 나면 찾아와라. 나는 죽을 때까지 너를 그리워하며 살 것이다."

대장간에서 예수가 절뚝거리며 걷고 있었다. 유다가 대장간을 비운 동안, 그는 별동대원들의 도움을 받아 베다니에 다녀왔다고 했다.

"네가 앞으로 어떻게 살아갈지 궁금하구나."

"배를 한 척 사서 여러 나라로 돌아다닐 거야. 배에서는 별로 할 일이 없으니까, 형과 나의 이야기를 쓸 거야."

"좋은 생각이다. 너와 나의 이야기를 써서 어떻게 할 거냐?"

"300권을 필사해서 유대 광야와 이집트 사막 어딘가에 묻을 거야."

"그러면 그게 어느 천년에 발견되겠느냐?"

"모세의 마지막 책[71]도 천 년이 지나서야 발견됐잖아."

"네 생각을 내가 말한 것처럼 쓰면 안 된다."

"허 참, 형한테 검사 맞고 필사할게. 앞으로 어떻게 할 거야?"

"십자가에 못박혀 죽었던 사람이 백성들 앞에 나타날 수 있겠느냐?"

"진짜 죽기는 했었던 거야?"

"십자가에 못박힌 채로 죽은 걸 직접 보고도, 그런 말을 하느냐?"

"난 형이 죽기 직전까지 갔다가 되살아 난 건 줄 알았어. 형을 죽인 게 누구야, 대제사장들이야, 아니면 로마 제국이야?"

"지배 체제가 죽인 거라고 해야겠지. 대제사장들이나 유대 총독이나 악을 행하면서도, 그들은 자신이 무슨 일을 하는지 모른다."

"카이아파스가 의외의 말을 했어. 앞으로 하느님 나라의 이상과 비폭력 투쟁은 이스라엘 민족이 살아가는 방식이 될 거라고. 그러면 형의 제자들은 무얼 하지? 난 그게 궁금해."[72]

"앞으로의 일을 누가 알 수 있겠느냐? 카이아파스가 그런 말을 했다니, 그야말로 뜻밖이구나."

"이 땅에 머물 수 없다면, 인도로 가는 게 어때? 내가 배로 데려다줄게."

"난 바빌론으로 갈 생각이야. 나와 같이 가자."

"그러고 싶지만 참겠어. 형과 내가 같이 있으면 사고가 나. 처음 만났을 땐 형이 죽을 뻔했고, 20년 만에 만났을 때는 내가 죽을 뻔

---

71 요시아 왕 때 발견된 신명기를 말한다. 열왕기 하 22장 참조

72 2,000년 동안, 유대인들은 그렇게 살아왔다. 그러나 제자들의 후예들은 권력과 돈과 섹스를 추구하고, 독단에 빠져 이단을 박해하고 죽였다. 기독교가 로마 제국을 정복했다는 말에 속은 사람들이 얼마나 많은가? 오히려 기독교는 교황 등, 로마 제국의 권력 구조를 모방했다. 즉, 로마 제국은 기독교마저 제국주의로 오염시켜 버렸다.

했고, 이번에는 형이 십자가에 못박혀 죽었었잖아."

"우리에겐 좋은 일이 더 많았어."

"형은 되지도 않을 일을 해 왔어. 이젠 여자도 품어 보고, 결혼도 해 봐. 아무리 생각해 봐도, 육체적 즐거움이 없는 사랑은 공허해."

"이 땅의 여자를 네가 다 차지해 놓고, 그런 말을 하느냐?"

"아니 또 무슨 생뚱맞은 말이야?"

"나사로의 누이들만 해도 오로지 나를 따랐었다. 그런데 너를 따라간다지 않느냐?"

"그거야 나사로는 세상에 없고, 형은 영혼 타령만 하니까 그렇게 된 거지. 마리아만 해도 그래. 아폴론이 다프네를 쫓듯[73] 나는 마리아를 쫓아다녔는데, 아무 소용이 없잖아. 형 때문에 나한테 돌아오지 않는 거야."

"아폴론과 다프네가 누구냐?"

"아폴론을 솔로몬 왕으로, 다프네를 술람미 여인으로 보면 돼[74]."

"그런데 마리아가 네게 돌아가지 않는 것이 왜 나 때문이냐?"

"고결한 형과 오랫동안 함께 있다가 속세에 물든 내게로 오겠어? 나 형 때문에 손해 본 거 많아."

"네가 살로메에게 빠진 게 잘못이지, 그걸 왜 내 탓으로 돌리느냐?"

"아무튼 나는 이 땅의 여자들을 다 차지한 적이 없고, 그럴 능력도 없어. 오히려 형이야말로 신비하기 그지없는 데다가 얼굴까지 잘생겼잖아. 바빌론에 가면 여자들이 형을 먼저 차지하려고 앞다

---

73 아폴론이 다프네를 사랑하여 쫓아다녔으나, 그녀는 도망치다 잡히는 순간 월계수로 변했다.

74 솔로몬 왕이 술람미라는 여인에게 온갖 방법으로 구애했으나, 그녀는 흔들리지 않고 목동에 대한 사랑을 굳게 지켰다.

투어 달려들 거야."

"하하하, 네가 없었으면, 내가 세상을 어떻게 살아왔을지 모르겠다."

유다는 마리아에게 이혼 증서와 함께 아를 농장을 주었다. 원래는 다락집을 주려고 했으나, 그녀가 아를 농장을 달라고 했다. 그녀는 그곳으로 가 다시는 이 땅으로 돌아오지 않겠다고, 그곳에 데려다 달라고 했다. 그가 고개를 끄덕이자, 마티아가 불쑥 나섰다.

"요하난 님, 나는 스승님을 따르기로 했습니다. 정든 주인님을 떠난다는 거죠."

"너마저 나를 떠나겠다는 말이냐, 안 된다고 하면 어떡할 거냐?"

"스승님은 부활한 지 얼마 안 돼 보살펴 드려야 하지만, 요하난 님은 스스로 존재하는 분이라 안 그래도 됩니다."

"스스로 존재하는 분이라니, 그런 말을 어디서 들었느냐?"

"요하난 님이 가끔 혼잣말하는 걸 들었습니다."

"하하하, 네가 나를 신의 반열에 올려놨구나. 나는 이 땅을 떠날 거다. 다락집을 네게 주겠다."

"나는 스승님을 따라다니며 보살펴야 합니다."

"그렇다면 마르크에게 주면 되겠구나. 그는 너의 양아들이고, 다락집을 운영하고 있잖으냐. 대신 너는 10달란트를 받아라. 스승님을 보살피는 데 써라."

"그게 웬 돈입니까?"

"스승님을 넘겨준 대가로 받은 금덩어리다. 스승님은 여자 없이는 살아도, 포도주 없이는 못 산다. 포도주가 떨어지지 않도록 항상 신경을 써 드려라."

갈릴리호숫가에서 마티아는 모닥불을 피우고, 빵과 생선을 구웠다. 제자들이 하나둘 나타나 모닥불 주위에 둘러앉았다. 제자들이 다 모이자, 예수가 음식을 나누어 주었다. 그들은 음식을 먹고 포도주를 마셨다. 예수의 음성은 더 이상 그럴 수 없을 만큼 부드러웠고, 마치 하늘에서 들려오는 노래 같았다.

"여러분은 나의 형제자매입니다. 예루살렘을 시작으로 온 세상에 다니며 하느님 나라를 전하십시오. 나는 항상 여러분과 함께 있을 것입니다."

"그것에 더해 우리는 스승님이 부활한 것을 전하겠습니다. 우리가 모두 부활의 증인이 될 것입니다." 베드로가 말했다.

"항상 깨어 있어, 진리를 도둑맞지 않도록 경계하십시오."

제자들이 예루살렘으로 떠나자, 예수는 길을 나섰다. 베드로와 마티아가 그를 따라갔다. 유다는 마리아와 나사로의 누이들을 수레에 태우고, 마부석에 앉아 예수의 마지막 모습을 지켜보았다. 그는 절뚝거렸지만, 힘차게 걸어갔다. 베드로가 고개를 길게 뽑아 뒤를 돌아본 후 그에게 말했다.

"스승님, 저기 저 유다라고도 하고, 요하난이라고도 하는 사람은 앞으로 어떻게 되겠습니까?"

"내가 다시 올 때까지 그[75]가 살아 있더라도, 당신에게 무슨 상관입니까?"

[75] 요한복음에만 등장하는 '사랑하시는 제자'를 말한다. (21장 21~22절 참조)

인류의 인플루언서, 예수

생생한 이야기로 예수를 부활시키다

발행일 2024년 6월 7일

지은이 | 신담
펴낸이 | 마형민
기　획 | 임수안
편　집 | 조도윤
디자인 | 김안석
펴낸곳 | (주)페스트북
주　소 | 경기도 안양시 안양판교로 20
홈페이지 | festbook.co.kr

ISBN 979-11-6929-501-7 03810
값 23,000원

* (주)페스트북은 '작가중심주의'를 고수합니다. 누구나 인생의 새로운 챕터를 쓰도록 돕습니다. Creative@festbook.co.kr로 자신만의 목소리를 보내주세요.